Una Boda Impuesta

Jo Beverley

Una Boda Impuesta

Titania Editores

ARGENTINA - CHILE - COLOMBIA - ESPAÑA
ESTADOS UNIDOS - MÉXICO - PERÚ - URUGUAY - VENEZUELA

Título original: *An Arranged Marriage*
Editor original: Kensington Publishing Corp., New York
Traducción: Elisa Mesa Fernández

1.ª edición Julio 2013

Reservados todos los derechos. Queda rigurosamente prohibida, sin la autorización escrita de los titulares del *copyright,* bajo las sanciones establecidas en las leyes, la reproducción parcial o total de esta obra por cualquier medio o procedimiento, incluidos la reprografía y el tratamiento informático, así como la distribución de ejemplares mediante alquiler o préstamo público.

Todos los nombres, personajes, lugares y acontecimientos de esta novela son producto de la imaginación de la autora, o son empleados como entes de ficción. Cualquier semejanza con personas vivas o fallecidas es mera coincidencia.

Copyright © Jo Beverley 1991
All Rights Reserved
Copyright © 2013 de la traducción *by* Elisa Mesa Fernández
Copyright © 2013 *by* Ediciones Urano, S.A.
Aribau, 142, pral. – 08036 Barcelona
www.titania.org
atencion@titania.org

ISBN: 978-84-92916-47-4
E-ISBN: 978-84-9944-592-2
Depósito legal: B-12.669-2013

Fotocomposición: Montserrat Gómez Lao
Impreso por: Romanyà-Valls, S.A. - Verdaguer, 1 - 08786 Capellades (Barcelona)

Impreso en España - *Printed in Spain*

Capítulo 1

*E*leanor Chivenham se estremeció, tumbada en la enorme cama. No había chimenea en su dormitorio y, para estar a finales de abril, hacía bastante frío. La ventana no cerraba bien, crujía y dejaba entrar una corriente constante de aire frío y húmedo, pero no era ésa la causa de sus temblores. Eran los ruidos que le llegaban desde los pisos inferiores de la casa de su hermano. Por el estrépito, las canciones estridentes y las agudas risas femeninas, sabía que se estaba celebrando otra fiesta licenciosa.

Casi cada noche durante los dos meses que llevaba viviendo en la estrecha casa de Derby Square ocurría lo mismo. Los días no eran mucho mejor, porque la vivienda siempre estaba sucia y viciada de la noche anterior y el personal era descuidado e insolente.

Eleanor echaba de menos su hogar, Chivenham Hall en Bedfordshire. Allí, su hermano, Lionel, la había dejado vivir en paz, hasta que finalmente había vendido la casa para pagar sus deudas. En realidad, no había llevado una vida lujosa, porque el miserable sueldo que Lionel le pasaba sólo daba para mantener a tres criados. Había quedado tan poco dinero para llevar la casa que habían terminado comiendo únicamente lo que ellos mismos cultivaban y reparando y arreglando el viejo edificio lo mejor que podían.

Sin embargo, había estado tranquila y se había sentido libre. Libre para leer en la biblioteca, para pasear por el campo y para visitar a los lugareños, a los que conocía de toda la vida. En Derby Square no había libros por los que se interesaría una dama, ningún parque por los alrededores que se pudiera comparar al campo, y ningún amigo.

A veces se sentía tentada de huir a Bedfordshire y vivir de la caridad de los amigos, pero no lo haría. Al menos, no todavía. Porque, de acuerdo con el testamento de su padre, si abandonaba la «protección» de su hermano antes de cumplir los veinticinco, renunciaría a su herencia en favor de él. Eso le vendría muy bien a Lionel, estaba segura, porque ya había dilapidado la mayor parte de su patrimonio.

Al oír un chillido particularmente agudo, Eleanor se encogió todavía más y se cubrió con las finas mantas hasta las orejas. La pobreza de su hermano no era suficiente para moderar sus diversiones. ¿Podría soportarlo durante dos años más, hasta que tuviera el control de su propia vida? Casi nunca conseguía oponerse a Lionel. Su hermano engañaba a la gente con mucha facilidad, en particular a sus padres, y era muy hábil manipulándola para ponerla en situaciones que la desfavorecían.

Si Lionel hubiera vendido la propiedad del campo únicamente para hacerle la vida imposible bajo su protección, Eleanor debía admitir que lo habría conseguido.

Oyó el ruido de pisadas y risitas nerviosas en susurros al otro lado de la puerta. Salió de la cama para comprobar que tanto la puerta que daba al pasillo como la que comunicaba con el vestidor estaban cerradas con llave, como solían, y se tranquilizó al ver que estaba a salvo de la orgía. Sonrió levemente ante sus miedos. La segunda puerta llevaba tanto tiempo cerrada que la llave se había perdido.

Sin embargo, sabía que lo más inteligente era tomar todas las precauciones posibles. A pesar de que creía que había ciertos límites que su hermano no cruzaría para obtener su herencia, Lionel cada vez estaba más desesperado. Sin duda, las deudas se le estaban acumulando.

Lionel la había arrinconado hacía dos días para felicitarla por haber recibido una oferta de matrimonio.

—¿Quién ha podido hacerlo? —preguntó sorprendida—. No conozco a nadie.

—Vamos, vamos, querida hermana —respondió con una sonrisa de superioridad—. Alguna vez te he presentado a mis invitados, cuando no te escapabas presa de la timidez.

—No es la timidez —replicó ásperamente—, sino las náuseas lo que me hacen escapar, hermano.

Él se rió. Era su respuesta ante cualquier situación desagradable.

—Eres un poco exigente para ser una mujer que ya dejó atrás su juventud, Nell. Tienes veintitrés años, eres sumamente mayor y, sin embargo, te estoy ofreciendo una posibilidad. ¿No te gustaría ser una dama?

—Soy una dama —contestó—. Si hablas de matrimonio, te diré, hermano, que entre tus conocidos no se cuenta ningún caballero.

—Un conde, querida, no necesita ser un caballero. Lord Deveril está deseando cortejarte.

¡Deveril! Eleanor se estremeció sólo de pensarlo. Era el peor amigote de su hermano, si podía llamársele así. Era más bien la encarnación del mal. Después de todo, Lionel sólo tenía veinticinco años. Era egoísta y malicioso por naturaleza, pero nada más. A su entender, era Deveril quien había introducido la maldad en su vida en forma de borracheras, drogas procedentes de Oriente y mezquinas diversiones.

—Nunca me casaré con lord Deveril —había dicho con absoluta certeza.

Prefería morir.

—¡Qué arrogante! —había contestado él con desdén. Pero ella se había dado cuenta de que se había indignado. Deseaba que se realizara ese matrimonio—. Lord Deveril está acostumbrado a conseguir lo que desea, Nell, y estaría más predispuesto a ser amable si accedieras de buena gana.

—Ese hombre no sabe lo que es la amabilidad. Fíjate bien en lo que te digo, Lionel: la respuesta es no y siempre será no, independientemente de lo que hagas. ¡Nunca me obligarás a caer tan bajo!

Se estremeció ligeramente al recordar cómo se había resistido. Había sido una imprudente, mas lo había hecho movida por el miedo.

Miedo al cuerpo cadavérico, a los labios húmedos y a los ojos de serpiente de Deveril. Incluso olía como un cadáver. Sintió otro escalofrío. Prefería mil veces vivir bajo la dudosa protección de Lionel.

Una llamada a la puerta la sacó de sus pensamientos.

—¿Quién es?

—Soy Nancy, señorita Eleanor. Le he traído una bebida caliente. No creo que pueda dormir con este jaleo.

La muchacha mantuvo la voz todo lo baja que pudo, pero lo suficientemente alta como para hacerse oír a través de la puerta. Nancy era nueva en la casa. Era joven, bonita y, tal vez, astuta, pero la había tratado con respeto y le apetecía mucho tomar algo caliente. La chica tenía razón: no creía que pudiera dormir nada en las próximas horas.

Eleanor pisó la alfombra raída, temblando de frío a pesar de su grueso camisón de franela, y abrió la puerta con cautela. Allí sólo estaba la doncella, con su cabello rojizo ligeramente despeinado y una taza cubierta en la mano.

—Gracias, Nancy —le dijo mientras cogía la taza—. Eres muy considerada. —Intentaba pagar la amabilidad con amabilidad—. Te aconsejo que no vuelvas abajo.

La chica se ruborizó, pero la miró con picardía.

—Debo hacer lo que diga el señor —contestó.

Su fuerte acento indicaba que había abandonado recientemente la vida en el campo para aprovechar las grandes oportunidades que le brindaba la ciudad.

Eleanor suspiró.

—Como quieras. Gracias de todas formas.

Sentía mucha pena por Nancy. Cuando ocurriera lo inevitable, la echarían y tendría que buscarse la vida como pudiera. Sin embargo, lo único que ella podía hacer era advertírselo. Cerró la puerta con llave y regresó corriendo bajo las mantas.

La cama era un agradable y cálido refugio contra el aire frío, y el aroma de la leche especiada le levantó el ánimo. Tomó un sorbo. Cielo santo, también había un poco de ron. Estaba demasiado dulce para su gusto, pero era muy reconfortante y se lo bebió todo. Volvió a acurrucarse bajo las mantas.

La bebida la había relajado y pronto comenzó a dormitar, menos preocupada ya por los sonidos que procedían de los pisos inferiores. No estaba segura de si se había dormido o no cuando un ruido se coló en su conciencia.

El chirrido de una cerradura.

La puerta que daba al vestidor y que llevaba tanto tiempo sin usarse se estaba abriendo.

Horrorizada, Eleanor se dio cuenta de que los miembros le pesaban mucho y estaban débiles, y tenía la cabeza muy cargada. Veía borroso, a pesar de parpadear para aclarar la visión. Únicamente podía concentrarse en un solo punto, y con mucho esfuerzo. Se incorporó un poco en la cama con dificultad y vio que la chica, Nancy, se acercaba a ella.

—Me imagino que no está cómoda con esa trenza, señorita —murmuró mientras sonreía y empezaba a mover los dedos.

Aunque a Eleanor le habría gustado quejarse, requería demasiado esfuerzo. Si dormía con su largo cabello suelto, a la mañana siguiente estaría terriblemente enredado. Sin embargo, la muchacha sólo estaba intentando ser amable. Pero ¿qué estaba haciendo con los botones de su camisón?

Nancy la empujó con suavidad para que se volviera a acostar.

—Así, señorita. Es bastante bonita.

Eleanor dejó agradecida que el sueño la volviera a reclamar.

Mientras tanto, en el desordenado salón del piso inferior, se encontraba un nuevo personaje en el círculo de Lionel Chivenham a quien la noche le estaba pareciendo una pesadilla.

Christopher Delaney, lord Stainbridge, sólo quería pasar una velada tranquila en White's, pero al salir lo habían tomado en brazos, no se le ocurría otra manera de expresarlo, Chivenham y algunos de sus compinches, que celebraban alegremente el final de Napoleón y el regreso al poder de los Borbones. Como no era amigo de la violencia, no había visto modo de desembarazarse de ellos. Después de todo, Chivenham y él habían compartido curso en Eton, aunque nunca le había gustado ese hombre.

A pesar de que había permitido que lo arrastraran a la casa de Chivenham, le había bastado una sola mirada a los invitados para querer marcharse de inmediato. Sin embargo, para su sorpresa, había encontrado un espíritu afín, un francés al que le interesaban la porcelana china y el arte casi tanto como a él. Sin darse cuenta, el tiempo había pasado rápidamente y habían bebido bastante vino mientras hablaban de sus gustos comunes.

Analizaron algunos objetos selectos que *monsieur* Boileau había llevado para que los estudiara sir Lionel. Tuvo que pasar un tiempo hasta que lord Stainbridge se preguntó por qué un ignorante endeudado como Chivenham estaría interesado en valiosos objetos de arte.

Sir Lionel se acercó para unirse a ellos y cogió un elegante caballo de jade.

—Una pieza deliciosa, ¿verdad, Stainbridge?

—Exquisita.

Lord Stainbridge sintió que no pronunciaba la palabra con la precisión que habría deseado. Temía estar ligeramente ebrio, un hecho de lo más inusual, porque se moderaba mucho con la bebida.

—¿Exquisita como un grácil muchacho, Stainbridge? —preguntó lord Deveril, un hombre repugnante.

Lord Stainbridge sintió un ligero estremecimiento de miedo. Levantó la mirada y vio que era el blanco de miradas maliciosas. Incluso *monsieur* Boileau le sonreía con cinismo.

Se dio cuenta de que el cerebro no le funcionaba con la rapidez que solía. No se veía capaz de responder con ingenio.

—No —dijo, refugiándose en el laconismo.

—Tal vez tenga razón —respondió lord Deveril afablemente—. Algunos de esos deliciosos jóvenes son incomparablemente hermosos,

¿no cree? —Se inclinó hacia delante como si le fuera a hacer una confidencia—. Como los que hay en cierta casa de Rowland Street.

Lord Stainbridge intentó no mostrar el pánico que sentía. Lo que estaban sugiriendo era una tremenda ofensa y, aunque su posición social lo protegiera, nunca podría sobrevivir al escándalo.

No podía pensar con claridad. Y lo más alarmante era que se sentía como si un desconocido le hubiera invadido la mente y le estuviera diciendo que ya no importaba nada de eso. ¡Seguramente no se debía sólo al vino!

Se levantó con decisión para marcharse y sus sospechas se vieron confirmadas. Tenía bastante control sobre sus músculos. Su mente era la que no funcionaba bien. De alguna manera, cuando Chivenham le rodeó los hombros con un brazo, se encontró acompañándolo sin resistirse.

—No sea tímido, amigo. Mire, tenemos algo especial para usted.

Lord Stainbridge se halló cara a cara con el joven encantador que había conocido recientemente en cierta casa de Rowland Street.

El muchacho tenía unos ojos castaños increíblemente grandes rodeados de largas pestañas, y conservaba la capacidad de sonrojarse. El joven Adrian le sonrió con el aparente placer genuino que había atraído al conde al conocerlo, pero aunque le costó un gran esfuerzo, lord Stainbridge no respondió. Un terror frío le atenazaba el corazón.

—Me temo que ha cometido un error, Chivenham —dijo, agradecido de haber recuperado algo de control sobre su cerebro—. Me gustan las mujeres. He estado casado, ya lo sabe.

—Mis disculpas, Stainbridge. —Sir Lionel parecía sinceramente arrepentido y lo alejó del joven desconcertado—. ¡Me han informado terriblemente mal! Solamente deseaba complacerle, ya que ha sido tan amable de disfrutar de mi hospitalidad. Debo enmendarlo —afirmó con entusiasmo—. ¡Ya sé! Tengo una preciosa dama en el piso de arriba, una virgen nada menos, ansiosa por complacerme. Se la cedo.

Se dio la vuelta para anunciar su generosidad a la multitud que había en la estancia. Lo aclamaron estrepitosamente.

Lord Stainbridge se sentía como si estuviera en el infierno, rodeado de caras sonrientes y burlonas a las que la luz parpadeante y las volutas de humo que procedían de la chimenea y las velas daban un aspecto macabro.

Estaba perdiendo otra vez el control sobre la mente. Lo único que quería era marcharse.

—Es usted demasiado amable. No hay necesidad de hacerlo. Estoy seguro de que...

—En absoluto, querido amigo. Me sentiré desolado si no la acepta. —Sir Lionel lo llevaba a la puerta—. Después de todo, algunos de esos caballeros podrían malinterpretar mis anteriores palabras. Si cumple con la joven, ¿qué podrán decir? Venga conmigo, por favor.

—¡Sí! —gritó alguien—. Enséñale lo que tienes. No me gusta pensar que he estado bebiendo con un jugador de backgammon.

—Ya lo ve —dijo sir Lionel, afligido—. Y todo es culpa mía. Demuestre que están equivocados, querido Stainbridge, y le regalaré ese precioso caballo que ha sido la causa de todos los problemas. —Cogió el caballo y lo levantó tentadoramente—. Exquisito como una grácil mujer, ¿verdad?

—Sí. Sí, por supuesto.

Solamente había querido mostrarse de acuerdo con la descripción, pero de alguna manera se dejó guiar fuera de la habitación sin oponer resistencia. Parecía mucho más fácil acceder a todo. Podría cumplir. Su breve matrimonio había demostrado por lo menos eso. Y el jade era soberbio. Merecía un hogar mejor que aquél...

Eleanor volvió a recobrar la consciencia cuando otro ruido penetró su mente embotada. Levantó la mirada e intentó enfocar la vista. Allí estaban su hermano y un desconocido mirándola, dos siluetas vacilantes a la luz de una única vela casi consumida. El desconocido era alto, pálido y esbelto. Tanto él como Lionel parecían estar al final de un largo túnel, algo muy extraño porque la habitación era bastante pequeña. Vio con horror que lord Deveril también entraba en el cuarto.

Escuchaba sus voces como si procedieran de muy lejos. Intentó hablar, pero le resultó imposible.

—Ahí tiene —dijo su hermano arrastrando las palabras debido al alcohol—. Una dulce virgen. Estoy seguro de que está deseando demostrarles a esos burlones que es un verdadero hombre. Y, además, está el caballo. Cumpla con la chica y se llevará el jade, ¿de acuerdo? ¡Sí! ¡Gane el jade! ¡Ja! —Cayó en un paroxismo ebrio de alegría—. Si no lo consigue... Bueno, eso no sucederá, ¿verdad?

Su hermano se tambaleó hacia delante, o tal vez fuera así como lo veía Eleanor, y se apoyó en el poste de la cama. Tenía suelto el pañuelo del cuello y, la camisa, torcida. Al adelantar la cabeza, de repente su cara redondeada le pareció grotescamente grande y deformada. Vio un brillo malévolo de triunfo en sus ojos y gimió levemente.

—No... no parece muy dispuesta —dijo con voz pastosa el segundo hombre, acercándose.

No era tan alto después de todo, y tenía las manos y la cara estrechas, como las de un santo... ¿o era sólo como ella lo veía? Era un sueño de lo más peculiar.

—Está nerviosa. Es virgen, ya se lo he dicho. Está lo suficientemente dispuesta, no se preocupe. Vamos, muchacha —dijo Lionel en voz alta—. ¡Si has cambiado de opinión, levántate, vete de aquí y no vuelvas!

Completamente horrorizada, Eleanor obligó a cada músculo de su cuerpo a bajar de la cama. Si era necesario, se arrastraría para salir de ese dormitorio y de aquella casa. Sin embargo, lo único que consiguió fue inclinarse hacia delante en una burlona invitación putesca, con el largo cabello castaño flotando a su alrededor y ofreciendo un seductor atisbo de sus pechos gracias al camisón desabrochado.

Lord Deveril se acercó y soltó una risita mientras le bajaba un poco más el camisón, con ojos brillantes.

—¡Ésta es mi chica! No decepciones a este caballero tan refinado.

Pero no te preocupes: si no cumple contigo, hay muchos más abajo que sí lo harán. Te ganarás el sueldo muy pronto.

Su hermano y él se rieron estrepitosamente y salieron de su vista.

Sus brazos cedieron. Volvió a hundirse en la cama a la vez que su violador se quitaba la ropa.

Se cernió sobre ella con mirada salvaje a la tenue luz. Ella consiguió articular sólo dos palabras con una lengua que parecía haber aumentado de tamaño. Un débil «Por favor».

—De acuerdo, de acuerdo —murmuró él, y apartó la ropa de cama.

Eleanor sintió el aire frío sobre la piel, lo que la convenció de que aquella pesadilla era real. El horror la inundó, se incrustó en su mente como si tuviera garras. Intentó moverse de nuevo.

Él miró con seriedad su camisón.

—¿Éste es el nuevo estilo de las putas? ¡Dios todopoderoso! —Comenzó a desabrochar torpemente los botones y ella levantó una mano para detenerlo. El hombre se la apartó—. Yo lo haré.

Rasgó la prenda raída por delante.

Eleanor se sintió caer a un profundo pozo de oscuridad, y lo agradeció.

—¡Eres como una maldita muñeca de trapo, puta! Vamos, gánate el sueldo. ¡Compláceme!

Sintió unos punzantes soplos de aire en las mejillas que la sacaron de la agradable oscuridad, pero no podía hacer ningún movimiento. Le separaron las piernas y la oscuridad que acechaba en los bordes de su mente volvió a amenazar con invadirla. Sintió un peso sobre ella. Oyó que alguien murmuraba una imprecación y volvió a perder la consciencia.

Un dolor agudo la hizo volver en sí parcialmente. Oyó un grito amortiguado y se dio cuenta de que era suyo. Abrió los ojos de nuevo e intentó suplicar clemencia. Durante un instante vio la cara monstruosa jadeante que aparecería en sus pesadillas desde hacía meses. Entonces la negrura salvadora regresó y se quedó con ella...

Eleanor no se dio cuenta del buen humor de su hermano cuando cedió la preciosa pieza de jade, deshaciéndose en disculpas. Tampoco oyó la conversación entre lord Deveril y él cuando lord Stainbridge se hubo marchado.

—Es una pena que nos haya confesado sus verdaderos gustos —murmuró sir Lionel—. Habría sido un recurso muy útil.

—Encontraremos otro —respondió lord Deveril con serenidad.

—Me sorprende que hayas renunciado a ese placer. —Sir Lionel señaló la cama—. Cualquier prostituta habría servido.

Lord Deveril se acercó y estrujó un pezón que quedaba al descubierto con dedos sucios y huesudos. El cuerpo yacía inmóvil sobre la cama.

—¿Qué diversión hay en esto? Antes de esta noche pensaba poseerla drogada, como está ahora, o violarla, aunque soy demasiado viejo para estos juegos. Pero creo que mañana te darás cuenta de que estará mucho más dispuesta a tener en cuenta mi oferta de matrimonio. Cuando sea mi esposa y esté en plenas facultades, gozaré con ella. Disfrutaré más su odio cuando se vea obligada a ocultarlo. Y es posible que saquemos provecho de lo que ha ocurrido esta noche. Nuestro cabecilla es un experto en sacar beneficios de las situaciones más inverosímiles.

Cubrió a Eleanor con una sábana.

—Cuida bien a mi prometida, Chivenham —dijo con una sonrisa escalofriante—. Volveré mañana con el anillo.

Esa misma noche, en París, Nicholas Delaney, el hermano de lord Stainbridge, estaba arrodillado junto al cuerpo de un inglés conocido suyo. Se había dado cuenta enseguida de que no se podía hacer nada. Había visto morir a muchos hombres y sabía que la respiración fatigosa y los latidos irregulares de Richard Anstable no iban a durar mucho más. El hombre también había perdido mucha sangre.

Nicholas iba de regreso a Inglaterra desde India y había aprovechado que Napoleón había abdicado para visitar París, una ciudad que había estado cerrada a los ingleses durante toda su vida. Se había quedado allí varias semanas por diversas razones, y la menos importante no era que pensara que en ese momento debía estar en casa. Le parecía apropiado darse un respiro antes de tomar una decisión trascendental y, además, los aires fascinantes de la capital francesa no parecían molestar a su «séquito».

No estaba del todo seguro de cómo había conseguido a sus tres compañeros: Tim Riley se le había unido en Pune; a Georgie Crofts, a quien solían llamar Shako, lo había recogido en el Cabo; y a Tom Holloway, un anciano compañero de viaje, lo había encontrado en Italia. A Tom le gustaba la compañía, pero Nicholas sabía que para los otros dos él era sólo su billete para llegar a casa. A Tim lo había debilitado la fiebre en India y Shako era un marinero que había perdido el brazo derecho. Ambos se habían convertido en leales asistentes. Nicholas esperaba que dejaran de ser tan embarazosamente leales cuando los llevara a su tierra.

Se había encontrado con Richard Anstable tres días atrás. Lo había conocido un poco y le había gustado pasar un par de noches en su compañía. Richard era uno de los pocos diplomáticos enviados a París y Nicholas sospechaba que su trabajo no estaba tan relacionado con las negociaciones de paz como con localizar a partidarios bonapartistas. Eso parecía algo inútil ahora que el emperador había abdicado y se había exiliado a Elba, pero ya se sabía que los gobiernos eran recelosos.

Nicholas no había esperado toparse con la violencia en compañía de aquel joven apacible y rechoncho. Había acudido a las habitaciones de Richard para jugar unas manos de piquet y lo había encontrado de aquella manera.

Pobre Richard. Alargó una mano y le apartó al moribundo el cabello castaño claro de la frente.

Richard abrió los ojos, aunque Nicholas estaba seguro de que no podría ver mucho.

—Soy Nicholas, Richard. Quédate quieto. Buscaré ayuda.

Sería inútil, pero tenía que decirlo.

El hombre cerró los ojos y movió los labios.

—Tres. Es Tres... Díselo a ellos.

—Se lo diré —le prometió, y aventuró—: ¿La embajada?

Richard sonrió levemente, jadeó y expiró.

Nicholas sintió que la pena y la rabia lo invadían. La muerte era algo absoluto. Un segundo antes allí había un hombre y ahora sólo había un cadáver. Richard Anstable solamente había sido un desconocido, sí, pero era un joven agradable con el don de saber disfrutar la vida. Deseó saber quién se la había arrebatado, quién le había disparado sin compasión dos veces en el pecho. Y por qué.

Lo menos que podía hacer era llevar su mensaje a la embajada. Tres. ¿Richard estaba hablando francés? En francés, *très* significaba «mucho». ¿O tal vez era un nombre? A lo mejor alguien lo sabía, y tal vez pudiera hacer algo a quien hubiera matado a Richard Anstable.

Capítulo 2

A la mañana siguiente, había muy pocos lugares en Londres en los que lord Stainbridge deseara estar menos que en Derby Square, donde Lionel Chivenham tenía aquella casa que se estaba desmoronando. Sin embargo, allí lo habían llevado sus pasos. Lo reconcomían la inquietud y la sospecha sobre lo que había sucedido la noche anterior. Tenía que saber más.

A esa hora tan temprana no había nadie de la aristocracia por la calle, tan sólo los sirvientes barriendo los escalones, puliendo el metal y comprando mercancía a los vendedores ambulantes. Nada en esa actividad arrojaba algo de luz sobre los sucesos irreales de la noche anterior. Chivenham lo había metido en un coche de caballos de alquiler y, una vez en casa, su ayuda de cámara lo había acostado. Apenas recordaba nada. Se había despertado bastante temprano con una amarga sequedad de boca, pero sin la resaca propia del alcohol. Lo habían arrastrado a aquella casa prácticamente contra su voluntad.

Se quedó quieto un momento, apoyado contra la verja de hierro forjado que rodeaba el pequeño jardín que había en el centro de la plaza, frotándose la barbilla con su bastón de cabeza de plata. Miró la casa alta y estrecha de Chivenham como si pudiera darle alguna respuesta a su desconcierto, parcialmente convencido de que lo que recordaba de la noche anterior debía ser un sueño producido por alguna droga. Sabía que algunas personas sentían debilidad por el opio, e incluso eran adictas a él.

Pero estaba el caballo de jade que había encontrado junto a la cama, después de que su ayuda de cámara lo colocara allí...

Observó ociosamente cómo una figura femenina envuelta en una capa salía a hurtadillas del sótano de la casa de Chivenham y echaba a correr por la calle, pasando de largo el lugar desde el que él se encontraba vigilando. Sin embargo, había algo en ella que le llamó la atención: cierta desesperación en sus movimientos que también se le reflejó en los ojos cuando miró hacia atrás, hacia la casa.

¿Podría ser...? Sin duda se trataba simplemente de una criada que no andaba tramando nada bueno pero, como no tenía esperanzas de sacar nada en claro de la casa, siguió a la figura envuelta en la capa.

La mujer caminó rápidamente durante unos quince minutos y después giró hacia Saint James Park y se sentó en un murete. Lord Stainbridge empezó a sentirse estúpido. Aunque no había podido verla con claridad, estaba bastante desaliñada. Seguramente se trataba de una sirvienta tomando un poco de aire fresco o que iba a encontrarse con su amante en su día libre.

Estaba a punto de irse cuando ella se incorporó de un salto. Sus movimientos eran tan torpes que se vio obligado a seguirla. Caminó rápidamente por Great George's Street en dirección al río y a Westminster Bridge. En el último minuto empezó a correr. Él casi no llegó a tiempo, porque la mujer ya estaba trepando por el parapeto del puente cuando la alcanzó y tiró de ella, apartándola bruscamente del peligro.

—¡Déjeme en paz, por el amor de Dios! —gritó incontroladamente, pero cuando vio quién era su salvador, se desmayó.

Lord Stainbridge comenzó a desabrocharle frenéticamente los botones del cuello alto del vestido y la abanicó son su sombrero. Agradeció que no pasara nadie por allí, porque temía pensar lo que diría ella cuando se recuperara. Por la reacción que había tenido al verlo supo que era la mujer involucrada en los hechos de la noche anterior. Era mayor de lo que había pensado y sorprendentemente culta, pero aun así no tenía dudas de cuál era su identidad.

Ya había sospechado que allí había mucho más de lo que parecía. ¿Podría ser una trampa para casarlo? No tenía mucho sentido...

Si Nicholas estuviera allí para manejar aquel asunto... Cuando la mujer recuperara la consciencia, seguramente habría una escena de las que a él menos le gustaban.

Sin embargo, su reacción lo sorprendió. Cuando volvió en sí y lo vio, cerró los ojos de nuevo y se quedó inmóvil. Podría haber pensado que se había desmayado de nuevo de no ser por la tensión que sustituyó la flacidez de su cuerpo. Entonces se sentó con esfuerzo y habló con la calma mortífera de la desesperación.

—Supongo que mi hermano lo ha enviado. Muy bien, regresemos.

Lord Stainbridge reprimió una negación instintiva. Lo que en realidad deseaba era alejarla de aquel lugar y llevarla a algún sitio privado donde podría descubrir hasta dónde llegaba aquella conspiración. Como ella parecía dócil, la ayudó a ponerse en pie y la sujetó mientras se encaminaba a su lado de nuevo hacia Parliament Street, donde encontraron un coche de alquiler. La metió en él, le dijo al conductor que deambulara un rato y también se subió.

En el interior mugriento, la joven parecía una estatua de cera: pálida, inmóvil y sin expresión. Sin embargo, se dio cuenta de que era guapa, con rasgos finos y parejos y abundante cabello de color caoba. Sólo recordaba el cabello. Cuando ella cerraba los ojos, como en aquel momento, casi era hermosa. Al abrirlos, la expresión que había en ellos hizo desaparecer ese efecto. Su expresión era claramente un recuerdo de la noche anterior.

—¿Quién es usted? —preguntó él.

Se giró hacia él y durante un instante pasó por su rostro una expresión de triste diversión, pero no contestó. En vez de hacerlo, hizo su propia pregunta:

—¿Adónde me lleva?

—¿Adónde le gustaría ir?

Se sentía extrañamente receloso de su serenidad.

—Al río otra vez —respondió con sencillez.

Tras una pequeña pausa, le preguntó por qué y ella respondió, mirando por la ventanilla:

—Bueno, las alternativas son peores.

—¿Cuáles son?

—Casarme con un hombre al que odio o sufrir la pobreza y la deshonra.

Él no podía soportar la incertidumbre, o la esperanza, más tiempo.

—Usted es la mujer que me... presentaron para complacerme anoche. ¿Cómo se llama?

Fijó en él sus ojos, claros, azules y en los que se leía el agravio.

—Soy Eleanor Chivenham, y seamos precisos: soy la mujer a quien usted violó. Lo reconozco. Y, además, mi hermano tuvo la amabilidad de decirme quién había... quién había tenido el honor de hacerlo, lord Stainbridge.

Sintió que se le congelaba la sangre, como si se hubiera puesto un abrigo de hielo.

—¿Su hermana? ¿Es que ese hombre es un monstruo? No entiendo... No es... Por favor, señorita Chivenham, permítame llevarla a mi casa, donde podremos hablar del asunto. Le aseguro que, a pesar de todo, puede confiar en mí.

Ella pensó que era bastante extraño que estuviera tan calmada mientras que él se mostraba tan inquieto. Unos segundos después accedió a su plan.

—Después de todo, ya no importa mucho lo que usted haga. Si puede encontrar otra solución aparte del río, se lo agradeceré.

No hablaron durante el resto del viaje.

Lord Stainbridge no dejaba de moverse con nerviosismo, mientras que Eleanor permanecía tranquila. Sin embargo, no se sentía tan serena como aparentaba. En su interior había una gran agitación, pero estaba revestida de conmoción y desesperación. Giró la cabeza para mirar sorprendida al hombre que estaba a su lado. Como él no dejaba de mirar fijamente por la ventanilla, se sintió libre de continuar con su escrutinio.

Era sorprendentemente joven, sólo unos años mayor que ella. Era apuesto de una manera sutil que no terminaba de atraerla. Parecía muy susceptible y nervioso, aunque podía deberse a la situación. Recordó la impresión que había tenido la noche anterior de que parecía un santo medieval. No se había equivocado. Tenía una cara delicada y ovalada y sus manos podían ser las de un artista. Pensó con pesar que sería difícil encontrar a dos compañeros de aventura más extraños que ellos dos.

Mientras miraba por la ventanilla a las calles que empezaban a llenarse de gente, lord Stainbridge pensaba que alguien estaba jugando con él y que era un tonto incrédulo. Nicky no se habría comportado así. Sin embargo, le costaba convencerse de que su admirado hermano habría abandonado a una mujer angustiada.

Todo era tan difícil... Odiaba lo impredecible.

Cuando estaba en una disyuntiva, solía pensar: «¿Qué haría Nicky?» Pero en ese caso, no le servía de mucho. Su extravagante hermano sin duda seduciría a la dama rápidamente y la haría seguir su camino con una espléndida gratificación y, además, feliz. Empezó a formársele una idea en la mente y a ver una salida.

Cuando la hizo entrar en su elegante casa, la trató como a una distinguida invitada. Eleanor vio el asombro en la cara de su lacayo.

—Por aquí, señora —dijo lord Stainbridge, guiándola a un salón ricamente amueblado—. ¿Le apetece desayunar?

Eleanor se estremeció sólo de pensar en comida.

—No, gracias.

—¿Tal vez un té, entonces? —insistió—. Estoy seguro de que le sentará bien.

Para dar fin a su preocupación, que a Eleanor le parecía de lo más peculiar, accedió. Cuando les sirvieron el té lo endulzó más de lo que solía y comprobó que le calmaba un poco los nervios.

Los sirvientes eran demasiado competentes para mostrar sorpresa, pero ella era consciente de la vergüenza de estar allí, sola, con un caballero. Entonces recordó que ya no era una mujer respetable que tuviera que preocuparse por esas cuestiones.

Pasaron unos minutos bebiendo té y hablando de temas intrascendentes. Eleanor supuso que a lord Stainbridge le resultaba difícil sacar el asunto que debían tratar. Ella tampoco se veía capaz.

La histeria empezaba a crecer en su interior al verse en aquella grotesca parodia de visita matutina.

¿Seguía siendo aquello la pesadilla? Todo era tan irreal como los hechos de la noche anterior. Aunque sabía que así era, le parecía imposible creer que aquel elegante caballero fuera el monstruo que la había atacado.

Dejó vagar la mirada a su alrededor y descubrió el grácil caballo de jade verde.

¿Podría ser cierto? El hecho de que estuviera colocado descuidadamente sobre una mesita, sin ningún tipo de expositor, la hizo creer que se trataba de la pieza que Lionel le había dicho que constituía la recompensa de lord Stainbridge por haberla violado.

Fascinada, interrumpió la cháchara de lord Stainbridge y se acercó a la estatua. La cogió y la giró con cuidado entre los dedos.

—Es muy bonita, ¿verdad? —musitó—. Tal vez debería sentirme honrada de que me pusieran un precio tan alto. Sé que a otras mujeres menos afortunadas se las compra cada día por unos pocos peniques.

—El caballo era un espíritu libre que brincaba alegremente—. Pero usted no pagó, sino que le pagaron... —Se giró para mirarlo—. Es muy raro.

Ella había roto las apariencias de la normalidad social y él parecía perdido, incapaz de responder. Hundió los dientes en el labio inferior.

—No sabía que mi hermano tuviera el gusto ni el dinero para este tipo de cosas —comentó Eleanor secamente—. Por favor, no se preocupe. No lo voy a destrozar, aunque posiblemente es lo que usted se merece.

—El jade no se rompe con facilidad —contestó mientras se levantaba, tenso.

La miraba con intensidad, pero Eleanor no sabría decir si su preocupación era por ella o por la pieza de arte.

—Qué extraño —dijo débilmente, admirando la sinuosa curva del caballo, desde la cabeza a la cola larga y suelta—. Es muy extraño que un adorno dure más que un ser humano y sea tan difícil dañarlo... ¡No, qué cosa más vana!

Se sentó bruscamente y apretó los labios. Prefería no hablar por miedo a lo que pudiera revelar.

Lord Stainbridge cogió el caballo de sus dedos flácidos con recelo, como si esperara que lo mordiera.

Ella tenía que saberlo.

—¿Por qué lo hizo? ¿Por una piedra?

Él palideció y luego se sonrojó.

—¡No, no! ¡Cielo santo, yo nunca habría...! —Recuperó la compostura con esfuerzo—. El caso es, señorita Chivenham... —Tragó saliva—. El caso es que no era yo. Era mi hermano.

Eleanor no podía creer lo que estaba oyendo. En un mundo de locos aquello era la gota que colmaba el vaso. No sabía si iba a ponerse a gritar o a reír como una loca, así que se llevó una mano a la boca para evitar hacer cualquiera de las dos cosas. Sin embargo, de su garganta se escaparon algunos sonidos ahogados.

—Señorita Chivenham. Señorita Chivenham...

Ella oyó sus balidos y se mordió con fuerza un dedo para recuperar el control y ser capaz de hablar.

—Lord Stainbridge —contestó—. Yo lo vi.

Unos instantes después, lo que él decía empezó a tener sentido. Un gemelo.

—... antes de salir de la ciudad me contó lo que había ocurrido —le estaba explicando ansiosamente—. Aunque es un poco alocado, estaba preocupado por lo que había pasado en casa de su hermano. Por eso yo estaba vigilando la casa, intentando decidir qué debía hacer.

Se había acuclillado y sus ojos quedaron al mismo nivel que los de ella, unos ojos de color castaño llenos de agitada preocupación. Eleanor pensó que tenía cierto sentido, si es que quedaba algo de sentido en el mundo. Era difícil relacionar a aquel caballero meticuloso y elegante con el loco de la noche anterior. Por eso, sorprendentemente, no había tenido miedo de él. Sin embargo, ¿eso qué significaba?

Intentó poner en orden sus confusos pensamientos y le hizo la pregunta, añadiendo:

—Dijo que podría tener una solución para mi problema.

Lord Stainbridge dejó escapar un suspiro de alivio al escuchar su tono calmado y respondió con seriedad:

—Y así es, señorita Chivenham. Pero primero, ¿puede decirme qué espera ganar su hermano con este acto tan cruel? Hasta donde alcanzo a comprender, sólo ha conseguido perder un precioso objeto.

—Y ha ganado mi parte de la herencia —dijo Eleanor secamente—. Tanto por mi deshonra como por haber abandonado su «protección». He renunciado a ella.

—Pero él es el responsable de lo que ha ocurrido. ¿Cómo es posible que usted sea castigada?

Eleanor bajó la mirada a sus manos y se lo explicó.

—Mi padre no tenía buena opinión sobre mi carácter. Probablemente tenía razón, ya que yo siempre he sido demasiado decidida, demasiado inconformista para ser la hija ideal, pero sus peores opiniones de mí las provocaron las maquinaciones de mi hermano. Lionel es muy hábil complaciendo a la gente, hasta que interfiere en sus planes, y llevándola a su terreno. A mis padres siempre los mantuvo engañados y murieron pensando que era un modelo a seguir. El testamento de mi padre estipula que debo vivir en casa de mi hermano y llevar una vida libre de escándalos para recibir mi herencia cuando cumpla veinticinco años, o cuando me case con su consentimiento. Hasta hace poco vivía en Bedfordshire, pero ahora la casa de mi hermano está en Derby Square. —Levantó la mirada—. ¿Puede imaginarme acudiendo a los tribunales con esta historia, lord Stainbridge? ¿Le importaría ser mi testigo?

No le sorprendió ver que palidecía ante la idea.

—Entonces, ¿la ha echado a la calle? —preguntó con incredulidad.

—Oh, no. No estoy segura de si lo que ocurrió anoche fue suficiente para arruinarme del todo. A él le resultaría igualmente difícil demostrarlo ante un tribunal, pero..., pero es posible que las consecuencias se pongan de su lado a su debido tiempo.

Aunque había pensado que tal vez estuviera embarazada, ahora la idea la abrumaba, volvió a tomar el control sobre sí misma y continuó:

—Por ahora me ha ofrecido amablemente el matrimonio como solución a mis problemas. De hecho —añadió pensativa—, creo que eso ha podido ser su propósito desde el principio.

—¿Casarse con mi hermano? ¿O conmigo? —dijo lord Stainbridge, completamente asombrado.

—Con lord Deveril. —Vio la mueca de asco en su cara y añadió—: Sí. Sé que es rico y está dispuesto a ser generoso. No entiendo por qué no tomó él mismo el placer de mi deshonra, pero Lionel tendrá sus razones. Siempre las tiene. Tal vez tenía la esperanza de atraparlo a usted en el matrimonio, porque pensaba que se trataba de usted, y no de su hermano. Pensaría aprovecharse de su riqueza. Entiendo que usted es bastante rico.

—Bastante —repitió. De hecho, era uno de los hombres más ricos de Inglaterra—. Es irónico que sólo haya conseguido engañar a mi empobrecido hermano pequeño con sus trucos.

Eleanor paseó la mirada por la elegante estancia y se preguntó si aquel hombre tenía idea de lo que era la pobreza.

—Es difícil imaginarse a algún Delaney con apuros económicos —comentó.

Él adivinó lo que estaba pensando.

—La riqueza es relativa, señorita Chivenham. Parece que nuestros padres tuvieron la misma idea. Creo que, si acepta mi solución, debería conocer mi situación familiar.

Se sentó elegantemente en una butaca de brocado. Parecía estar recuperándose rápidamente de su angustia y Eleanor se sintió agraviada por ello, aunque no fuera el culpable de todo aquello.

—Para tener autoridad sobre mi gemelo —comenzó a explicarle—, controlo su herencia hasta que cumpla treinta años. En su lecho de muerte, mi padre me hizo prometer que sólo le daría a Nicholas los ingresos procedentes de sus propiedades hasta esa fecha. Por supuesto, esa suma es suficiente para cubrir sus gastos, y Nicholas nunca me ha pedido que rompa mi promesa, pero ya ve que juego con ventaja. Por eso él se casará con usted. Si, claro está, su experiencia no la ha predispuesto contra el matrimonio para siempre.

—He pensado que, en realidad, lo haría bastante deseable.

Eleanor habló por instinto convencional, pero enseguida sintió aprensión. Su matrimonio sería con Nicholas Delaney, no con aquel hombre amable y compasivo. Recordó los ojos salvajes y los gruñidos de su atacante. Tal vez no fuera mejor que lord Deveril...

¡No! Cualquiera era mejor que lord Deveril.

Incluso así, el plan de lord Stainbridge la ponía nerviosa. Su educación tradicional decía que el matrimonio, cualquier matrimonio, era esencial. Su cabeza se rebelaba.

—No podría...

—No debe temerlo, señorita Chivenham —se apresuró a asegurarle el conde—. Mi hermano no es desagradable y, en cualquier caso, lo verá poco. Viaja mucho, apenas está en Inglaterra. Usted viviría aquí o en Grattingley, mi finca principal. También está en Bedforshire, así que estaría cómoda allí. Si va a tener un niño, crecería con su herencia legítima. Y si fuera un varón —continuó un poco vacilante—, se convertiría, con toda probabilidad, en el conde de Stainbridge a su debido tiempo. —Miró hacia otro lado y añadió con voz temblorosa—: Yo no me voy a casar. Estuve casado, y Juliette murió al dar a luz—. Ahora no podría.

Volvió a girarse hacia ella y la miró con ojos salvajes.

Eleanor se estremeció y pensó que, después de todo, podría haber sido su atacante, de no ser porque esa expresión se debía a la pena, no a la lujuria. Pobre hombre.

—Lo siento mucho —dijo, y añadió—: Casarse con un desconocido es un paso terrible, y hacerlo con alguien como su hermano...

Vio que sus dudas lo angustiaban, pero por mucho que quisiera a su gemelo, ¿qué otra cosa esperaba que sintiera ella?

—No es necesario que lo decida en este momento —se apresuró a decir—. Nicholas ha salido del país esta mañana, temprano. Regresará dentro de varias semanas. —Se tranquilizó y sonrió amablemente—. Debe de estar agotada, señorita Chivenham—. No es momento de tomar decisiones. Pero tenga por seguro que, decida lo que decida, la familia Delaney cuidará de usted. Lo que sugiero por el momento es que se instale en un hotel con una doncella contratada. Usted será una viuda. Compraremos inmediatamente lo que necesite y puede reunir un discreto vestuario a su antojo.

Eleanor reprimió una riada de lágrimas. La idea de que alguien se ocupara de ella iba a desatar sus emociones, cosa que no habían conseguido todas sus penurias. Sin embargo, su sentido de la independencia no se lo iba a permitir tan fácilmente.

—¿Qué ocurrirá, lord Stainbridge, si no me caso con su hermano?

La pregunta no pareció molestarlo.

—Si lo prefiere, señorita Chivenham, puede instalarse tranquilamente en algún lugar como una viuda, y yo la mantendré. Sin embargo, no se lo recomiendo. Siempre hay gente dispuesta a hacer preguntas sobre una viuda sin contactos, sobre todo si tiene un hijo. Y, para ser sincero, preferiría que un hijo de mi... hermano creciera como parte de la familia.

Aunque Eleanor ya se había enfrentado a la amenaza del embarazo, ese frío discurso le alteró los nervios.

—Por lo que sé de su hermano —dijo con brusquedad—, debe de tener varios hijos.

Él se volvió a ruborizar incómodamente.

—Oh, no. No he tenido noticias de ninguno, y Nicholas nunca abandonaría a un niño. Es muy bondadoso. Debe creerme. De hecho —añadió, casi con desesperación—, cuando conozca este asunto, querrá casarse con usted y arreglar las cosas. Estará tan sorprendido como yo por lo que ha tramado su hermano. Ya lo verá.

Eleanor apartó la mirada, desconcertada por aquella relación. Lord Stainbridge, un elegante hombre de mundo, parecía idealizar a su depravado hermano y sufría enormemente si se le criticaba. Ella, sin embargo, había experimentado la peor parte, aunque hubiera sido en un encuentro muy breve.

O lord Stainbridge estaba completamente engañado, o lo que Nicholas Delaney había hecho no había sido propio de él.

—Tal vez cuando conozca al señor Delaney —dijo ella con prudencia— y nos familiaricemos el uno con el otro, la idea del matrimonio me haga más feliz.

Le sorprendió ver que esas palabras conciliatorias no tranquilizaban al conde.

—No estoy seguro de que eso sea posible, señorita Chivenham —contestó, caminando de un lado a otro nerviosamente—. Como ya le he dicho, pasarán semanas antes de que Nicholas regrese. Si hay un... un niño, cuanto antes se case con él, mejor. Creo que deberían hacerlo en cuanto regrese. De hecho, he pensado que podríamos disponerlo todo para que se conozcan en París, se case con él allí y regresen juntos.

Seguramente, los acontecimientos más recientes me han hecho perder el juicio, pensó Eleanor, *porque este plan es una locura*.

—Aunque saliera del país en este momento, milord, y no tengo los medios para hacerlo, sería una unión muy precipitada.

Lord Stainbridge volvió a morderse el labio. A Eleanor le estaba empezando a parecer una costumbre irritante.

—¿Dónde estaba exactamente su casa en Bedfordshire? —le preguntó de repente—. ¿Cuánto tiempo hace que se marchó?

—Cerca de la aldea de Burton Magna. Me fui justo después de Navidad.

Él asintió con satisfacción.

—Entonces, si es necesario, podemos decir que conoció a Nicky en el campo. Sólo hay dieciséis kilómetros de Burton Magna a Grattingley, aunque no recuerdo que nuestras familias se conocieran.

A Eleanor le divirtió lóbregamente que él hubiera podido pensar que los humildes Chivenham de Burton Magna tuvieran trato con los potentados locales, los Delaney de Grattingley. La riqueza y el privilegio parecían protegerlo de cualquier visión de formas de vida más humildes. Sin embargo, también eran la riqueza y el poder los responsables de que aquel hombre confiara en que todos los problemas se solucionarían según sus deseos. Eleanor deseó que resultara ser cierto.

—¿Y mi viaje a París? —preguntó ella.

Él agitó la mano para descartarlo.

—Todo el mundo está yendo a París estos días, señorita Chivenham. La situación en casa de su hermano se ha vuelto imposible —declaró—. Y usted, a todos los efectos, se ha fugado.

—¿Fugado? —protestó Eleanor indignada.

Entonces se dio cuenta, abrumada, de que ya no estaba en posición de preocuparse por tales detalles. Volvió a la realidad de golpe y aceptó que una boda clandestina era probablemente lo mejor a lo que podía aspirar.

Una boda clandestina con una oveja negra, un borracho depravado.

Sabía que podía perder el control en cualquier momento. Parecía que lo único que le quedaba en el mundo era la dignidad y, por tanto, era muy preciada para ella. Se levantó, desesperada.

—Lo siento, milord. La cabeza me da vueltas y no puedo pensar correctamente. Por favor, ¿podría ser esa «viuda» y descansar un poco? ¿Podemos tratar más tarde estos asuntos?

—Por supuesto —contestó con una dulce sonrisa—. Debe confiar en mí. Funcionará a la perfección. Ya lo verá.

Riqueza y privilegio.

En un abrir y cerrar de ojos se vio hospedada en una cómoda habitación del tranquilo Hotel Marchmont, frecuentado sobre todo por oficinistas y sus familias. Una doncella contratada se hizo cargo de los artículos básicos que alguien, presumiblemente de confianza, le había comprado. La mujer se comportaba como si la situación fuera perfectamente normal, y tal vez lo fuera.

Lo que más le molestaba a Eleanor de todo aquello era el anillo de boda que el conde le había proporcionado y que se vio obligada a llevar. Parecía casi sacrílego.

Justo antes de marcharse, lord Stainbridge le puso un monedero en las manos con suficiente dinero para que comprara y pagara lo que necesitara. Eleanor podría haberse echado a llorar ante tanta consideración; no ser pobre era un tremendo alivio. Se tumbó en la cama para relajarse por primera vez en el día. Incluso cayó en un sueño ligero, pero se despertó antes de haber descansado adecuadamente por culpa de una pesadilla que apenas recordaba.

Se incorporó bruscamente en la cama, se llevó las manos a la boca, luchó contra las náuseas y se dijo que estaba a salvo. Aunque su hermano la encontrara allí, no podría hacerle daño. Estaba bajo la protección de un poderoso conde...

Eso no era bueno. Sintió la necesidad de escapar. Tenía el suficiente sentido común como para no lanzarse a lo desconocido, pero llamó apresuradamente a la doncella y salió a la bulliciosa calle.

Había tiendas cerca y, comenzando a calmarse, descubrió el placer de mirar los objetos de los escaparates. Aunque no era una zona frecuentada por la alta sociedad, todos aquellos artículos la fascinaron. Y al recordar que ahora disponía de dinero para gastar, se animó.

Sin embargo, una de sus primeras compras fue un feo sombrero que le ocultaba gran parte de la cara. Con él se sentía segura porque sabía que podría pasar al lado de su hermano sin que la reconociera. Para asegurarse todavía más, cambió su vieja pelliza marrón por una nueva, cálida y de color teja. Se la describieron como una capa rusa por los finos ribetes de piel que tenía alrededor de los puños. A pesar de que sabía que era sólo una versión barata de las prendas de moda, le encantaba. Llevaba mucho tiempo usando prendas que se había hecho ella misma...; la mayoría trajes de segunda mano que ella había renovado.

También compró cuatro voluminosos camisones de franela, una prenda que su benefactor parecía haber olvidado y un hecho que, en algún rincón de su mente, le parecía una especie de coraza. Completó sus necesidades más inmediatas con un par de resistentes botines y regresó al hotel sintiéndose optimista. Había dejado atrás el horror y retrasado el hecho de tomar una decisión.

Cenó temprano y cayó en la cama física y emocionalmente exhausta, pero con la sorprendente idea de que, después de todo, su vida era mejor que hacía veinticuatro horas antes. ¿En qué se había convertido el «sueldo del pecado»?

Tal vez lo descubriría en sus sueños inquietos. Por la noche se despertó dos veces con la certeza de que no estaba sola; una de ellas con el vago recuerdo del peso de un cuerpo sobre ella y un grito que pugnaba por salir de sus labios. En ambas ocasiones reprimió las ganas de gritar pidiendo ayuda y controló su imaginación y su cuerpo hasta que regresó el sueño. La alternativa era, con seguridad, la locura.

Sin embargo, como consecuencia, cuando la doncella le llevó el desayuno se sentía agotada, consumida e incapaz de luchar contra los fríos y oscuros dedos de la desesperación. El río empezó a parecerle atractivo de nuevo y el plan de lord Stainbridge se le antojó una locura, apenas tentador.

Entonces el clima acudió en su rescate.

El sol se elevó y su luz, brillante y cálida, invadió la habitación. Incluso las partículas de polvo que flotaban, atrapadas en ese resplandor, parecían expresar la alegría de vivir. Oía el canto de los pájaros y desde la calle le llegaba el sonido de las chácharas alegres y las canciones de la gente, personas cuyo destino era, con toda probabilidad, mucho más duro que el suyo.

Se levantó de la cama dispuesta a afrontar su futuro con ánimos. Descubrió con sorpresa que ya no se sentía dolorida y que su cuerpo parecía ser el mismo. Sin embargo, se recordó que, por muy increíble que fuera, era posible que en ese momento se estuviera formando un niño en su interior.

Intentó sopesar sus opciones con calma, razonablemente.

Vivir tranquilamente en el campo como una viuda, tal vez con un niño, era la alternativa más segura, pero deprimente, aunque lord Stainbridge le pasara una pensión. A pesar de que los días que había pasado en Burton Magna habían sido agradables, no había tenido intención de quedarse allí siempre. Sería un castigo de por vida a menos que algún hombre deseara casarse con ella.

Pensó en el matrimonio en abstracto, manteniéndolo separado de su reciente experiencia. Sí. Un hombre amable y cariñoso. Tranquilo. Fiable. Una persona con quien compartir las cargas de la vida. Ya no quería estar sola.

¿Cómo sería ese matrimonio? ¿El duque le daría una dote? ¿Tendría ella que revelarle la verdad a su pretendiente? No creía que ningún hombre honesto se casara con ella cuando supiera de su deshonra y del consiguiente engaño. Y ella no se sentiría capaz de casarse sin ser sincera...

Suspiró y pensó en la otra opción: casarse con Nicholas Delaney. Así, por lo menos, todas las partes estarían al corriente de la verdad. Sin embargo, esa elección no podía separarse de su horripilante experiencia, y se encogió al pensarlo.

Se le ocurrió que le habría resultado más fácil tomar una decisión si el propio lord Stainbridge se hubiera ofrecido a casarse con ella. Lo habría aceptado con entusiasmo. Entonces se rió por ser tan tonta. ¿Por qué se ofrecería un conde a recoger los restos de su hermano, que además era la hermana de Lionel Chivenham? No, a ella le correspondía el desprestigiado hermano menor.

Un hermano menor que viajaba. Cuando hubiera terminado la ceremonia, ella podría vivir con el conde, rodeada de lujos y comodidades. Tendría apoyo masculino y amable compañía... sin ningún deber desagradable.

Impulsivamente, como era propio de ella, supo que lo iba a hacer. En realidad, era su única opción y, como contaba con la protección de lord Stainbridge, no debía temer a su hermano. Decidida, repasó mentalmente las ventajas.

Sería agradable estar legalmente casada y que los detalles de la situación, aunque desagradables, fueran aceptados por los dos.

Además estaba el atractivo de la posición social y de una vida cómoda, sobre todo cuando se viera libre de su marido viajero.

Si nacía un niño, tendría sus derechos.

Por otra parte, se le ocurría una gran desventaja. Suponía que su marido también querría hacer uso de sus derechos, en las escasas ocasiones en las que estuviera presente.

Pero ya había llegado demasiado lejos como para negarse. A ella le gustaban los niños y, aunque ya estuviera embarazada, suponía que podría permitírselo a su marido, ocasionalmente, para así tener más descendencia. A pesar de que era un asunto fastidioso, podría soportarlo, como hacían tantas mujeres.

Intentó recordar algo sobre Nicholas Delaney de cuando vivía en el campo, cuando la aristocracia local, especialmente los Delaney de Grattingley, siempre estaban en boca de todos. Sólo consiguió rescatar de su memoria recuerdos fragmentados.

De pequeña, visitó una vez Grattingley con sus padres, pero apenas recordaba otra cosa que no fueran las magníficas fuentes. Recordó haber oído hablar de la muerte de lord Stainbridge y algo sobre sus dos hijos. El nuevo conde gustaba a todos, pero...

Se esforzó por atrapar los recuerdos. Siempre que la gente hablaba del hermano pequeño, usaba otro tono. De repente, recordó con claridad a la señora Baxter, la esposa del médico, diciendo: «¡Qué diablillo!»

Pero ese tono había sido admirativo. Y la señora Baxter era una mujer respetable. Tal vez hubiera estado hablando de otra persona.

Bueno, ya sabría cosas de él a su debido tiempo. Se dijo que no podía ser peor que Lionel o que lord Deveril, así que el cambio iba a ser para mejor, sobre todo cuando ahora disfrutaba de la poderosa protección del conde.

Cuando lord Stainbridge la visitó por la tarde, pareció ligeramente indignado al encontrar a su «angustiada dama» de un excelente humor, lamiéndose los labios para limpiarse la nata de un pastel.

—Imagino que ya no piensa en su tumba acuática, señorita Chivenham —dijo con sarcasmo.

—Bueno, la vida es dulce, milord —contestó, decidida a afrontar las dificultades con buen humor.

Él la miró.

—Por supuesto, por supuesto —se mostró de acuerdo con voz temblorosa—. Y me alegro de que se haya recuperado... —No parecía sincero—. ¿Podemos hablar ahora de su futuro?

—Me encantaría —respondió Eleanor, y se sentó cómodamente en una butaca.

No entendía al conde. Se habría imaginado que su comportamiento supondría un gran alivio para él.

Lord Stainbridge empezó a caminar de un lado a otro de la habitación, inquieto.

—¿Ha pensado en mi oferta, señorita Chivenham?

—Lo he hecho, milord. Si todavía cree que se puede arreglar, me casaré con su hermano.

Él se detuvo, sorprendido y aliviado al mismo tiempo. Inmediatamente, se apaciguó.

—Será lo mejor —le aseguró—. Ya lo verá. Nicholas lleva algún tiempo deseando casarse por cuestiones de sucesión. Sin embargo, no quería entrar en el negocio de los matrimonios concertados ni encadenarse a una mujer que quisiera que estuviera siempre en casa. Como ya le he dicho, le gusta viajar. Este acuerdo se adaptará a él admirablemente. Usted no le pedirá una devoción excesiva.

—Definitivamente, no —replicó Eleanor con brusquedad, extrañamente resentida por que hablara del matrimonio de forma tan pragmática.

—Excelente. —Se frotó las manos—. Le enviaré un mensaje a Nicholas pidiéndole que llegue a Newhaven en dieciocho días, si el tiempo lo permite. Nos reuniremos con él y podrán casarse allí con una licencia especial de matrimonio. Pero haremos creer que ya se han casado en París.

Eleanor suspiró al darse cuenta de que no iba a abordar aquel asunto con total sinceridad, pero accedió al plan. Sin embargo, expresó una preocupación.

—Si alguien indaga, el asunto hará aguas.

—¿Y por qué iba alguien a indagar, señorita Chivenham? —preguntó con arrogancia aristocrática—. Si está pensando en su hermano, en cuanto usted entre a formar parte de mi familia, se lo pensará dos veces si quiere interferir, se lo aseguro. En cuanto a la sociedad en general, Nicky es bien conocido por su imprevisibilidad. A nadie le sorprenderá ver que ha tenido otro de sus arranques de locura.

Aquello desconcertó a Eleanor. ¿Estaba desequilibrado el menor de los Delaney? Aunque hubiera llegado hasta allí, tal vez debería cambiar de opinión. A ella siempre le habían llamado la atención por su imprudencia. ¿Iba a volver a meterse en problemas por esa causa?

Lord Stainbridge, sin embargo, estaba sonriendo con satisfacción y no percibió sus dudas. Le tomó una mano entre las suyas.

—Ahora —le dijo con gran cordialidad—, ¿me permites llamarte Eleanor, ya que vamos a ser parientes?

Eleanor se mostró de acuerdo y él comenzó una educada conversación social mientras ella se sumía en sus pensamientos. Después intentó buscar algo de consuelo respecto a su futuro marido.

—El señor Delaney debe de ser muy parecido a usted, milord, ya que son gemelos idénticos.

Él no lo confirmó.

—No es exactamente así. Cambiamos al crecer, Eleanor. A veces pienso que Nicholas y yo somos las dos caras de la misma moneda. Él es activo, yo soy artístico; él es extrovertido y yo prefiero la vida tranquila. Yo busco el orden y, él, la aventura. Mi hermano vive para la emoción y puede que a veces no preste atención a las personas a quienes hiere...

Se calló. Eleanor reconoció el dolor que él sentía, aunque estaba más preocupado porque ella también estaba implicada. Una oveja negra, confirmó con consternación. Un libertino. No el agradable compañero que ella ansiaba. Pero, por lo menos, sólo sería una presencia ocasional en su vida.

Lord Stainbridge se serenó y, al darse cuenta de sus dudas, se apresuró a reconfortarla.

—Nicholas es un hombre de gran corazón, querida. Es inteligente, encantador y... tiene experiencia con las mujeres —añadió con un poco de nerviosismo.

Eleanor recordó al monstruo jadeante que le parecía cada vez menos real según iba pasando el tiempo y se asombró por lo que acababa de oír. Sin embargo, había estado borracho. Los hombres no eran ellos mismos cuando bebían de más.

Se acordó de un aparcero que siempre era amable hasta que bebía, y entonces pegaba a su mujer con una correa. Era un derecho del marido y no la tranquilizaba pensarlo. Casi perdió el valor y se abrazó a sí misma. Cuando su marido estuviera en casa tendría que vigilar la botella de brandy y confiar en que lord Stainbridge la protegiera.

Cuando Nicholas Delaney recibió en París el mensaje de su hermano, sus miedos bien podrían haber igualado los de Eleanor. Unas cuantas botellas de vino y los dados lo habían afectado terriblemente, y se encontraba en el Mouton Gris con una muchedumbre heterogénea igualmente perjudicada. Tenía alborotado el cabello aclarado por el sol y el pañuelo de cuello, que antes llevaba con elegancia, le colgaba suelto para combatir el calor de la abarrotada estancia.

Sin embargo, cuando el lacayo de su hermano lo encontró, levantó la mirada con una sonrisa y dijo, sin apenas rastro de la borrachera en la voz:

—¡Hodges! ¿Qué te trae por aquí?

Tal vez fue el alcohol lo que hizo que no pensara en nada preocupante hasta que terminó de hacer la pregunta.

—No tema, amo Nick. El conde está bien. No hay ningún problema, que yo sepa, pero quería que recibiera esto de inmediato.

Nicholas cogió la abultada carta, preparó lo necesario para que el lacayo se retirara a descansar y se excusó con sus amigos. Aunque Hodges no supiera que hubiera algún problema, él sabía que algo inusual debía de estar pasando. Mandaba con regularidad cartas a su hermano para mantenerlo informado de su paradero, pero sólo dos veces había recibido misivas de él. Una había sido para anunciar su boda, a la que Nicholas había conseguido asistir. En la segunda le había anunciado la muerte de su esposa y de su hijo. Él había regresado lo más rápidamente posible, pero no había logrado reunirse con su hermano hasta dos meses después del suceso.

De hecho, había sabido, aun sin preguntárselo a Hodges, que Kit gozaba de buena salud. Siempre estaban al tanto de los problemas físicos del otro, como solía ocurrir entre gemelos.

Una vez en su dormitorio, rompió el sello y empezó a leer.

Querido Nicky:

Debo pedirte que regreses a Inglaterra lo más pronto posible. La última vez que estuviste en casa dijiste que te casarías si yo encontraba para ti a la mujer adecuada, una que no te molestara con necedades ni esperara que asistieras a bailes con ella. Bien, pues la he encontrado. Eleanor Chivenham tiene todas las cualidades que deseas, te lo aseguro. Puede que recuerdes a la familia. Vivían en Chivenham Hall, cerca de Burton Magna, no muy lejos de Grattingley, aunque su hermano, que es dado al despilfarro, ha vendido la propiedad.

Nicholas sabía bastante más sobre Lionel Chivenham y se preguntó por qué diablos su hermano estaba intentando emparentarlos con un tipo tan desagradable.

El caso es que Eleanor Chivenham se encuentra en una posición bastante difícil, ya que ha sido deshonrada mientras vivía en casa de su hermano.

Eso no era ninguna sorpresa, pensó Nicholas.

El problema es que, según parece, yo he sido el responsable.

Nicholas tuvo que volver atrás y leer esa parte de nuevo. Estaba empezando a reconocer el estilo disperso propio de su hermano cuando estaba en graves problemas y esperaba que él encontrara una solución. Pero ese problema en particular le parecía increíble.

No estoy muy seguro de cómo ocurrió, Nicky. Me llevaron a la casa de Chivenham y con el vino y, sospecho, algo más, no fui capaz de negarme cuando sugirieron que tomara a la mujer. Había ciertas dudas sobre mis inclinaciones. Pero yo no sabía que era su hermana.

Al día siguiente llegué justo a tiempo para impedir que se suicidara y ahora la estoy cuidando en tu nombre (Nicholas suspiró).

Sabes que yo no puedo casarme con ella, pero a ti no te importará hacerlo, y a las mujeres siempre les gusta tu compañía. Era virgen, Nicky. Además, si no se casa, su hermano o lord Deveril, que parecía querer casarse con ella, podrían ponerla en peligro. Tú serás capaz de manejarlos. Y es posible que haya un niño que, después de todo, sería un Delaney.

En verdad creo que es imprescindible que te desposes con ella y siento decir esto, pero dejaré de pasarte tu asignación si no me obedeces. Está en juego el honor de nuestro apellido. Si puedes llegar a Newhaven el día veintinueve aproximadamente, nos reuniremos allí contigo y la ceremonia podrá celebrarse discreta e inmediatamente. Ya he publicado una nota al efecto diciendo que os habéis casado en Francia, por si ella estuviera embarazada, ya sabes. Así que no te dejes ver mucho sin ella, ya sabes lo que quiero decir.

Con cariño,

Tu hermano Kit

Nicholas Delaney cerró brevemente los ojos con incredulidad. Incluso para Kit, aquello era una solución ridícula para una situación increíble, y no podría haber llegado en peor momento. Entonces se encogió de hombros, leyó otra vez la carta y la arrojó a la chimenea, mirándola hasta que se quemó totalmente. Se quedó pensando mientras observaba las llamas.

¡La hermana de Lionel Chivenham! Nunca había oído hablar de ella, lo que suponía que era bueno. Se preguntó cuántos años tendría y cómo sería. Kit había omitido los detalles.

Podría negarse, por supuesto, y partir hacia otra parte del mundo. Aunque la amenaza económica no le molestaba, el que su hermano la hubiera hecho le decía lo desesperado que estaba. Kit nunca antes había mencionado nada parecido, ni siquiera cuando había intentado que él se quedara en casa.

De todas formas, no le venía bien seguir viajando en ese momento. Tenía que regresar a Londres enseguida para ocuparse de los asuntos que había provocado la muerte de Richard Anstable.

Se frotó la cara con una mano. ¡Dios, vaya desastre! Y sabía que no podría oponerse a Kit si su hermano estaba realmente decidido. Hacía mucho tiempo que había cogido la costumbre de solucionarle los problemas a su gemelo. Además, lo quería.

Sacudió la cabeza ante las ironías de la vida y se sentó para redactar la respuesta. Esperaba que su famosa habilidad con las mujeres resultara útil en aquel asunto...

Capítulo 3

Años más tarde, Eleanor sólo podría pensar que había sido la conmoción lo que le había permitido sobrevivir a la espera con tanta tranquilidad.

Vivía discretamente en el hotel bajo el nombre de señora Childsley y sólo se atrevía a dar algunos paseos, siempre con su voluminoso sombrero o con otro tocado con velo. Aunque lord Stainbridge la visitaba con frecuencia y le llevaba periódicos y libros, seguía teniendo demasiado tiempo para pensar, demasiados sueños desagradables cuando dormía y demasiadas oportunidades para dudar. Sólo gracias a una gran fuerza de voluntad conseguía negarse a alimentarlas. Había tomado una decisión. Estaría bajo la protección de lord Stainbridge y su marido se encontraría casi siempre en el extranjero. Funcionaría.

Por fin llegó el día. Se subió al lujoso carruaje de lord Stainbridge para iniciar el viaje a Newhaven. Lo que más sentía era alivio por estar haciendo lo que debía, simplemente por haber iniciado ya el viaje.

Cuando los cuatro caballos empezaron a tirar suavemente del carruaje, lord Stainbridge se volvió hacia ella.

—Espero que no te importe haberte desprendido de la doncella, querida. Creo que es mejor que los sirvientes estén lo menos implicados posible. Con suerte, nunca sabrá que la señora Childsley no existía.

—No, lord Stainbridge, no me importa. En cualquier caso, no estaba acostumbrada a tener doncella.

Eleanor se sintió satisfecha con el tono calmado de su voz.

El conde sonrió, mostrando aprobación. Parecía muy relajado y al cargo de la situación. Muy diferente de cuando lo había visto la primera vez.

—Bien. He tenido noticias de mi hermano y llegará a Newhaven esta tarde, como estaba previsto. El tiempo es bueno, así que no debería haber ningún retraso. También ha mandado esto para ti.

Eleanor cogió sorprendida el paquete sellado. No se lo esperaba. No era grande y evidentemente contenía un objeto pequeño y duro. Al romper el sello y abrir el papel sintió un escalofrío de inquietud. De repente, su futuro marido se estaba haciendo realidad, y el bonito anillo con una esmeralda que encontró dentro lo hacía aún más real.

La nota, escrita con una bonita caligrafía fluida, estaba dirigida a la señorita Eleanor Chivenham. La letra era marcada y resuelta, no lo que ella habría esperado de Nicholas Delaney. La carta era breve y sencilla:

Querida Eleanor:
  Debes saber que comparto todos tus sentimientos y expectación por la inminente ceremonia. No hace falta decir nada más. Por favor, ponte el pequeño regalo que te mando como muestra de tu amabilidad hacia mí. Pronto tendré el derecho a darte mucho más.

Nicholas Delaney

Era una nota ambigua y posiblemente inquietante, pero Eleanor se dio cuenta de que también podía interpretarse como si expresara una gran devoción. No estaba fechada y, si alguien la leyera, no podría negar su supuesta relación. Esa precaución, unida al estilo de la carta, transmitía el buen juicio del remitente, algo que debería parecer reconfortante de no ser por lo inesperado de la nota.

Volvió a leerla. Miró el anillo. Oro puro con una esmerada de una sola cara. ¿Por qué su calidad parecía marcar un contrapunto con la carta? Para un hombre normal, el anillo habría sido un gran gesto; si procediera del conde, habría sido casi un insulto. Procediendo de su hermano, parecía manifestar claramente cierta preocupación y obligación.

Sin embargo, era ridículo creer que Nicholas Delaney hubiera pensado en esos términos. Sin duda, había comprado el primer anillo adecuado que se podía permitir. Debería sentirse complacida porque se hubiera tomado aquella molestia.

—Es un anillo encantador —dijo lord Stainbridge.

Eleanor levantó la mirada y se dio cuenta de que a él le encantaría saber lo que decía la carta. Estuvo a punto de dársela, pero cierto sentido de la lealtad hacia su futuro marido la detuvo. La dobló y se la guardó en el pequeño bolso.

—Su hermano es muy considerado.

—Me alegro.

Parecía aliviado.

—¿Él está dispuesto, lord Stainbridge? —preguntó Eleanor.

Tenía que saberlo. Ya era todo suficientemente malo como para además tener un marido resentido.

El conde se ruborizó.

—¿Qué te ha dicho? Por supuesto que sí. —Volvió a aparecer el toque de amargura que solía impregnar los comentarios sobre su hermano—. Te aseguro que Nicky nunca hace nada que no desee hacer. Si hubiera querido evitar este matrimonio, se habría ido a las antípodas y no habría regresado en años.

Eleanor dejó de preguntar y se centró en el dolor que había oído en la voz del conde.

—Preferiría que él estuviera en casa, milord, ¿verdad?

El conde suspiró.

—Así es. Por una parte, estaría más seguro aquí. Lleva una vida afortunada, pero también es como un imán para los problemas. Algún día se le acabará la suerte. Cuando me habla de sus proezas yo no veo la gloria ni la aventura, sólo los riesgos. Es muy doloroso. Después de todo, somos gemelos, tenemos un vínculo.

—¿Él no siente también ese vínculo?

—Podría decirse que no —contestó con amargura, y la conversación decayó.

Eleanor miró por la ventanilla. Había signos de la primavera por todas partes: corderos en los campos y nuevos brotes en los árboles, pero la primavera había llegado tarde después de un invierno excepcionalmente duro y el aire era frío. Se sentía agradecida por la manta de lana con la que lord Stainbridge le había cubierto las piernas tiernamente y se preguntó si esa consideración formaría parte de su nueva vida.

¡Vaya hombre de contrastes era su futuro marido! Un aventurero con bonita caligrafía; un nómada muy querido por su familia y sus amigos; un hombre inteligente que podía convertirse en un depravado violador.

De repente pensó en Fox, el brillante político y pensador que se había arrojado él mismo a la miseria y que raramente dejaba pasar un día sin perder la conciencia por culpa de la bebida. Los hombres eran criaturas muy extrañas.

Tras un viaje de cinco horas, llegaron a Newhaven cuando el sol se estaba poniendo. El carruaje, que llevaba las luces protegidas, pasó un poco de largo de la posada y se detuvo tras una casa de campo cercana. Lord Stainbridge le aseguró a Eleanor que eran instrucciones de su hermano.

—No debes ser vista antes de que atraque el barco. Nicky ha pensado en todo.

A Eleanor le parecía bastante irritante esa profunda creencia en la omnisciencia de su hermano, pero antes de que pudiera comentarlo, el conde desapareció para ver si el barco ya se acercaba a la costa.

Regresó momentos después.

—Ya se le ve llegar, querida. Tal vez diez minutos, poco más. ¿Estarás bien aquí sola? El cochero y el lacayo se quedarán contigo, pero yo debo estar visible, porque se supone que voy a recibir a Nicholas y a su mujer.

Le aseguró que podía marcharse y se quedó sentada en la penumbra, intentando fortalecer su debilitado valor. Incluso deseó por un momento estar en la deprimente habitación de Derby Square. A pesar del control con el que trató de dominar su mente, comenzó a temblar un poco, y no era por el frío. Se mordió el labio y se agarró las manos con fuerza. No empezaría aquel matrimonio sumida en la debilidad.

Intentó imaginar el encuentro. ¿Qué se le decía a un hombre en tal situación? ¿Cómo podría fingir llevar ya unas semanas casada con un perfecto desconocido?

Aunque no era totalmente desconocido, se recordó.

La puerta se abrió de golpe y lord Stainbridge le tendió una mano.

—Vamos, señora Delaney.

Cuando se encontró a su lado en la calle adoquinada se dio cuenta de que no era lord Stainbridge, sino su hermano. No había tiempo para pensar. Él le pasó un brazo alrededor de la cintura y la condujo hasta la posada, confundiéndose con la marea de pasajeros que se apretujaban para entrar a la calidez del local. Un instante después la presentaron a lord Stainbridge. Le sorprendió mucho ver que no había ningún tipo de censura entre los hermanos, sólo un cariño juguetón. Se sintió ofendida por aquello y miró con el ceño fruncido al hombre que tenía al lado.

Se dio cuenta de que era Nicholas Delaney quien llevaba la voz cantante, quien dirigía aquella actuación. Aunque nadie parecía estar interesado en sus asuntos, representaba su papel a la perfección y su hermano le seguía la corriente con nerviosismo.

Su «marido» inclinó la cabeza hacia ella y vio su mirada de desaprobación. Sonrió y le dio un ligero apretón.

—Vamos, querida. Me imagino que puedes distinguirnos, ¿no es así?

Como si fuera una marioneta, de repente se encontró esforzándose por unirse a la farsa. Saludó a su «cuñado» y se quejó del viaje, ella que no había subido en su vida a un barco. Enseguida la atención volvió a centrarse en lord Stainbridge y ella pudo quedarse en silencio de nuevo. De inmediato se sintió ofendida por cómo la habían manipulado. Debía mantener su agudeza mental con Nicholas Delaney.

Observó discretamente a los hermanos.

Sí, cualquiera podría distinguirlos. Posiblemente, la naturaleza les había otorgado a los dos la misma piel blanca y el mismo cabello castaño claro. En lord Stainbridge se mantenían igual, pero los fuertes rayos del sol y el viento de quién sabía dónde los había transformado en un dorado deslumbrante y uniforme en el caso de su hermano. No había podido apreciar esa tonalidad tan característica en su habitación, tenuemente iluminada. Con esa aura dorada, los ojos castaños de Nicholas Delaney brillaban con cierta luz perversa, mientras que los de su hermano eran dulces y atentos.

De repente, una voz femenina interrumpió la conversación y los pensamientos de Eleanor. Era una voz delicada que hablaba perfecto inglés con un delicioso acento francés.

—¡Nicky! ¿Tú también estabas en ese horrible barco? ¿Cómo es posible que no te haya visto?

Los tres se giraron y vieron a una mujer esbelta y elegantemente vestida. No era joven, aunque tampoco muy mayor, y derrochaba confianza en el poder de sus atractivos. Y con razón. Tenía un rostro en forma de corazón, suaves labios rojos y ojos de color azul oscuro llenos de humor y promesas eróticas. Aunque llevaba un pesado abrigo, se apreciaban los movimientos de su cuerpo, que sugerían grandes deleites.

Nicholas le dedicó una sonrisa cálida y relajada, pero Eleanor sintió que el brazo que la rodeaba la apretaba con más fuerza.

—¿Thérèse? ¿Ibas en el barco? Si lo hubiera sabido... Aun así, he tenido que atender a mi pobre esposa, que sufre de *mal-de-mer*.

Eleanor reconoció su entrada con resignación, se inclinó ligeramente hacia abajo y se apoyó contra Nicholas. ¿Se debía la tensión de su «marido» al engaño que estaban protagonizando? ¿O era por aquella mujer, a quien había olvidado presentar, tal vez una amiga íntima? ¿Alguna de sus ex amantes? Esperó con placer malicioso para ver cómo salía Nicholas de aquel dilema.

Lo hizo de manera muy simple: interrumpiendo otro comentario que estaba haciendo la mujer y diciendo:

—Lo siento, Thérèse, pero mi esposa necesita acostarse. Vamos, querida.

Era la viva imagen de la preocupación cuando subió con ella las escaleras hasta su habitación, y la felicitó en voz baja por cómo se había comportado en la escena que acababa de tener lugar.

—No me felicite tan rápidamente, señor —le dijo con brusquedad—. No estoy acostumbrada a este tipo de engaños y tengo los nervios de punta.

Lamentó aquel arrebato en cuanto lo hubo dicho, pero él no dijo nada hasta que estuvieron a salvo en la habitación de Eleanor, con la puerta cerrada.

—Ya lo veo —dijo con frialdad. Y añadió tajantemente—: La mejor manera de llevar un engaño es mantenerlo continuamente. Cualquiera podría haber oído ese comentario y podría estar preguntándose por nuestra situación.

¡Cómo se atrevía a reprenderla! Todo su ser le gritaba que le respondiera, pero tuvo que admitir que el reproche era justo. Era imprescindible que nadie dudara de su historia.

Dijo con falsa docilidad:

—Lo siento, señor... Nicholas, querido.

Él curvó los labios y a Eleanor le sorprendió la súbita calidez que apareció en sus ojos.

—Está bien —dijo él mientras le quitaba el abrigo. Le tomó las manos—. Tienes frío. ¿Has tenido que esperar mucho?

Ella intentó liberar las manos. Le perturbaba que la tocara, pero Nicholas la agarraba con firmeza.

—En realidad, no —respondió rápidamente—. No tengo frío. Son los nervios.

Nicholas la acercó a la chimenea encendida y la hizo sentarse con suavidad en una silla. Se arrodilló para ocuparse del fuego y lo avivó con habilidad.

—Por lo menos, eres sincera. ¿De qué tienes miedo?

Lo miró, sorprendida por la pregunta. Entonces se dio cuenta de que, aunque debería tener miedo de él, no era así. A pesar de las pruebas, era imposible imaginarse a aquel hombre como su violador.

Todo era muy extraño.

Él se había quedado en silencio, esperando una respuesta. ¿De qué tenía miedo?

—Supongo que de lo inusual que es todo —dijo lentamente—. Soy, o solía ser, una persona bastante convencional.

En los ojos de Nicholas titiló un toque de humor, acentuado por las llamas danzantes.

—Teniendo un hermano como el tuyo, eso es una hazaña.

Se levantó con fluidez después de avivar el fuego.

—Lo era, pero al final él ganó.

Demasiado tarde se percató de que esas palabras podían tomarse como un ataque a Nicholas, cosa que no sería muy inteligente en ese momento. Sin embargo, él no se ofendió. De hecho, no parecía haberla oído.

—¿Te ves capaz de bajar a cenar? Tenemos reservada una sala privada y, después, por supuesto, tendremos que salir.

Para casarse, pensó ella mientras se levantaba. El temido momento de la confrontación había llegado y se había ido sin que se diera cuenta. Ahora, sin embargo, estaba resentida por la falta de remordimientos de Nicholas. Habría agradecido una disculpa por su parte, oírle decir que reconocía su falta.

Él se dio la vuelta en la puerta, ya abierta, y vio su expresión.

—¿Qué ocurre, Eleanor?

Ella suspiró. Tal vez era eso a lo que se refería con mantener el engaño. A esas alturas no tenía mucho sentido obligarlo a reconocer su error, pero se prometió que, si Nicholas creía que podía fingir para siempre que no había ocurrido nada indecoroso, estaba muy equivocado.

—Nada importante —respondió—. Sólo tengo que arreglarme un poco.

En vez de marcharse, como Eleanor había esperado, él cerró la puerta y se sentó. La observó mientras ella se lavaba las manos en la jofaina de porcelana y se colocaba unos mechones rizados que se habían escapado del austero moño que llevaba en la nuca.

Le temblaban las manos bajo su mirada. Si iba a comportarse como un marido, pensó Eleanor, ella actuaría como una esposa.

—¿Conoces a Madame Thérèse desde hace mucho? —le preguntó, mirándolo desde el espejo.

—Sí, mucho —contestó, y la diversión se reflejó en sus ojos y en su voz—. La conocí en Viena.

¿Es que aquel hombre no tenía vergüenza?

—Entiendo —dijo con dulzura, decidida a alterar el autocontrol de Nicholas—. ¿Y es probable que esté celosa de mi... eh... condición?

—No si descubre la verdad —respondió con calma.

Lo que sirve muy bien a tus pícaros propósitos, pensó Eleanor con la respiración entrecortada, y se puso con brusquedad unas cuantas horquillas en el pelo. La vida con Nicholas Delaney iba a presentar ciertos retos. Se recordó que posiblemente no hubiera demasiados, pues pronto volvería a marcharse para reanudar sus viajes.

Tal vez con Madame Thérèse, pensó airadamente.

Se levantó de golpe y se dirigió a la puerta, pero con un movimiento fluido él se adelantó y le hizo una reverencia. ¡Caray con el hombre!

Lord Stainbridge caminaba con nerviosismo de un lado a otro del salón, observando a una sirvienta preparar la mesa. Probablemente habría dicho algo indiscreto si su hermano no se lo hubiera impedido.

—Ahora que está otra vez en tierra firme, Eleanor se siente un poco mejor, Kit. Te aseguro que no suele ser tan delicada. Creo que con un poco de aire fresco después de cenar terminará de recuperarse.

El conde había estado mirando con ansiedad a Eleanor, como si buscara confirmación de esas palabras, pero aceptó lo que dijo su hermano, al igual que parecía aceptar cualquier cosa que pronunciaba y hacía.

Vaya protector que iba a ser, pensó Eleanor.

—Una excelente idea —dijo con entusiasmo—. Creo que os acompañaré. Este clima, fresco y despejado, es muy estimulante.

Eleanor pensó que estaba exagerando un poco.

Durante la cena, los hermanos monopolizaron la conversación, hablando de su casa y compartiendo noticias sobre la familia y los amigos. Eleanor escuchaba con atención para recabar información sobre su nueva familia. Bebió dos vasos de vino y en un determinado momento lo volvió a levantar y lo encontró vacío. Se dio cuenta de que su «marido» no se lo había rellenado la última vez que había rellenado el suyo propio y el de su hermano.

Si tengo que emborracharme para pasar por esto, pensó, *es asunto mío*.

Levantó el vaso.

—¿Puedo tomar más vino, por favor?

Nicholas la miró con ojos risueños.

—No. El agua es mucho más refrescante.

Se la sirvió con amabilidad.

Antes de que ella pudiera contestar, retomó la conversación con su hermano. No podía subirse a la mesa para coger la botella, pero se hizo unos cuantos propósitos sobre el señor Nicholas Delaney, un tirano y un villano impenitente.

Sin embargo, pronto se alegró de que le hubiera impedido beber porque, cuando se levantó, todo empezó a dar vueltas, y tuvo que agarrarse a la silla para mantener el equilibrio. Aceptó el brazo que le ofrecía, complacida al ver que se mostraba prudentemente inexpresivo.

Aliviada, vio que los efectos disminuían rápidamente y pudo subir las escaleras sin ayuda para recoger el abrigo y el bolso. Aún sentía, eso sí, un ligero atontamiento que le decía que el alcohol la había afectado y una indiferencia mental que agradeció. Tenía intención de pensar lo menos posible durante las horas siguientes.

Cuando volvió a bajar las escaleras, presenció una escena en el piso de abajo. Nicholas Delaney estaba esperándola. Llevaba una chaqueta verde de talle alto, pantalones de ante y botas y, a pesar de haber pasado todo el día viajando, tenía un aspecto fresco y elegante.

Se abrió una puerta y apareció la mujer llamada Thérèse, seguida por un hombre muy guapo y muy joven que entornó los ojos con envidia al ver quién estaba en el recibidor. Sin embargo, era evidente que Thérèse estaba encantada, al igual que el señor Delaney. Eleanor no alcanzaba a oír lo que decían, aunque el tono de ambos era ligero y cariñoso. Después empeoró. La conversación se tiñó de seriedad y Nicholas se llevó las manos de la dama a los labios con gesto apasionado.

La escena se deshizo.

Thérèse comenzó a subir las escaleras, seguida de su malhumorado pretendiente, y lord Stainbridge entró desde el exterior.

Eleanor retrocedió, tanto para ordenar sus pensamientos como para evitar encontrarse con la francesa en las escaleras. De hecho, retrocedió hasta su habitación y allí se dio cuenta, horrorizada, de que apretaba las manos con fuerza bajo los pliegues de su manto. Aquello nunca funcionaría.

Se obligó a admitir sus sentimientos. Estaba celosa. ¿Podía haber algo más ridículo? Por supuesto que Nicholas tenía una amante, y no le sorprendía que fuera hermosa. Sin duda, encontraría la manera de verla. No era nada raro y, en su situación particular, no suponía ninguna afrenta para ella. En absoluto.

El deseo que sentía de echar a correr y esconderse, o de montar una escena, era ridículo. Nicholas Delaney era el monstruoso agresor de hacía unas semanas y ella debería sentirse feliz de que la extranjera la liberara de sus salvajes atenciones.

Aun así, antes de volver a bajar con dignidad, debía considerar de nuevo todas las razones que tenía para llevar a cabo ese matrimonio.

Lo estás haciendo porque puede que estés embarazada, por la posición social, por pertenecer a una familia honesta...

De repente, el hilo de sus pensamientos se vio interrumpido por otra idea; se preguntó qué había hecho Nicholas con el hermoso joven que seguía a su querida escaleras arriba. Sonrió ligeramente y deseó que a él también lo irritara el monstruo de ojos verdes. Ese pensamiento desagradable la fortaleció lo suficiente como para ser capaz de reunirse con los gemelos bien tranquila y salir para casarse.

El trío comenzó a pasear por las agradables y sinuosas calles del puerto hablando ociosamente de temas sin importancia, hasta que Nicholas dijo de manera trivial:

—Nos están siguiendo.

Eleanor no pudo evitar responder:

—Tal vez sea Madame Thérèse, que es incapaz de perderte de vista.

Él la miró con frialdad.

—Es más que probable. En cuyo caso, es a mí a quien siguen. No queremos que ningún curioso sepa que nos dirigimos a la iglesia. —Se dirigió a su hermano, que estaba desconcertado—. Seguid con lo que habíamos planeado, Kit, y yo me reuniré con vosotros allí.

Lord Stainbridge no puso ninguna objeción, pero Eleanor no pudo dejarlo pasar.

—Esto es ridículo. ¿Estás loco? ¿Quién podría estar siguiéndonos?

Supo de inmediato que Nicholas Delaney no estaba acostumbrado a que cuestionaran sus órdenes. Aunque mantenía el rostro impasible y hablaba con calma, sus palabras expresaban disgusto.

—Como has sugerido, mis ansiosas amantes o un montón de personas más. Sólo quiero asegurarme de que nadie haya conseguido información para llevar a cabo un chantaje. Si no puedo evitar a quien quiera que sea, tendremos que aplazar la boda.

Sin más, desapareció entre las sombras.

Más o menos un minuto después, Eleanor miró hacia atrás y vio una figura que cruzaba la calle y corría en la misma dirección que él.

—¿Nos estaban siguiendo de verdad? —preguntó con asombro.

Lord Stainbridge asintió.

—Nicholas nunca es melodramático sin razón. Debido a su modo de vida, siempre tiene enemigos.

—Pero puede que lo ataquen, ¡que lo maten!

Lord Stainbridge se encogió de hombros.

—Tiene ciertos inconvenientes, estoy de acuerdo. Sin embargo, normalmente es muy capaz de cuidar de sí mismo. Ésa es la iglesia.

Eleanor lo miró sorprendida y vio, gracias a la pálida luz que salía de los ventanales de la iglesia, que no estaba tan calmado como pretendía. ¡Qué difícil debía de ser querer a Nicholas Delaney! Gracias al cielo que ella era inmune a esa suerte.

Se trataba de una iglesia pequeña y sencilla, no era nueva ni elegante. El pastor que los esperaba era delgado, canoso y parecía cansado.

—¿Señor Delaney y señorita Chivenham?

Le explicaron la situación y accedió de mala gana a esperar un poco más. Desapareció en la sacristía y ellos se sentaron en un banco muy incómodo. Eleanor pensó que tal vez debería rezar, intentar hacer algo espiritual en aquella ocasión tan trascendental, pero la iglesia era deprimente, fría y no le inspiraba nada. En lugar de eso, pensó en su novio.

¿Qué tipo de vida llevaba, que lo seguían a todas partes? A pesar de que sabía que sería inútil, le dio vueltas a la idea de rogarle a lord Stainbridge que se casara con ella y la salvara de su hermano. Entre otras cosas, la licencia especial de matrimonio no valdría.

Además, tenía que admitir que encontraba fascinante a Nicholas Delaney, de la misma manera que la habían fascinado los gitanos que acampaban cerca de Burton cuando era una muchacha. A Lionel y a ella les habían dicho que se mantuvieran apartados, porque los gitanos robaban niños, pero ella se había acercado sigilosamente al campamento para observarlos. Entonces, un día, éstos la vieron y se burlaron de ella hasta que huyó asustada. Lionel se enteró de aquello, se chivó y a ella le dieron unos azotes, y después unos cuantos más al descubrir que había perdido su relicario de oro en el transcurso de aquella aventura.

¿Qué iba a perder en ésa?

Tenía que admitir que su futuro marido había sido bastante agradable hasta el momento, pero no parecía ser el razonable novio de conveniencia que le habían prometido. Si Nicholas pretendiera encerrarla o arrastrarla con él en sus viajes, o incluso violarla de nuevo, dudaba que lord Stainbridge fuera capaz de detenerlo, sin importar las ventajas económicas que pensara que tenía.

Era aterrador y fascinante al mismo tiempo. Muy extraño.

Sin embargo, el miedo superó a la fascinación y Eleanor estaba empezando a tener la esperanza de que se pospusiera la boda cuando se abrió la puerta de la sacristía y regresó el pastor. Lo seguían Nicholas y otro hombre, de más edad, menos estatura y ojos brillantes. Parecía que iba a ser un testigo. Se llamaba Tom Holloway.

Eleanor se planteó muy seriamente la posibilidad de huir. Nicholas la miró y pareció leerle el pensamiento, porque se acercó y le agarró la mano con firmeza.

—No hay nada que temer —le dijo—. Confía en mí.

Y, contra toda lógica, ella lo hizo.

Desde ese momento, todo transcurrió rápidamente y sin ningún contratiempo. Eleanor enseguida se vio convertida en la señora Delaney, y el anillo de oro ya fue legítimo.

En cuanto acabaron, el hombre bajito le sonrió.

—Ha sido un honor ser su testigo, señora Delaney, Nick. Será mejor que me vaya. ¿Londres?

—Sí, como estaba previsto. Si los otros no están allí, prueba con Tim o Shako. Buena suerte.

Tom Holloway se marchó igual que había llegado, a pesar de las protestas del párroco. Nicholas lo aplacó con una generosa donación y, cuando se marcharon, tenían su bendición.

Mientras regresaban, como si fueran viajeros que estaban estirando las piernas, Eleanor sintió la necesidad de hablar, aunque intentó mantener la voz baja.

—Me gustaría saber si a partir de ahora mi vida va a estar marcada por siniestras idas y venidas. ¿Quién es el señor Holloway?

Nicholas sonrió y ella apretó los dientes al reconocer una sonrisa que pretendía divertir y tranquilizar.

—Pobre Eleanor. Estoy seguro de que ésta no es la boda que habrías elegido. Pero ha sido inevitable.

—Oh, no soy ninguna romántica —replicó con fingida despreocupación—. Sólo tengo curiosidad.

—Pues es una pena —respondió con sencillez—, porque no tengo intención de explicar mis acciones por el momento.

Ella levantó la barbilla.

—¿Quieres decir que no se me permite saber por qué se me va a asesinar en la cama?

—Si te asesinan en la cama, querida, probablemente sea porque sabes demasiado.

Lo dijo con un tono coloquial, pero había cierto tinte de seriedad en sus palabras que hizo estremecer a Eleanor.

Se dirigió a lord Stainbridge.

—Milord, esto no formaba parte de nuestro acuerdo.

Como se había temido, no le fue de ayuda.

—Estoy seguro de que sólo se trata de uno de sus juegos, Eleanor —dijo el conde dulcemente—. De cualquier forma, puedes confiar en que Nicholas cuidará bien de ti.

—Sobre todo —le murmuró su marido al oído— si insistes en pedir respuestas que no quiero dar.

Cuando se giró enfadada para enfrentarse a él, Nicholas levantó una mano y sonrió:

—¡Paz! Discutamos esto más tarde, Eleanor. Lo único que estás haciendo es disgustar a Kit.

Lo cual era, desafortunadamente, verdad. Vaya protector que iba a tener. Bueno, ya se las había arreglado ella antes sola y estaba dispuesta a no dejarse manipular por Nicholas Delaney.

Era como si él supiera cómo se sentía, porque pasó el resto del camino de vuelta a la posada haciendo todo lo posible por tranquilizarla. Y, a pesar de su decisión, Nicholas lo consiguió. Con su sentido del humor y su encanto sería una grosería aferrarse a sus agravios.

Aun así, una parte de ella seguía siendo sensata. Decidió que Nicholas era un hombre muy peligroso.

Cuando llegaron a la posada, se sintió encantada de retirarse a su habitación. El viaje y el estrés de los acontecimientos la habían agotado, pero también quería escapar de su marido.

Sin embargo, mientras se relajaba frente al fuego, sonrió con satisfacción. Lo había hecho. Había asegurado su futuro y el del niño cuya existencia parecía más probable con cada día que pasaba. Puede que su marido fuera difícil de manejar, pero por lo menos no era un monstruo y, sin duda, lo vería poco.

Sí, todo estaba saliendo muy bien.

De repente pensó con un escalofrío que era su noche de bodas. ¿Sería posible que Nicholas quisiera forzarla de nuevo? Seguramente, no. Qué embarazoso sería si acudiera a ella y tuviera que echarlo. Después de todo, era posible que pensara que ella… lo esperaba.

Llamó con determinación a la puerta de la habitación contigua. No la abrió su marido, sino un sirviente delgado y atezado. Su ayuda de cámara.

—Soy Clintock, señora. ¿Puedo ayudarla?

—¿El señor Delaney no está aquí?

—Creo que sigue abajo con Su Excelencia, señora.

Eleanor dudó, pero sabía que no iba a poder dormir con la incertidumbre.

—Creo que le dejaré una nota —dijo.

Al instante el valet le llevó un escritorio de viaje que al abrirlo demostró estar bien provisto de papel, plumas y tinta. Le acercó una silla y lo dispuso todo con tanta lentitud que ella estuvo a punto de gritar, esperando oír las pisadas de su marido en cualquier momento.

Cuando Clintock se hubo retirado, pensó las palabras adecuadas. ¡Qué difícil era!

Al final, escribió:

Como nuestro matrimonio ya ha sido consumado, en cierto modo, te agradecería que respetaras mi intimidad.

Eleanor.

Aunque era una nota concisa y grosera, no se le ocurría nada mejor, y deseaba salir de aquella habitación cuanto antes. La alisó, la dobló y escribió por fuera el nombre de su marido. No había sellos ni sobres, pero seguramente no serían necesarios.

Dejó allí la nota y se dispuso a marcharse.

La voz de Clintock la detuvo.

—¿Quiere que se la baje al señor Delaney, señora?

—No, no. No será necesario.

—Muy bien, señora. Y, por favor, acepte mis felicitaciones por este feliz día.

Eleanor se ruborizó, le dio las gracias tartamudeando y se fue. Así que el valet era un hombre de confianza de su marido. Supuso que eso no se podía evitar.

Examinó la puerta buscando una llave y no la encontró. Se encogió de hombros. No creía que el hombre con el que se había casado la forzara, sin importar lo que había ocurrido semanas atrás. Por lo menos, pensó irónicamente, mientras no estuviera abajo ahogándose en brandy.

Se preparó para acostarse sin llamar a una doncella. Estaba acostumbrada a arreglárselas sola y apreciaba su intimidad. Se sentó delante del espejo, ya con uno de sus voluminosos camisones y, mientras se cepillaba el cabello con amplios movimientos, pensó en los acontecimientos de la tarde.

Parecía que su marido tenía enemigos. Bueno, se decía que quien cenaba con el diablo, debía tener una cuchara muy larga. Suponía que era capaz de cuidar de sí mismo, pero esperaba no verse enredada en ninguno de sus desprestigiados asuntos. Ya había tenido bastante en casa de su hermano y lo único que deseaba era vivir con plácida respetabilidad.

La puerta contigua se abrió.

Nicholas estaba apoyado contra el marco, con la nota en sus largos dedos. Se había quitado la chaqueta, el chaleco y el pañuelo del cuello, y parecía un pirata con la camisa ligeramente abierta. A Eleanor se le aceleró el corazón y se le cayó el cepillo de las manos.

A pesar de que tenía una expresión indescifrable, habló con voz tajante y fría según entraba en la habitación y cerraba la puerta tras él.

—Nunca vuelvas a escribir notas tan indiscretas, por favor. Cualquiera podría haberla leído.

La irritación que sintió ella fue mayor que el miedo.

—¿Quién podría haberla leído excepto, tal vez, tu ayuda de cámara, en quien pareces confiar?

Su voz le sonó estridente incluso a ella misma.

—Cualquiera podría haber entrado en la habitación cuando Clintock no estaba —replicó él, como si se lo estuviera explicando a una niña fastidiosa—. Toda esta maniobra es un intento de preservar tu reputación y esa nota podría haberlo echado todo a perder.

Eleanor sabía que se había ruborizado por la reprimenda, y ansiaba arrojarle la responsabilidad de su frágil reputación precisamente donde pertenecía: a su seria y fría cara. También sabía, sin embargo, que las críticas estaban bien fundadas, así que se obligó a disculparse.

—Lo siento. Tienes razón. Pondré cuidado para no volver a hacer nada parecido. —Se levantó, agradecida por estar tan tapada por el enorme camisón—. Buenas noches.

Él no se movió, sino que se quedó mirándola.

—Entonces, pensabas realmente lo que escribiste —dijo en tono pensativo—. Creía que tendrías más agallas.

Eleanor volvió a sentir miedo.

—Tengo las agallas suficientes para luchar por mi derecho a acostarme hoy sin que me molestes. ¡Ahora no estoy drogada!

Dio un paso atrás y miró a su alrededor, buscando algo que pudiera usar como arma, en caso de que se acercara a ella. Lo único que había era el cepillo. ¡Seguro que eso lo mataría de miedo!

Sin embargo, Nicholas no se acercó. Se limitó a suspirar y se dejó caer con elegancia en la alfombra que había frente a la chimenea. Tiró con indiferencia la nota a las brasas, donde se quemó y luego ascendió en cenizas por la chimenea.

Apoyó una mano y la barbilla en una rodilla que había levantado. Todo su ágil cuerpo parecía tener una aureola creada por el fuego. Eleanor tuvo que esforzarse por mantener la respiración calmada. Se dijo que era el miedo lo que la hacía temblar, pero no estaba convencida. ¿Sabría Nicholas que le estaba ofreciendo una imagen impresionante?

Como si de repente hubiera recuperado el juicio, se dio cuenta de que sí lo sabía. Decidió que Nicholas Delaney era un hombre acostumbrado a tratar a los demás como meros instrumentos, haciéndolos actuar a su antojo, reprendiéndolos cuando era necesario y siendo amable con ellos para que bailaran al ritmo que él imponía.

Pues se daría cuenta de que no era tan fácil manipularla a ella.

Él habló en voz baja sin dejar de mirar el fuego.

—Tienes miedo. Puedo entenderlo, después de la experiencia que has sufrido. No tengo intención de forzarte. Nunca.

Hizo una pausa, tal vez para permitir que ella hablara, o tal vez para ordenar sus pensamientos. Al ver que seguía callada, giró la cabeza y la miró.

—Eleanor, debemos hablar de esto y sería más fácil si vinieras aquí. —Añadió con una sonrisa—: Y si se presenta alguna hostilidad, te prometo que dejaré que vuelvas a donde estás ahora.

Eleanor se aferró a aquello.

—Primero prometes no molestarme —se burló— y, al instante siguiente, me amenazas. Eres despreciable. Desearía no haberte visto nunca.

Sus ojos castaños reflejaban calma mientras parecía pensar en lo que acababa de decir.

—¿Y seguir en casa de tu hermano? —preguntó con amabilidad.

Después de unos segundos en los que a Eleanor no se le ocurrió nada que decir, Nicholas continuó hablando, aparentemente con sinceridad.

—Te recuerdo que estamos casados... de por vida. A lo mejor a ti te conviene vivir siempre en guerra, pero a mí no. Me estoy esforzando por encontrar un *modus operandi* que haga que nuestra vida en común sea soportable para ambos. Incluso estoy empezando a albergar esperanzas de que tal vez podamos gozar de cierta felicidad con este acuerdo. Yo, por lo menos, estoy agradablemente sorprendido por la compañera que el destino me ha buscado..., aunque me estés mostrando más púas que un erizo.

Sonrió y ella tuvo que recurrir a toda su fuerza de voluntad para no devolverle la sonrisa y caer en la docilidad. Se obligó a permanecer callada.

—Sin embargo, creo que no tendremos ninguna esperanza —continuó con voz fascinante— si te empeñas en evitar la parte física del matrimonio.

La voz amable había sido engañosa. Esas crudas palabras la sorprendieron.

—No tengo intención de... Pero apenas te conozco, a pesar de que... —Eleanor puso en orden sus desorganizados pensamientos—. Seguramente, el acto del matrimonio sin amor es una especie de violación —razonó.

La sonrisa de él se hizo más amplia y casi sonrió abiertamente.

—Entonces, me temo que la violación es un delito muy común. Discutamos esto, pero no desde el otro lado de la habitación. Ven y siéntate en la butaca. Mantengo mi palabra.

Eleanor se sintió atraída hacia él, como si tiraran de ella de una cuerda, obedeció y se sentó frente a Nicholas. Por lo menos, estaba fuera de su alcance.

—Eleanor, creo que eres una mujer inteligente. Te he observado hoy y admiro tu valor y tu presteza. Quiero consumar nuestro matrimonio.

La tenía tan hechizada que no salió corriendo al oír esas palabras. Ni se movió.

—Te daré mis razones —continuó—, y tal vez podamos tomar una decisión razonable. Aunque quizá sea esperar demasiado de ambos en este momento.

Lo dijo con un repentino tono de desánimo que a ella le llegó al corazón. Sintió la extraña necesidad de alargar el brazo y apartarle el cabello dorado de la frente.

Nicholas desvió la mirada y las llamas titilantes tiñeron de oro su perfil.

—Primero —dijo, como un maestro dando la lección—, como he dicho, tu renuencia procede de un miedo comprensible. Sin embargo, dudo de que ese miedo disminuya por sí solo en un futuro cercano. La mejor cura sería que te enamoraras de mí, pero eso parece improbable. —Ella vio que se le curvaban los labios y que le brillaban los ojos con lo que parecía ser auténtico humor—. Para empezar, estoy seguro de que tienes buen juicio. Tal vez podría conseguir tu estima si te cortejara minuciosamente, pero tengo muchos asuntos que atender durante esta visita a Inglaterra y ya he apalabrado la mayor parte de mi tiempo. Teniendo esto en cuenta, creo que lo mejor para los dos sería superar juntos tu miedo. —Hizo una pausa y la miró, pero Eleanor no tenía intención de hablar—. En segundo lugar, es posible que estés embarazada. Si es así, lo aceptaré e intentaré ser el mejor padre que las circunstancias permitan. Pero debo admitir que mi disposición sería diferente si pudiera creer que el niño es mío.

Eleanor se sintió conmocionada.

—¿Qué?

Él la miró, sorprendido por la furia que había en su voz.

—Si confundimos la paternidad desde ahora —explicó, hablando más rápidamente—, podré engañarme a mí mismo. Si tienes razones para creer que habrá un niño.

—¡No es que yo lo crea! —jadeó—. ¡Por supuesto que es tu hijo, desgraciado! ¿Qué clase de mujer crees que soy?

Nicholas por fin le prestó toda su atención.

—¿Mi hijo?

Al ver que ella iba a hablar, levantó una mano e inspiró profundamente. Eleanor vio que, a pesar de estar bronceado, había palidecido.

—Oh, Dios mío.

Apoyó con cansancio la cabeza en las rodillas. Parecía tan desolado que Eleanor deseaba acercarse a él, abrazarlo y reconfortarlo.

Tuvo suerte al no hacerlo, porque Nicholas se puso en pie tan bruscamente que podría haberla lanzado al otro lado de la habitación. Se acercó a grandes zancadas a la oscura ventana. Ella se giró lentamente para seguirlo con la mirada, asombrada. Algunas brasas se asentaron, crepitando y chisporroteando, y se produjo un repentino destello.

Por fin él se dio la vuelta. En su cara se reflejaba una tensión que ella no comprendía.

—Eleanor —le dijo—, no he estado en Inglaterra durante más de seis meses. Hace tres semanas estaba en París.

Lo observó, confusa. Era imposible dudar de palabras pronunciadas con tanta certeza.

—Entonces, ¿qué...? ¿Quién...?

—Tu violador era mi hermano.

Eleanor intentó darle sentido a todo aquello. ¿La estaba manipulando? Si era así, era demasiado hábil para que ella pudiera darse cuenta. Podría jurar que incluso se había puesto amarillo.

Lo creía al decir que no había estado en Inglaterra. Pero su atacante era como él... o como lord Stainbridge.

Tragó saliva.

—Por casualidad no tienes otro hermano misterioso aparte del conde, ¿verdad? —preguntó débilmente.

Él negó con la cabeza.

Eleanor intentó asimilar aquel cambio brusco de los acontecimientos mientras su marido se quedaba en silencio, sumido en sus propios pensamientos y observándola con preocupación.

Aunque le llevó tiempo, terminó reconociendo la verdad de aquel nuevo escenario. Lionel había dicho que su agresor había sido lord Stainbridge y Lionel no cometía errores de ese tipo. Lord Stainbridge, y no Nicholas, era a quien su hermano podría haber manipulado para meterlo en tal aprieto.

Pero a ella le gustaba. Había confiado en él.

—¿Sabes por qué lo hizo? —preguntó Eleanor con voz un poco más fina de lo que habría deseado.

Nicholas tenía los ojos cerrados.

—No exactamente, aunque no es propio de él, te lo puedo asegurar. —Cuando abrió los ojos, eran tan fríos como la tierra en invierno—. Tengo muchas ganas de conocer a tu hermano, Eleanor.

La rabia de Nicholas le puso los nervios de punta, aunque supo que no iba dirigida a ella. Empezó a saborear el hecho de que Lionel se había metido en un embrollo más grande de lo que podía manejar. Entonces, preguntó:

—Pero ¿por qué te has casado conmigo?

Él sonrió, desvió la mirada hacia las llamas titilantes y la calidez regresó a su expresión.

—Porque —contestó, mirándola— él me lo pidió.

Eleanor sintió que un peso se le instalaba en el pecho. No era más que una carga de la que se habían deshecho.

—Entiendo —respondió, tragándose las lágrimas con desesperación—. Por supuesto, él no habría podido...

Nicholas se acercó a ella rápidamente y le tomó la mano.

—No es eso. Te admira enormemente, Eleanor, pero no podría casarse contigo. Nunca se recuperó de la muerte de su esposa. Juliette no era la mujer apropiada para Kit. Debería haber elegido a una joven robusta con sentido común, pero se casó con una belleza de invernadero demasiado frágil para tener hijos.

Eleanor bajó la mirada hacia la mano de su marido. Era huesuda pero fuerte, bronceada por el sol y marcada con las cicatrices y callosidades del trabajo físico. Una mano de la que depender, pensó con sorpresa.

Nicholas se llevó una pálida mano de Eleanor a los labios y siguió hablando:

—Esta noche es, evidentemente, una noche para dormir, querida. Podemos continuar esta conversación en otro momento.

Iba a marcharse, pero ella lo agarró de la mano. Lo miró a los sorprendidos ojos castaños, preguntándose si estaba loca.

—No, tenías razón —dijo con la boca seca—. Deberíamos... —No pudo sostenerle la mirada y apartó la vista—. Tengo miedo.

La mano le temblaba contra la piel de Nicholas, firme y cálida. ¿Por qué estaba persiguiendo lo que él había deseado abandonar? Porque enfrentarse al terror era preferible a sentirse temerosa día tras día. Ella siempre había sido así.

Levantó la vista hacia él, medio esperando que se negara. Nicholas buscó su mirada.

—¿Puedes confiar en mí, Eleanor?

Incapaz de hablar, ella asintió.

Él le besó la mano de nuevo.

—Entonces, vete a la cama. Yo vendré enseguida.

Capítulo 4

*E*leanor yacía rígida en la cama. Temía el dolor, temía la vergüenza y, sobre todo, temía qué iba a significar aquel asunto para él. Había llegado a respetar a Nicholas Delaney. No quería verlo convertirse en el monstruo jadeante que había poblado sus pesadillas, el monstruo que, aparentemente, había sido ese hombre sofisticado y sensible, lord Stainbridge.

Deseó poder tomar de nuevo esa decisión tan impulsiva. Se preguntaba si, después de todo, él la había manipulado. Las palabras refinadas y la luz del fuego estaban muy bien, pero...

Nicholas regresó a la habitación. Llevaba algo muy parecido a una túnica de monje, con rayas de color marrón, crema y verde. Parecía una prenda de algún extraño pueblo africano y ella pensó que, probablemente, así fuera.

Lo observó con los ojos muy abiertos mientras él recorría el cuarto apagando las velas y luego avivaba el fuego. Enseguida el resplandor rojizo de la chimenea fue lo único que iluminaba el dormitorio. Eleanor miró las sombras púrpuras en el techo cuando él se acercó a la cama. Sintió que el lecho se hundía en cuanto Nicholas se deslizó a su lado y, luego, el débil calor de su cuerpo fundirse con el suyo.

El corazón le palpitaba con tanta fuerza que se preguntó si él lo oiría.

Sintió que se ponía de costado para mirarla. Ella no giró la cabeza para asegurarse, no podía hacerlo. Rogó silenciosamente que todo acabara rápido.

Una mano se asentó suavemente en sus costillas, cerca del corazón. Ella aguantó la respiración y se tensó. Nicholas deslizó la mano hacia una de las suyas y allí se quedó, cálida y firme.

—Relájate, querida. —Su voz era tan suave como el terciopelo en la oscuridad rojiza—. Recuerda que he prometido no forzarte. No será tan malo como crees. —Le hizo círculos lentamente con el pulgar en la muñeca, donde le latía el pulso—. Piensa, Eleanor. ¿De qué trata este asunto entre hombres y mujeres? Ha habido mujeres que han arriesgado mucho, incluso su propia vida, por ello. El amor en sí no es la explicación. ¿Están locas? ¿O también hay placer?

El movimiento de su pulgar y su voz suave eran como un almíbar reconfortante. Aunque un poco a su pesar, se relajó y empezó a sentirse ella misma.

—Supongo —dijo con voz ronca— que hay mujeres que discrepan en esto. Después de todo, a algunas les apasiona el juego.

—Y beber, y la violencia. Tú, por supuesto, no quieres tener nada que ver con esos vicios. Como tu marido, lo apruebo enérgicamente.

En su voz sólo se advertía un humor relajado. ¿Cuándo, se preguntó ella, comenzaría la transformación en monstruo?

Nicholas le levantó una mano, se la llevó a su cálida boca y la besó. No fue diferente de las dos veces anteriores. Entonces cogió su dedo índice, se lo metió en la boca húmeda y lo mordisqueó con suavidad a la vez que la lengua jugueteaba con él. Era una sensación de lo más extraordinaria...

Estremeciéndose, apartó la mano. Él no protestó.

—Dime, Eleanor, ¿cuándo fue la última vez que alguien te abrazó? ¿Cuándo fue la última vez que tú abrazaste a alguien con alegría o con pena?

Ella deseaba desesperadamente que Nicholas dejara aquel juego y lo hiciera de una vez. Su silencio, sin embargo, le pedía una respuesta.

—Hace mucho tiempo —dijo ella, rebuscando en los recuerdos—. Mi niñera. Una vez tuve un cachorro. ¿Qué importa?

—Oh, sí que importa. Es una de las mayores alegrías. Ven a mí y abrázame, Eleanor.

Aquello la asustó más que un ataque.

—No puedo —susurró.

Él la persuadió poco a poco, la convenció. Aunque Eleanor no se movió por propia voluntad, sintió que la tomaba en brazos y la envolvía en una tierna calidez.

Su mano tocó piel suave.

¡Estaba desnudo!

Automáticamente, se apartó.

—Ha sido una terrible falta de previsión, lo sé —dijo él dulcemente, aún abrazándola—. Hace años que no uso pijama. Sin embargo, me atrevería a sugerir que tu camisón vale para los dos.

Era verdad. Los abultados pliegues evitaban el contacto excepto con su mano apretada. Lo único que ella sentía del cuerpo de Nicholas era suave firmeza y calidez. Él le acarició la espalda con lo que parecía ser una magia sutil y su voz le relajó la mente.

Eleanor se destensó.

Como si tuviera vida propia, su mano se abrió y se posó sobre las costillas de Nicholas. La cabeza encontró un hueco hecho a su medida entre el cuello y la axila de su marido y el resto de su cuerpo se amoldó cómodamente al de él. Podía oír vagamente su corazón, con latidos lentos y firmes bajo su oído.

Era la sensación más maravillosa que había tenido nunca.

Entonces empezó a llorar. Como intentaba evitarlas, las lágrimas eran inclementes y dolorosas. Avergonzada, intentó apartarse de él, pero Nicholas siguió abrazándola con suavidad.

—No, Eleanor. Llora. Llora, querida, si es lo que deseas.

Subió la mano para acariciarle la nuca y ella por fin se rindió y dejó que las lágrimas salieran a raudales.

Después de unos minutos, agotada, se encontró contándole detalles de su vida. Le habló del rechazo de sus padres, de su rabia, de su rebelión y del conflicto con su hermano. Al éxtasis de la liberación dolorosa le siguió una aguda turbación.

—Lo siento, lo siento. ¿Qué estoy haciendo? Debes de...

Él la acalló con un ligero beso.

—Ahora puedes dejar atrás todas esas cosas —le dijo—. Se han terminado. Sin embargo, si deseas hablar otra vez de ellas, siempre puedes hacerlo conmigo. Para eso están los maridos. Y para reconfortar. Y para asegurar que la vida va a ser mejor. Ése es el voto matrimonial que te ofrezco, Eleanor. Las cosas van a mejorar. ¿Me crees?

Ella se sorbió la nariz y asintió. Se apartó y en esa ocasión Nicholas no la detuvo. Se sentó, rebuscó en la mesita hasta que encontró su pañuelo y se sonó. Después se giró para mirar a su marido.

Se le había acostumbrado la vista a la débil luz del fuego y podía verlo un poco. Seguía sin haber monstruo. Solamente un hombre muy amable que incluso había, se dio cuenta de ello, recolocado la ropa de cama para cubrir la mayor parte de su cuerpo. Le dedicó una sencilla sonrisa de amistad y ella sintió que un brote vacilante comenzaba a germinar en su interior.

Era esperanza.

Se acostó con timidez para buscar de nuevo el consuelo de sus brazos. Aunque todas sus emociones estaban confusas, reconocía lo que él había dicho. Ahora tenía a alguien, alguien que le pertenecía.

—No puedo prometerte la felicidad absoluta, Eleanor —le dijo con tono serio.

Era una advertencia, y ella le prestó atención. Pero nunca había esperado la felicidad absoluta. Ni siquiera había esperado disfrutar de un poco de alegría en aquel matrimonio y agradecería cualquier cosa buena que saliera de él.

—Sin embargo, cuidaré de ti —añadió—. Confía en mí.

Eleanor asintió, sintiéndose más segura de lo que había estado desde que era un bebé.

—Entonces, sellemos este acuerdo de la manera habitual. —Bajó la mano por su cuerpo, hasta el dobladillo del camisón—. No, relájate, querida. Relájate. No luches contra mí.

A pesar de todo lo que había hecho, Eleanor estuvo a punto de resistirse. Sin embargo, en ese momento una repentina llamarada de una brasa que se rompió iluminó el rostro de Nicholas. No era la cara de un monstruo. Era normal y reflejaba el regocijo que sentía.

—Voy a dejar que te quedes con esta prenda tan inconveniente, pero no con la trenza.

Eleanor se había recogido el largo cabello para dormir. Él soltó la cinta y le pasó los dedos por el pelo. Se lo levantó y luego dejó que cayera sobre ambos. Desconcertada, y con pelo en la boca, Eleanor le dejó que hiciera lo que quisiera. Se preguntó si llevar el cabello suelto sería una parte esencial del acto matrimonial. Era muy incómodo. La última vez había tardado una eternidad en deshacer los nudos. La última vez...

El pánico la invadió y empujó a Nicholas para apartarlo.

Él, pacientemente, volvió a tranquilizarla con su voz suave y ella se relajó. Nicholas le acarició el cabello desde la coronilla pasando por los hombros, el pecho y el costado.

—Esto —dijo con veneración— es hermoso.

Era extrañamente maravilloso que pensara que era hermosa.

Empezó a besarla, depositando ligeros besos en lugares insólitos, como los párpados y el lóbulo de la oreja. No dejaba de acariciarla y de murmurarle disparates.

Ella nunca habría pensado que el humor era parte de aquello. Tal vez estuviera loco. Si era así, la estaba arrastrando a la locura, porque se encontró sonriendo y con ganas de carcajearse.

—... un punto un poco desatendido, creo —estaba diciendo él—. Mi niñera siempre me decía que me acordara de la nuca. ¿Cuántos metros de tejido hay en este camisón?

Él metió las manos por debajo y Eleanor no pudo evitar volver a tensarse, pero intentó contestar con desenfado:

—Yo diría que unos diez.

—Santo Dios —contestó, riéndose—. Si tienes unos cuantos de éstos, somos ricos, querida.

Tenía la voz un poco menos controlada, aunque quizá fuera por la risa. Entonces posó de nuevo la boca sobre la suya. Aquella vez fue diferente. La lengua de Nicholas jugueteó con sus labios y ella sintió su aliento, cálido y húmedo, contra la boca. Insistió suavemente con los labios para que ella relajara y abriera los suyos. Eleanor descubrió un extraño placer en aquella intimidad. De alguna manera, esa rendición la ayudó a no tensarse cuando él le separó los muslos con la mano y su duro cuerpo se situó entre sus piernas.

Sintió que una mano la colocaba con cuidado y él entró, suavemente y despacio.

No hubo dolor. El alivio se llevó toda su tensión, dejándola algo aturdida y como si flotara. Igual que se había sentido de niña cuando había esperado que le dieran unos azotes pero se había librado de ellos.

Nicholas le provocaba una sensación extraordinaria entrando y saliendo de ella a ritmo constante pero, al no sentir dolor, podía aceptarlo. Un momento después, como le parecía que debía hacerlo, comenzó a moverse con él. Pensó que era más bien como remar en un bote.

La respiración de su marido se volvió más audible, más rápida. Él también se movía cada vez más rápido. Eleanor se preguntó si su cara habría adquirido la máscara de monstruo, pero cerró los ojos y los mantuvo así, apretados con fuerza. No quería saberlo.

Después de unos cuantos jadeos y estremecimientos, se detuvo y ella sintió su cálido aliento en el cuello. Eleanor le pasó instintivamente una mano por el suave cabello, como haría una madre con su hijo, y se preguntó qué se suponía que tenían que hacer ahora.

Con una rapidez que la sorprendió, regresó el Nicholas de antes y le acarició dulcemente el rostro.

—Eleanor, ¿cómo estás? Maldición, sabía que tenía que haber dejado una luz.

—Estoy bien —contestó—. Yo...

Él le tapó la boca con suavidad.

—No digas nada ahora —susurró mientras se apartaba de ella despacio—. Será lo mejor, y los dos tenemos que descansar.

La tomó de nuevo entre sus brazos y ella se acomodó allí, como si lo conociera de toda la vida.

Nicholas dijo en voz baja:

—Lo siento, querida. Nunca he podido resistirme a un pelo como el tuyo.

Un minuto o dos después se dio cuenta de que él se había dormido. Sonriendo, se liberó de sus brazos y se acostó para hacer lo mismo. No había sido demasiado malo. Si él lo consideraba necesario, podría soportarlo de vez en cuando.

Eleanor se despertó una vez de madrugada, con los vestigios de su pesadilla de siempre confundiéndose con el cuerpo que tenía al lado. Se incorporó de golpe, conmocionada, y entonces fue recordando. Podía oír su respiración pausada, pero el fuego se había apagado y no veía nada en la oscuridad total. Buscando consuelo, alargó una mano para tocarlo: el hombro, el torso...

Él se revolvió y ella apartó la mano apresuradamente.

—Ah, no, *chérie* —farfulló Nicholas.

Eleanor ahogó una risita.

Después debió de quedarse dormida, porque no recordaba nada más.

Por la mañana, se despertó al sentir la luz, tenue y gris, y con Nicholas todavía durmiendo a su lado. Lo peor ya había pasado. Era una mujer casada y estaba a salvo; su marido no era ningún monstruo. En realidad, era muchísimo mejor que un monstruo. Disfrutó observándolo mientras dormía, indefenso.

Definitivamente, era atractivo, aunque sus rasgos, al igual que los de su hermano, eran demasiado refinados. Le pareció que la manera casual en la que el cabello le caía sobre la frente era fascinante.

Recordó la noche anterior. Había sido amable y paciente. Le debía mucho por eso y decidió ser una esposa solícita y agradable.

Pero ¿cómo iba a saludar aquel día a lord Stainbridge?, se preguntó con desmayo.

Alguien llamó a la puerta contigua. Su marido no se despertó. Dudando, ella lo zarandeó.

—Nicholas.

La única respuesta que obtuvo fue un gemido.

Alarmada, se apresuró a envolverse en su manto y a abrir la puerta al valet.

—¡Clintock, no puedo despertarlo!

El ayuda de cámara chasqueó la lengua y se acercó.

—Se lo advertí a su marido, señora. Le dije que estaba claro como el agua. Pero ¿acaso él me escuchó?

—¿Qué le ocurre, Clintock?

—Fatiga, señora, sólo eso. No escuchaba a nadie. Llevaba varias noches durmiendo sólo un par de horas. Eso puede con cualquiera.

De repente pareció recobrar la compostura, darse cuenta de dónde estaba y recuperó los modales del perfecto ayudante del caballero.

—Le pido disculpas, señora. No hay nada de lo que preocuparse. El desayuno está servido en la otra habitación, como ordenó el señor. Lo despertaré.

—Oh, no —protestó Eleanor—. No lo hagas. No es necesario.

Él aprobó sus cuidados de esposa, pero negó con la cabeza.

—Órdenes, señora. Mi trabajo depende de ello. El señor dijo que tenía que despertarlo a esta hora, bastante más tarde que de costumbre, se lo aseguro, y no es una persona a quien se le pueda contradecir.

Eleanor pensó que ni siquiera un trueno que resonara junto a la cama podría despertar a su marido, pero era evidente que Clintock no era nuevo en su trabajo. Hablándole y agitándolo con firmeza consiguió vencer la resistencia en la mente de Nicholas Delaney hasta que éste abrió los ojos.

—¡Demonios! —Volvió a cerrarlos—. ¿Qué endiablada hora es?

—Casi las nueve en punto, señor —dijo Clintock de manera inexpresiva—. Su esposa está presente, señor.

—¿Quién? —Le echó un vistazo a la habitación con ojos pesados y la mirada se le iluminó cuando vio a Eleanor—. Lo siento, querida. Costumbres de soltero.

—El desayuno está servido, como pidió, en la habitación de al lado, señor —dijo Clintock mientras le acercaba discretamente la bata.

Nicholas salió de la cama y se cubrió.

—Ve a desayunar, Eleanor.

Le cogió la mano con un gesto afectuoso y la condujo al otro dormitorio. Ella no se sintió forzada.

Los dos desayunaron copiosamente, hablando sólo de temas sin importancia en presencia del ayuda de cámara. Cuando terminaron, ella regresó a su habitación y llamó a una de las doncellas de la posada para que la ayudara con el cabello. La muchacha se lo desenredó y le hizo la larga trenza de costumbre. Eleanor se la enroscó en la nuca formando un moño apretado y se puso su ropa de viaje.

Le dio las gracias a la doncella con una moneda y paseó la mirada por el cuarto. Lo recordaría.

Sin embargo, cuando bajaba las escaleras volvió a preguntarse cómo iba a tratar a lord Stainbridge. Seguramente Nicholas le diría algo a su hermano sobre el engaño que había llevado a cabo.

Cuando entró en la salita, supo que algo había ocurrido entre los hermanos, aunque no pudo averiguar el qué. Nicholas estaba como antes, pero lord Stainbridge reaccionó ante ella como un gato escaldado. A pesar de que esperaba sin duda reproches por su parte, ella se dio cuenta de que no podía hablar de su violación. Lo único que quería era olvidarlo todo.

Sin embargo, cuando recordó que iban a vivir todos juntos en la casa de lord Stainbridge, se estremeció. No podía quedarse allí cuando su marido se marchara. Debía hablarlo con Nicholas cuanto antes.

No tenía de qué preocuparse porque, cuando llegaron a Londres, Nicholas le dijo a su conmocionado hermano que no iban a vivir en la casa del conde, sino en la suya propia.

—Nicky —protestó lord Stainbridge—, no puedes hacer que Eleanor viva en una sórdida habitación. Los dos estaréis muy bien aquí hasta que encuentres una vivienda respetable. Te compraré una casa si quieres.

Nicholas sonrió arrepentido.

—Gracias, Kit, pero no será necesario. Ya tengo una vivienda respetable. Está en el número cinco de Lauriston Street.

Hubo unos segundos de silencio y Eleanor vio que lord Stainbridge se había quedado estupefacto, pero se recuperó enseguida.

—Eso está bien. Pero te llevará un tiempo acondicionar la casa...

—Oh, no lo creo. Habrá que prestar atención a los cuartos del bebé —ese comentario hizo que lord Stainbridge se sonrojara—, pero poseo esa casa desde hace tres años y me paso por ella de vez en cuando. —Se encontró con la mirada herida de su hermano—. Lo siento, Kit.

—¿Por qué?

—Una casa es una excelente inversión. Aunque no he vivido allí mucho, a veces, cuando creías que estaba con algún amigo, me alojaba en ella, a salvo del vertiginoso torbellino social. Siento no habértelo dicho antes, pero no eres muy bueno guardando secretos.

Obviamente impactado y dolido, lord Stainbridge se llevó a Eleanor aparte para decirle que era libre de quedarse en su casa si quería. Ella rechazó el ofrecimiento tan cortésmente como pudo, sorprendida de que se lo hubiera sugerido. Aunque hubiera deseado hacerlo, era un acuerdo imposible que provocaría muchos cotilleos.

Sin embargo, a pesar de haber rechazado la oferta, Eleanor tenía sentimientos encontrados. Ya no sentía que necesitara que la protegieran de su marido y sabía que lord Stainbridge no era el ejemplo a seguir que había pensado. Por otro lado, sospechaba que Nicholas Delaney era un libertino y temía encontrarse en alguna situación como las que provocaba su hermano.

No obstante, el número cinco de Lauriston Street resultó ser una residencia encantadora y elegante. Un mayordomo respetable abrió la lustrosa puerta negra con resplandecientes accesorios de latón. De inmediato, Eleanor se vio inmersa en un ambiente de riqueza, buen gusto y, sobre todo, respetabilidad. Podía olerlo, igual que el olor a abrillantador de cera de abeja. Era maravilloso.

Sin embargo, era una casa masculina y, cuando Nicholas se la llevó a otra habitación para esperar que se reunieran los empleados, lo hizo en una práctica biblioteca, completamente forrada de libros.

—Qué estancia más agradable —dijo ella, pasando una mano con cuidado por un escritorio de nogal—. Supongo que la proteges celosamente.

—No de ti, Eleanor —contestó con una sonrisa de complacencia—. Cada vez que quieras venir aquí, serás bienvenida. Si necesito tener intimidad, te lo diré. Te prepararemos un tocador lo más pronto posible, pero por el momento ésta es la habitación más acogedora para uso informal. Me temo que no fui del todo honesto con Kit. He estado acostumbrado a usar sólo un dormitorio, el comedor y esta biblioteca. Sin embargo, no tardaré en arreglar esos asuntos.

—Lord Stainbridge parecía muy molesto al descubrir que no le habías hablado de esta casa.

Él estaba hojeando un montón de cartas que había sobre el escritorio.

—Mi hermano es un tipo extraño, Eleanor. Le desagradan muchas de sus responsabilidades y, sin embargo, disfruta siendo un tirano benévolo conmigo. No tengo ninguna duda de que hizo lo mismo contigo. Y, por todo lo que lo quiero, no viviré en su bolsillo. No sería bueno para ninguno de los dos.

Eleanor estaba de acuerdo.

—Pero esta casa debe de costar muchísimo dinero para darle tan poco uso.

Él dejó el correo a un lado, después de ver que no había nada urgente.

—Es mi único capricho. Pero, como he dicho, es una buena inversión. Me he sentido muy agradecido de tener una casa donde vivir tranquilamente... y escapar de las madres casamenteras. —Le sonrió—. Tú me has liberado de esa carga, querida.

Por una parte era una afirmación cortés, aunque por otra a ella le recordaba que no había querido casarse. También le recordaba las habilidades que tenía para el disimulo y la manipulación.

—Pareces muy sincero —dijo con prudencia—. Aun así, supongo que los sirvientes que tienes aquí estarían al tanto de todo.

La expresión de Nicholas se volvió ligeramente arrogante, señal de su disgusto.

—Por supuesto, sería inútil esperar que no interrogaras a los empleados sobre tu marido...

Ella reaccionó instintivamente.

—Oh, nunca pregunto. Sólo hay que dejarlos hablar y hablar todo lo que quieran. Lo saben todo.

—Santo cielo, espero que no, por el bien de todos —respondió frunciendo el ceño. Parecía extremadamente serio.

Eleanor recordó los misteriosos acontecimientos que se produjeron antes de su boda y toda la confianza que había empezado a sentir desapareció.

—En muchos sentidos, Eleanor —dijo él—, las próximas semanas serían mucho más sencillas si fueras una simple boba. Pero —añadió en tono más ligero—, cuando imagino pasar mi vida con una mujer así, no me siento satisfecho en absoluto.

A Eleanor aquello apenas la consoló. ¿Qué iba a ocurrir en las próximas semanas y cómo la iba a afectar? Antes de que pudiera decidirse a preguntarle sobre ello, llegó el mayordomo para decir que todo el personal ya estaba reunido.

Hollygirt, el mayordomo, presentó a su mujer, el ama de llaves; a la señora Cooke, que sí que era la cocinera, pero no estaba casada; a un lacayo; a la doncella encargada de recibir; a un mozo de cuadra; y a un montón de sirvientes inferiores, que estaban asombrados. Hollygirt le dio formalmente a la pareja la enhorabuena de parte de todo el personal y después Eleanor siguió al ama de llaves al piso superior.

La señora Hollygirt abrió una puerta.

—El dormitorio principal, señora.

Esa habitación también le encantó. Era grande, con ventanales del suelo al techo que llenaban el cuarto de luz. El mobiliario era fino y de estilo moderno, y las cortinas eran de terciopelo marrón con adornos de oro. En el suelo, sin embargo, había dos pieles negras de oso, con la cabeza y las zarpas.

—¡Santo cielo! —exclamó Eleanor.

—Son cosas repugnantes de bárbaros —dijo la señora Hollygirt con desprecio—. El señor tiene algunos objetos raros, perdóneme, señora. Será un placer tener a una dama en esta casa.

Le señaló dos puertas, una a cada lado de la estancia.

—Ése es el vestidor del señor y ése es el suyo, señora. Está un poco abandonado, porque no se ha usado mucho.

Sus rasgos se endurecieron al darse cuenta de que había cometido un error, pero Eleanor lo ignoró.

—Disfrutaré mucho decorándolo a mi gusto, señora Hollygirt.

La mujer se apresuró a enseñarle otra habitación sin amueblar. Su estilo no tenía nada que ver con lo que Eleanor conocía hasta el momento de la casa. Aunque era similar al dormitorio principal en tamaño y forma, las paredes, las cortinas y la alfombra eran horribles, con empalagosos tonos de rosa, verde y color crema.

—Oh —fue lo único que pudo decir al enfrentarse a aquella espantosa visión.

—Esta habitación, los cuartos de los niños, otros dos dormitorios y el salón no se han tocado desde que el señor Delaney compró la casa. Están como los dejaron los anteriores propietarios. Sin lugar a dudas, querrá redecorarlos.

En sus palabras había una clara insinuación de que, si no lo hacía, no se ganaría el derecho a ser la señora de la casa.

—Oh, sí, por supuesto —dijo Eleanor—. Será una de mis primeras tareas. Salgamos.

Tuvo que contener una sonrisa. Estaba contenta de que hubiera defectos que superar. Aquélla era su casa, podía hacer lo que quisiera. Se preguntó cuánto dinero le permitirían gastar y cómo podría averiguarlo. Frunció el ceño y pensó que dependería de la generosidad de lord Stainbridge. No era una situación muy agradable.

De vuelta en su vestidor, vio que habían trasladado allí su escaso equipaje y que una doncella estaba colocando cuidadosamente las prendas.

La señora Hollygirt señaló a la muchacha.

—Es Jenny, señora. Es una buena chica, aunque algo dada al cotilleo. Podría ser su doncella por ahora, si así lo desea. Entiendo que no ha traído ninguna doncella del extranjero.

Eleanor accedió gustosamente, dándose cuenta de que los Hollygirt no estaban al tanto de los secretos de su marido y de que la chica se había ruborizado de satisfacción por el ascenso. Le dio las gracias al ama de llaves y pidió agua caliente. Eso la liberó de las dos mujeres y la dejó sola en la habitación «que no se había usado mucho».

Se preguntó a qué tipo de mujeres habría llevado allí Nicholas Delaney en el pasado. Sin duda, a mujeres muy especiales. Era obvio que él había dirigido la redecoración de la casa. Antes, todo aquello combinaba con su habitación, y se había necesitado un don especial para descubrir la belleza clásica detrás de todas las florituras y los espantosos colores. Un hombre con gusto y sagacidad, extrañamente en desacuerdo con su reputación de libertino y su evidente debilidad por las mujeres fáciles.

No importaba lo mucho que intentara concentrarse en los fallos de su marido, porque Eleanor sólo era consciente de los suyos propios. A sus veintidós años, ya había dejado atrás la juventud y nunca había sido una belleza. Gracias a sus facciones regulares, alguna vez le habían dicho que era bien parecida, pero sabía que no poseía ningún rasgo sobresaliente, excepto su abundante cabellera, y el pelo largo ya no estaba de moda. No poseía ninguna gracia especial ni talento artístico, y había tenido una educación mediocre. Se sentía cansada, deprimida y sin esperanzas.

Aquello no era bueno. Tal vez no fuera otra cosa, pero sí era una luchadora. Decidida a pensar con más optimismo, se puso delante del gran espejo para evaluar sus características. Su cabello, sí. Con eso podía contar. Abundante y ondulado, le llegaba hasta la cintura cuando lo dejaba suelto.

¿Qué había dicho él? «Nunca he podido resistirme a un pelo como el tuyo.»

Su figura estaba bien proporcionada, generosa y redondeada. La beneficiaría que él no prefiriera a las mujeres esbeltas. Sin embargo, su vestido gris de viaje no la favorecía en absoluto. Los empleados de lord Stainbridge lo habían comprado para la viuda seria, la señora Childsley. Eleanor pensó desoladamente que el atuendo estaba diseñado para una dama que ya había pasado el primer rubor de la juventud y que estaba entregada a obras de caridad. No era nada apropiado para una recién casada con un marido fascinante...

Pero ¿qué estaba haciendo? Probablemente, lo último que deseaba Nicholas Delaney era una esposa que se preocupara por si su vestuario o su cuerpo lo complacían. Pasarían algo más de tiempo juntos y después él volvería a viajar dejándola allí, libre.

Libre.

Unas semanas atrás, había rezado fervientemente por conseguirlo. Ahora, por mucho que lo intentaba, no le parecía una perspectiva esperanzadora. La doncella, que llegó con la jarra de agua caliente, interrumpió sus pensamientos.

Eleanor se lavó y señaló un vestido de lana azul. Otro artículo de «la señora Childsley». Por lo menos, el color le quedaba bien.

—¿Crees que hay que plancharlo, Jenny?

—¿Éste, señora? No lo creo... —La muchacha se ruborizó—. Pero sólo me llevaría un momento...

Eleanor la tranquilizó, contenta de que hubiera alguien más tan nerviosa como ella.

—Vamos a ver... No, así está bien.

Dirigió amablemente a la doncella y enseguida terminó de asearse. Sin embargo, cuando se miró esperanzada en el espejo, vio a la señora Childsley.

Se encogió de hombros, le dio las gracias a la muchacha y añadió de manera informal:

—¿Tienes mucha experiencia como doncella personal, Jenny?

La chica se ruborizó.

—Oh, bueno, señora. Una o dos veces, para las invitadas.

Eleanor podía adivinar qué tipo de invitadas eran, y se hizo una idea.

—¿Podrías peinarme, Jenny?

La doncella se animó enseguida.

—Oh, sí, señora. Sé hacer estilos sencillos. He aprendido todo lo posible, porque algún día espero ser la doncella de una dama.

Una vez que la trenza estuvo suelta, Jenny ahogó un grito y se dispuso a peinarla con largas cepilladas. Sin embargo, pronto confesó que no sabía hacer un estilo a la moda, a menos que el cabello fuera más corto y rizado. Al final, volvió a trenzárselo y dispuso las gruesas trenzas en una pequeña corona en la parte superior de la cabeza. Le rizó unos largos mechones con unas tenazas y los dejó caer por el cuello. Era un estilo bonito, aunque pasado de moda. Eleanor se preguntó si debería cortarse el cabello.

Estaba hablando de ello con Jenny cuando alguien llamó a la puerta y entró Nicholas.

—Cómo es esta mujer —dijo sonriendo—. Cuando me acostumbro a ella, se transforma completamente. —Le recolocó un brillante rizo y ella supo que se estaba ruborizando. Esperaba estar haciéndolo con gracia—. Sin duda, estás pensando en cortártelo, pero yo prefiero el pelo largo.

Ignorando la presencia de la doncella, besó a Eleanor suavemente en el cuello.

—Tengo que salir, querida, sólo un rato. Entre otras cosas, he de visitar a tu hermano. No volverá a molestarte. Llegaré para cenar.

Y, sin más, se fue.

Eleanor y Jenny se miraron y sonrieron.

—No hay corte de pelo —dijo Eleanor con resignación, aunque se alegraba de no tener que desprenderse de él—. Jenny, dependo de ti para que pienses formas de arreglar esta pelambrera que tengo. Si sigues tan bien como has empezado, no se me ocurre ninguna razón para que no seas mi doncella.

Cuando salió de la habitación, la muchacha aún estaba allí parada, con una enorme sonrisa en los labios, y Eleanor había descubierto el placer de darles gusto a los demás.

Como faltaban sólo dos horas para la cena, únicamente tomó té mientras se esforzaba por acostumbrarse a ser la señora de aquella casa tan bien organizada. No obstante, los años de opresión bajo su hermano se habían cobrado un precio y tuvo que reunir valor para tocar la campanilla y llamar a la señora Hollygirt en vez de ir a buscarla ella misma. Cuando se presentó el ama de llaves, le pidió que le enseñara el resto de la casa.

Como esperaba, todo estaba muy bien organizado. Había que redecorar la mayoría de las habitaciones, como su propio dormitorio, pero, por lo demás, era una residencia elegante.

Eleanor hizo los arreglos necesarios para comprobar las cuentas semanalmente, esperando que su marido deseara que se hiciera cargo de esa tarea, y después se encontró en la biblioteca, sin nada que hacer hasta la cena. Emocionada por todo lo que había que hacer en la casa, le habría gustado estudiar muestras de cortinas y libros con motivos, pero no había ninguno.

Además, sin tener idea de cuánto dinero tendría disponible, sería una necedad hacer planes.

En lugar de eso, comenzó a explorar las estanterías de la biblioteca, en parte porque le encantaban los libros y en parte para saber más de su fascinante marido.

Los libros eran una mezcla intrigante. Había obras de viajes y geografía; textos en latín, griego y traducidos; junto a ellos encontró prácticos tomos de agricultura, ingeniería y ganadería. Además de obras en lenguas antiguas había libros en francés, español, italiano y algo que le pareció portugués. Se preguntó si su marido hablaba todos esos idiomas. Los libros parecían bastante usados, aunque eso podría atribuirse a los anteriores propietarios. Nicholas podría haber comprado una gran colección sólo para llenar las estanterías.

Se sorprendió agradablemente al encontrar una estantería que contenía novelas modernas y se preguntó si serían del gusto de las «invitadas» de Nicholas. Ciertamente, ella haría buen uso de ellas. Una de las peores cosas de los meses que había pasado en Derby Square había sido la falta de material de lectura, aparte de los periódicos. Tal vez su marido tuviera un ejemplar de esa novela nueva tan interesante, *Orgullo y prejuicio*, o de *El Giaour* de lord Byron.

Aunque no encontró ninguna de las dos obras, había muchos otros tesoros que podrían distraerla. Pasó con ansiedad los dedos por los lomos de *Camilla* y *La viajera* de Frances Burney, y por un grupo de novelas de Minerva.* *El demonio de Sicilia* le pareció emocionante, pero fue *Las nupcias milagrosas* la obra que le llamó la atención y la cogió.

Cuando se iba a sentar para leerla, vio una gran carpeta en la mesa central. La abrió con vacilación y ahogó un grito al ver lo que contenía: unas preciosas láminas orientales, tan hermosas que no había visto nunca nada como eso. Eran unas joyas exquisitas de colores brillantes y elegantes líneas y se sentó para estudiarlas, olvidando por completo la novela.

Después de un rato cerró la carpeta y se quedó pensando. Esas láminas no habían sido adquiridas junto con un lote; eran tesoros cuidadosamente comprados.

¿Qué tenía que ver una persona anodina como ella con el propietario de esa casa?

Recordó el matrimonio que lord Stainbridge y ella habían planeado, en el que lo único que tenía que hacer era estar cómoda y tener los

---

* La editorial Minerva Press fue conocida por crear un lucrativo mercado de novelas románticas y de narrativa gótica a finales del siglo XVIII y principios del XIX. (*N. de la T.*)

hijos de un marido casi siempre ausente. Debía admitir que ya no quería esa unión, porque Nicholas Delaney la había embelesado, consciente o inconscientemente. Estaba fascinada. No se le ocurría nada más satisfactorio que observarlo y calentarse junto al fuego de su espíritu. Deseaba aprender de él el secreto de la vida.

Pero entonces suspiró y el destello de entusiasmo se quebró. Las brasas no ardían. Lo único que ella podía ofrecer era lo que se había comprometido a dar, aunque por lo menos podía asegurarse de que él no saliera engañado. Le correspondería lo mejor que pudiera. Se esforzaría por ser una compañera agradable y poco exigente cuando estuvieran juntos, y resignada cuando se encontraran separados. Si su marido lo deseaba, sería motivo de orgullo para él en la alta sociedad y, sobre todo, se construiría su propia vida para que, cuando Nicholas quisiera marcharse, no sintiera remordimientos.

Con un nudo en el estómago, tomó otra decisión: intentaría responder a las relaciones sexuales con él. No era justo esperar que su marido la tratara siempre como a una muñeca.

Sin embargo, la noche anterior no había sentido miedo. Era consciente de que él había ido con mucho cuidado. Algún día se olvidaría...

Se dio cuenta de que tenía las manos muy apretadas. Lentamente, las relajó. *Esto es contra lo que debes luchar, Eleanor.*

Nicholas Delaney tuvo una breve entrevista con su nuevo cuñado en la casa de Derby Square y salió de allí con una sonrisa irónica en los labios. Después se fue directo a una mansión mucho más elegante cerca de Grosvenor Square, donde enseguida lo condujeron a un estudio ricamente amueblado y ante la presencia de un hombre alto y ancho de espaldas que tendría alrededor de cincuenta años.

—El señor Delaney —recitó el lacayo.

Lord Melcham se levantó sonriendo.

—¡Delaney! Es un verdadero placer conocerlo, señor.

—Lo mismo digo, lord Melcham —contestó Nicholas educadamente mientras tomaba asiento.

—El gobierno le está muy agradecido por la ayuda que nos está prestando, joven.

Nicholas aceptó el vaso de jerez que le ofrecía y respondió:

—Todavía no puedo decir que haya hecho algo, aunque he contactado con Madame Bellaire, como se me ordenó.

—Sí, tengo entendido que cruzó el Canal en el mismo barco que usted. ¡Eso estuvo muy bien!

Nicholas tomó un sorbo del amontillado.

—Debo confesar que fue totalmente fortuito, milord. Unos asuntos personales me obligaron a regresar a casa inmediatamente. De hecho, ni siquiera sabía que Thérèse iba en el barco, aunque hablé con ella brevemente en Newhaven.

El hombre frunció el ceño.

—¿Brevemente? ¿No habría sido una excelente oportunidad para retomar su... eh... relación?

Nicholas sonrió mirando su vaso.

—La presencia de mi mujer me lo impidió, señor.

Lord Melcham se quedó mirándolo fijamente.

—Maldita sea. ¡Usted no está casado!

—Ahora sí. Recién casado.

Lord Melcham se puso en pie bruscamente y empezó a pasear por la habitación. El rostro se le había congestionado y apretaba fuertemente la mandíbula.

—¡Es usted un sinvergüenza irresponsable, Delaney! ¿Qué pretende hacer? El mes pasado ni siquiera pensaba en el matrimonio. Ahora, ¿cómo va a llevar a cabo esta tarea?

Los rasgos de Nicholas también se habían endurecido levemente ante aquel ataque, pero contestó con calma:

—La razón de mi matrimonio es asunto mío...

—¡Ja! ¡Una vez flirteó demasiado y lo pillaron!

Nicholas apretó el vaso.

—Señor, mi matrimonio no afectará a nuestros planes. Retomaré mi relación con Thérèse si ella lo desea. No obstante, debo mencionar que tenía un joven compañero en Newhaven que parecía ser de su agrado.

Lord Melcham le dirigió a su invitado la mirada severa que hacía temblar a sus subalternos.

—Según la información de que dispongo, el cariño que ella le profesaba en Viena era muy profundo. Estoy seguro de que podrá reavivarlo... si de verdad se lo propone.

Nicholas mantuvo la mirada desafiante de lord Melcham.

—Haré lo que he prometido hacer siempre que esté en mi mano. Estoy seguro de que la situación se podrá manejar sin problemas. A pesar de las pruebas que usted tiene, no puedo creer que Thérèse esté involucrada en un complot para liberar a Napoleón, o que sea la responsable de la muerte de Anstable. Es totalmente apolítica y aborrece la violencia. Solamente se preocupa de sí misma.

Melcham se encogió de hombros y, habiendo decidido obviamente que su plan no corría peligro, volvió a sentarse.

—Tal vez quiera conseguir el interés y el favor de Bonaparte. He oído que es una mujer muy atractiva.

—Lo es. Y también lo suficientemente inteligente como para saber que apenas hay posibilidades de conseguir fortuna ni gloria gracias a Napoleón. Esa época ya pasó.

—Es cierto, aunque algunos preferiríamos que estuviera aún más lejos que Elba.

Lord Melcham observó al joven que su grupo clandestino había reclutado.

Era bien parecido de una manera inusual. Bastante apuesto, pero era su forma de moverse y algo que había en sus ojos lo que le hacía destacar. Ya entendía por qué su hombre de París había pensado que Nicholas Delaney podría manejar a cualquier mujer a su antojo.

Lord Melcham estaba acostumbrado a juzgar a los hombres y le parecía que aquél era inteligente y con carácter. Pero impredecible. No le gustaba tratar con aristócratas aburridos que se divertían aventurándose en el espionaje. Anstable había sido uno de ellos, y ya sabía adónde le había llevado.

—Entonces, ¿seguirá adelante? —preguntó finalmente.

—Sí.

—Si es así, le doy las gracias, señor Delaney, y le deseo buena suerte. Por fin se ha terminado la guerra y el deber de todos los hombres es preservar la paz. —Sabiendo que lo había ofendido, añadió con tono cordial—: Supongo que no será ninguna carga hacerle el amor a una mujer como ésa, ¿no?

Nicholas se levantó. Parecía muy tranquilo.

—Al contrario, lord Melcham, será bastante desagradable. Sin embargo, después de haber perdido la península, creo que es hora de sufrir por mi país. Que tenga un buen día.

Lord Melcham se quedó mirando fijamente la puerta.

—Y vete con ojo —murmuró.

Un momento después consiguió deshacerse del recelo que sentía sobre el plan que había puesto en marcha. Era muy importante estar atento para no herir sensibilidades. Decidió ser algo más cuidadoso en sus futuros tratos con Nicholas Delaney.

Eleanor seguía acurrucada en la biblioteca, encantada con las insólitas aventuras de la heroína de *Las nupcias milagrosas*, cuando regresó Nicholas, que le dio un cariñoso beso en la mejilla.

—¿En qué te has estado ocupando, querida? —le preguntó. Miró el título del libro y dijo—: ¿Es que la realidad no te parece suficientemente milagrosa?

Los dos se echaron a reír.

Ella le hizo un breve resumen de sus actividades y obtuvo su aprobación para hacerse cargo de las cuentas. Después le hizo a él la misma pregunta.

—Oh, además de ver a tu hermano, un individuo bastante falso, he estado poniendo en marcha algunos negocios.

—¿Qué ha dicho Lionel? —preguntó Eleanor, y se sintió enferma al pensar en él.

Nicholas se rió.

—Debo reconocer que tiene coraje. Me dio la bienvenida a la familia e intentó que le prestara dinero. Aparte de darle una paliza, lo que estuve tentado a hacer, no parecía haber nada que alterara su buen humor. Ya no debes temerlo, Eleanor. No creo que se atreva a desafiarme para molestarte.

—Gracias.

Eleanor empezaba a pensar que esa pesadilla por fin se había acabado.

Entonces Nicholas se puso a hablar de libros, y durante la cena comentó sus viajes, saltando de Francia a América, de Austria a China.

Siguiendo sus órdenes, los criados les llevaron la comida y se marcharon. Se sirvieron ellos mismos, y el uno al otro. Cenando en una pequeña mesa, aislados por el cerco de luz de la vela, podrían haber estado solos en el mundo.

Eleanor se sentía deliciosamente feliz.

—Seguramente, viajar a tales lugares debe de ser muy incómodo —dijo ella—. He oído que incluso las embarcaciones más elegantes pueden resultar muy rudimentarias en los viajes largos.

—Es del todo cierto —contestó con tacto—. Aunque no es importante. Me gustan las comodidades como al que más, pero creo que es una necedad que las pequeñas privaciones nos asusten tanto que nos obliguen a permanecer siempre en el mismo lugar, seguro y conocido.

—Yo no diría que ser capturado por los piratas chinos sea una pequeña privación —contestó Eleanor con una sonrisa. Entonces se puso seria al pensar en sus palabras—. Sin embargo, ya sabes que puede ser difícil escapar de esos lugares conocidos, aunque no sean especialmente cómodos.

Él asintió.

—Para las mujeres es así, a menos que sean muy ricas o muy valientes. Conocí a una dama misionera en Ceilán que había ido allí a pesar de la oposición de su familia. Y lady Hester Stanhope es, por supuesto, célebre.

Eleanor volvió a tener esa aplastante sensación de falta de mérito.

—Debes de pensar que soy una persona insignificante que no ha hecho nada por mejorar su situación.

Él alargó una mano para posarla sobre la suya.

—¿Tú? No. Como ya he dicho, es muy difícil romper con lo que nos resulta familiar. Tú acabas de empezar y espero grandes cosas de ti, querida. Las damas que he mencionado te doblan la edad.

Eleanor se rió con sus bromas.

—Me haces parecer una niña, a pesar de que sé que ya no soy, o era, ninguna jovencita.

Él chasqueó sus largos dedos y en sus ojos brilló un desafío.

—¡Sólo para casarte! Eres una mujer joven con tal vez sesenta años de vida por delante. Sesenta años de libertad. Otro regalo de bodas que te doy. Úsalo.

Ella se quedó mirándolo fijamente. Casi lo temía en ese estado.

—No sé lo que quieres decir.

—Ya lo sabrás.

Con un nudo en el estómago, Eleanor recordó que su marido estaría ausente la mayor parte de su vida. Tendría los privilegios del matrimonio sin las coacciones de un marido. Suponía que muchas mujeres se sentirían agradecidas. Se obligó a sonreír.

—Gracias por el regalo.

Tal vez él se dio cuenta de su incertidumbre, porque sonrió.

—Me niego a creer que le estoy echando margaritas a los cerdos. Eso me recuerda que tengo algo que quiero enseñarte. Tomaré una copa de oporto en el estudio en tu compañía, si te parece bien.

Ella accedió gentilmente y, mientras se dirigían a aquella estancia más acogedora, reflexionó sobre el concepto de libertad. Se sentó junto al fuego y, cuando Nicholas se sirvió del decantador que Holly-girt había dejado preparado, preguntó:

—¿Puedo tomar una copa?

Él enarcó las cejas.

—¿Te gusta?

Oh, ¿por qué nunca aprendería a no hacer las cosas de manera totalmente impulsiva?

—Nunca lo he degustado. Sólo quería probar algo nuevo. Lo siento, ha sido una idea estúpida.

Él se inclinó para tocarle la mano.

—En absoluto. Y yo no habría cuestionado una petición tan sencilla. —Le tendió su copa—. Me temo que es un oporto seco. Es poco común, y no es del agrado de todo el mundo.

Ella dio un sorbo al líquido dorado. Era fuerte, embriagador, lo sentía intenso en la lengua pero lleno de ricos sabores. Tomó otro sorbo.

—Me gusta, creo.

Nicholas pidió otra copa y la llenó. Después la elevó, mirándola.

—Por tus aventuras, querida.

—¿Te estás riendo de mí? —preguntó ella, aunque era imposible sentirse ofendida con él.

—No. —Eleanor vio que estaba muy serio—. Me siento lleno de admiración. Sólo los necios saltan de los acantilados. Al final, es mucho mejor avanzar con pequeños pasos. —Se sentó frente a ella y miró al fuego con una sonrisa—. Empecé a viajar cuando tenía diez años y me escapé de casa. Había hecho unos mil seiscientos kilómetros y estaba intentando que me contrataran como mozo de camarote cuando me encontró mi padre. En el fondo, no lamenté que me encontrara. Y por eso te digo —añadió, mirándola con una sonrisa provocadora— que, si te descubro ahogando tus penas en oporto, pondré fin a tus aventuras de inmediato.

Ella enarcó una ceja con atrevimiento.

—¡Es injusto! ¿Sólo puedo aventurarme hasta donde me permitas?

—Por supuesto —contestó—. Hasta que llegue el día en el que no te importe lo que yo diga y entonces tendremos, sin duda, una batalla campal. Y puede que ganes. Ahora, dime, ¿tienes algunos otros planes para tus aventuras?

Eleanor no podía creerse lo feliz que se sentía. Era una sensación tan fuera de lo común y tan deliciosa como el oporto. Tal vez fuera debido al vino, pero no le importaba.

—Debo comprar ropa nueva —dijo, y añadió con algo de incomodidad—: En realidad, necesito algo de dinero.

Él pareció desconcertado.

—Cielo santo, no lo había pensado. Acepta mis disculpas, Eleanor.

Se dirigió a un cuadro que había en la pared, lo apartó para revelar una puertecita y la abrió. Sacó una bolsa y se la dio. Con un solo vistazo Eleanor vio que había más de veinte guineas.

—Esto te mantendrá bien provista por el momento. Estableceré una asignación regular. No te lo gastes en vestir la casa. Que me envíen a mí las facturas.

Eleanor estaba perpleja.

—Entonces, ¿para qué es esto?

—Para lo que quieras. —Se encogió de hombros—. Ahora, prometí enseñarte algo. —Sacó unos estuches de la caja fuerte—. Son un par de piezas de joyería que tal vez te guste ponerte. Se trata sólo de baratijas, pero elegiré algunas joyas especialmente para ti en cuanto pueda. Kit tiene las reliquias familiares y tal vez sugiera que las uses. Puedes hacer lo que quieras, aunque no te aconsejo que las aceptes. Aún es posible que mi hermano decida casarse algún día y sería muy molesto tener que desprenderse de ellas.

Como una niña con juguetes nuevos, Eleanor admiró las joyas dispuestas ante ella de manera informal. Había un precioso aderezo de zafiros de delicado diseño y varios broches y anillos. También había una larga sarta de brillantes perlas rosadas. Jamás había visto nada igual.

—Qué bonitas —dijo suavemente—. Deben de valer una fortuna.

—El proverbial rescate de un rey, aunque en este caso es el de un rajá. Fue el pago por el servicio que le presté. Tal cantidad de perlas rosadas iguales es muy rara. Creo que te quedarán bien. Encarga un vestido sencillo para complementarlas y presumiré de ellas y de ti.

Ella cogió la ristra resplandeciente.

—Entonces, ¿vamos a aparecer en sociedad? —preguntó.

—Sí, todo lo que desees. No siempre podré ser tu acompañante, pero pronto harás tus propias amistades. Supongo —añadió con una mueca— que en algún momento también deberíamos presentarte a la familia. Guardaré aquí las perlas y los zafiros. Si los necesitas, pídemelos. El resto puedes quedártelo.

Eleanor le devolvió el collar a regañadientes. Él cogió un anillo con un gran diamante engarzado en coral tallado.

—Éste es uno de mis favoritos.

Se lo puso en el dedo anular de la mano derecha y la besó suavemente en los labios.

Eleanor se dio cuenta de que estaba cansado. Lo veía en sus ojos y en su voz, aunque lo ocultaba bien. ¿Significaba que aquella noche no la molestaría?

Al instante, se reprendió a sí misma por pensarlo. No obstante, por consideración hacia él, se levantó y se excusó para irse a la cama, dejándolo libre para hacer lo mismo si era lo que deseaba. También se armó de valor para padecer, no, para disfrutar, lo que se avecinara.

Mientras Jenny le cepillaba el cabello, Eleanor se miró en el espejo y frunció el ceño.

—Desearía que mis ojos fueran verdes o castaños. Cualquier cosa menos este azul insípido.

—Tiene unos ojos muy bonitos, señora —dijo la doncella—. Pero yo podría hacer que fueran más hermosos depilándole las cejas.

—¿Depilarlas? Oh, no sé. No sería correcto, y debe de doler terriblemente.

La doncella se encogió de hombros.

—Todo el mundo lo hace, señora, y a veces merece la pena sufrir un poco, ¿no le parece? Una de las damas solía decirlo en francés... —La muchacha dejó de peinarla y se llevó las manos a la boca—. Oh, lo siento, señora.

Eleanor se rió.

—Sinceramente, Jenny, no se lo digas a la señora Hollygirt, pero no me importa lo que ocurriera aquí antes de que me casara con el señor Delaney. ¿Cómo eran esas damas?

Jenny se quedó asombrada ante ese punto de vista tan liberal, pero no se opuso a cotillear.

—Bueno, en realidad no ha habido tantas, señora, y todas eran extranjeras. Todas eran hermosas... Bueno, no —dijo la doncella pensativa mientras volvía a peinarla—. No eran exactamente hermosas, sino más bien, fascinantes.

Eleanor pensó que fascinantes era peor que hermosas. Aunque sabía que no estaba bien, no pudo evitar hacer otra pregunta.

—¿Eran damas o no tenían título?

Jenny tuvo que pensarlo.

—Bueno, *mademoiselle* Desirée era una dama con seguridad, ¡pero solía gritar y maldecir! Aunque lo hacía en francés, una sabía lo que decía. El señor la golpeó una vez para hacerla callar, y ya era hora de que lo hiciera.

Eleanor se estremeció ante aquella información. Debería haberse dado cuenta de que Nicholas era demasiado perfecto para ser real.

—*Madame* Amelie era muy correcta —continuó Jenny—. Una verdadera belleza con grandes ojos oscuros. Aunque —bajó la voz hasta dejarla casi en un susurro— oí decir que tenía sangre negra, y era de América, así que podría ser cierto. Era amable, pero sólo pensaba en sí misma.

En ese momento Eleanor recuperó la cordura e interrumpió a la doncella antes de que pudiera continuar.

—Creo que lo mejor será olvidar a todas esas mujeres —dijo con firmeza.

—Por supuesto, señora —contestó Jenny alegremente—. Y no tiene nada de lo que preocuparse. Es su esposa.

—Sí —replicó Eleanor sombríamente—. Soy su esposa.

Si Nicholas estaba cansado, no se fue pronto a la cama. Eleanor estaba empezando a dormirse cuando se abrió la puerta y él entró para acostarse. A pesar de que sólo ardía una pequeña luz de noche, lo vio quitarse el batín. Sintió que se metía en la cama, junto a ella. Se esforzó enormemente por mantener una respiración tranquila que no evidenciara su aprensión.

Él la besó suavemente en la mejilla, le dio las buenas noches y se dispuso a dormir. Eleanor podría haberse echado a llorar. Se sentía abrumada por un montón de emociones confusas: alivio, asombro, decepción, resentimiento...

Evidentemente, él no la deseaba; ¿por qué debería sentirse dolida? Eso podría significar que podía disfrutar de la comodidad de su presencia sin...

Seguramente, era lo que quería. Con ese triste pensamiento, se quedó dormida.

Capítulo 5

A la mañana siguiente, Eleanor se despertó muy pronto, cuando la actividad en la casa apenas estaba comenzando. Aún no habían encendido el fuego y el frío la llevó a quedarse bajo las mantas, donde su única ocupación era estudiar a su compañero de cama, que estaba tumbado de espaldas a ella.

Su extraordinaria tonalidad de piel le hacía parecer una estatua de oro viejo.

Tenía todo el cuerpo bronceado, por lo menos, lo que ella veía y que no era mucho, excepto una cicatriz blanca en el hombro. Conteniendo la respiración, apartó un poco la manta para dejarla al descubierto. Debía de haber sido una herida espantosa.

—Una bala de rifle en Massachusetts. No fui lo suficientemente rápido para esquivarla.

Sorprendida y azorada, apartó enseguida la mano, pero él se dio la vuelta y se la cogió.

—Eleanor —dijo sonriendo con calidez—, tienes todo el derecho a preocuparte por mi cuerpo, no es necesario montar un escándalo. Te haría una visita guiada por todas mis cicatrices, que es lo más grave, si no pensara que te avergonzaría.

—Lo siento —contestó con determinación—. Examinarte mientras duermes es bastante deshonesto. Y debo hacer otra confesión.

—¿Sí? —dijo él. Seguía agarrándole la mano y no parecía nada alarmado.

Ella tragó saliva.

—Me he enterado de algunas cosas sobre las mujeres que han estado aquí preguntándoles a las criadas. No pretendía hacerlo, pero me venció la curiosidad.

Esperó una explosión de furia que no llegó.

—¿De verdad? —dijo con apacible sorpresa, y la observó—. Entonces, ahora conoces todos mis secretos.

—No me importa —le aseguró.

Ahora sí que pareció sorprendido.

—¿Por qué no?

—¿Por qué debería importarme? No me concernían tus secretos, al igual que a ti no te concernían los míos.

Nicholas se tumbó de espaldas. Tenía el rostro desconcertantemente inexpresivo.

—Un pensamiento muy equilibrado. Ahora, por supuesto, sería diferente.

Eleanor, instintivamente, iba a mostrarse de acuerdo, pero se reprimió. Se le había presentado la oportunidad de corresponder su amabilidad.

—No si eres discreto, Nicholas. Después de todo, no somos una pareja normal y no hay amor de por medio.

Él se sentó de golpe y la miró con dureza.

—Deja de ser tan condenadamente razonable, mujer.

Tiró de ella con fuerza, la apretó contra él y le dio un enérgico beso que la dejó mareada.

—Nicholas —dijo sin aliento cuando por fin pudo hablar—, no lo entiendo.

—No importa —contestó mirándola con intensidad.

Le dio la vuelta y Eleanor sintió que empezaba a deshacerle la trenza. El roce en la nuca le provocó un escalofrío de placer que le recorrió toda la espalda. Después él enredó los dedos en su cabello y, una vez suelto, se lo extendió sobre los hombros.

Dejó ahí las manos y le dio unos besos suaves en los hombros, a través del cabello. Entonces le apartó el pelo y Eleanor sintió su boca caliente sobre la piel. Se dio cuenta de cuáles eran sus intenciones y se tensó.

Nicholas detuvo su tierno tormento y la giró hacia él. Cuando la magia cesó comprendió lo que había hecho, lo que había detenido. Una parte de ella gritó de frustración. Pero no podía... no podían...

¿Qué debería hacer?

¿Qué haría él?

¿Qué pensaría Nicholas?

Por un momento él pareció desconcertado, pero luego le apartó con cuidado un largo mechón de pelo de los ojos.

—Dime qué ocurre. ¿Se trata de esas otras mujeres?

Ella negó con la cabeza. Tenía un nudo en la garganta que le impedía hablar.

—Entonces, ¿qué?

No deseaba expresar sus pensamientos. No obstante, el implacable silencio de su marido le exigía una respuesta.

—Yo sólo... Es hora de levantarse.

Él rompió a reír, y parecía una risa auténtica.

—Eleanor, lo puedes hacer mucho mejor. Y no me refiero a una jaqueca o al cansancio. Si no quieres que te haga el amor, debes decírmelo. ¿Es que, después de todo, te asusté en nuestra noche de bodas?

Sorprendida, ella contestó:

—No.

Él enarcó las cejas mientras consideraba su evidente sinceridad.

—Tenía miedo de haberlo hecho. Pretendía haberme controlado más, pero el cansancio, demasiado vino y tu maravilloso cabello me hicieron perder el control. Muy bien. ¿Cuál es el problema?

No iba a dejarla tranquila hasta saberlo.

—No es que me moleste, es que no es decente, Nicholas, a plena luz del día. La doncella podría entrar en cualquier momento.

Su honestidad fue recompensada cuando vio que sus rasgos se relajaban.

—No es desagradable ocultarse en la oscuridad, querida —dijo con suavidad, pasándole un dedo por la mandíbula—. Creo que disfrutaré enseñándotelo. Pero todavía no.

Aunque sólo había amabilidad en su voz, Eleanor fue consciente de que, a pesar de sus buenas intenciones, le había fallado una vez más. Y debió de notársele en el rostro.

Él gimió levemente y se dio la vuelta.

—Cielos, estoy haciendo de esto un desastre. Y sólo puede empeorar.

Eleanor se mordió el labio, perdida.

—Dijiste que iba a mejorar.

Nicholas se giró bruscamente hacia ella.

—No estoy hablando de eso, Eleanor.

Ella vio que se serenaba. No era más que una fuente de problemas para su marido.

—Mi experiencia con mujeres —dijo con prudencia— ha sido considerable. Ya lo sabes. Pero, de una manera o de otra, todas han sido prostitutas. Me parece que las mujeres no son muy diferentes de eso y he estado actuando en consecuencia. Podría estar equivocado, sin embargo. Probablemente lo esté. Lo que acabo de decir suena condenadamente grosero, en realidad. Debes ser sincera conmigo o yo no haré más que meter la pata, hasta que no tengamos ninguna esperanza. ¿Entiendes?

Ella asintió, aunque no estaba segura de comprenderlo. Entonces, espoleada por nobles motivos y por los restos de excitación que quedaban en ella, añadió, mirándose las manos:

—Nada de esto es culpa tuya, Nicholas. Nada. Has sido amable y considerado y yo solamente quiero ser una buena esposa para ti. Por favor, haz lo que desees.

Era una suerte que no lo estuviera mirando a la cara. La angustia que él sentía no se reflejó en su voz cuando contestó:

—En este momento, lo único que deseo es estar aquí tumbado y mirarte.

Eleanor se giró hacia él, sorprendida.

—No veo por qué. No soy bonita.

Él cogió un mechón de su cabello y se lo enroscó en un dedo.

—¿Quién lo dice? La belleza está sujeta a una definición que suele ser aburrida. Si has oído que alguna de las invitadas que he tenido aquí era hermosa —dijo con una sonrisa impenitente—, te han mentido.

Ella le devolvió la sonrisa con coqueteo.

—Oh, hermosas no. Dijeron que sólo eran fascinantes.

Él asintió.

Eso es más apropiado. Y tú también eres fascinante.

—¿Yo?

—No creo que deba reforzar la importancia de eso, pero sí. Fascinante. Esclavizaste a mi hermano en sólo unas semanas, y eso es una gran hazaña...

—No lo suficiente para que quisiera casarse conmigo —lo interrumpió sin pensar. Inmediatamente deseó que se la tragara la tierra.

Él enarcó las cejas.

—Creo que ignoraré las implicaciones de esas palabras.

—No quería decir...

—Pero en realidad fue una hazaña —continuó—. Mi hermano no le tiene demasiado afecto a la compañía femenina. Y ahora has captado todo mi interés. No eres como las mujeres normales, ya sabes.

Eleanor intentó hablar despreocupadamente.

—Creo que debería ignorar las implicaciones de ese comentario.

—¿Por qué? —preguntó él fríamente—. ¿Deseas ser una más en el rebaño? Si es así, pronostico que habrá problemas, porque yo me niego tajantemente.

Se hizo el silencio entre ellos hasta que Eleanor dijo:

—Creo que debo pensar mucho en eso. ¿Quiere eso decir que debo formarme a tu imagen?

Él se sentó, casi hiriendo su humildad, con ojos brillantes.

—¿Es eso lo que he dicho? Creo que vamos a tener muchas discusiones placenteras, amor. Siempre vas directa al grano. Y para contestar a tu pregunta, no creo que quiera moldearte a mi antojo. No puedo imaginarme que te conviertas en una Eleanor que no me gusta.

Después de haber dejado caer esa bomba, continuó:

—Ahora, querida, aparta la mirada si así lo deseas, porque voy a retirarme rápidamente mientras pueda hacerlo.

Eleanor, que aún estaba dándole vueltas a lo que él había dicho, no apartó la mirada. Se quedó fascinada al ver que todo su hermoso cuerpo estaba bronceado, aunque con diversos tonos.

Cuando se hubo ido, ella se quedó tumbada pensando en la conversación y así estuvo hasta que Jenny le llevó su chocolate de la mañana. Tenía que admitir que su marido se estaba convirtiendo rápidamente en su obsesión particular.

Cuando bajó a la sala de desayunos, a la que acababan de darle ese uso, vio que él ya había terminado de comer. Se quedó un momento para hablar con ella.

—¿Sabes ya qué modista vas a frecuentar, Eleanor?

—Me temo que no conozco a ninguna. Tampoco sé cuánto debo gastar en ropa.

Él sonrió.

—Todo lo que desees. No nos llevarás a la ruina a menos que empieces a apostar enormes cantidades de dinero. Estaré feliz de poner mis mal conseguidas ganancias a tu disposición para que te embellezcas.

Eso le hizo preguntarse a Eleanor de dónde procedía su dinero. ¿Lord Stainbridge le había mentido al decirle que su hermano sólo estaba modestamente situado?

Sin embargo, cuando habló le dijo:

—Bueno, me temo que si esperas que vista a la moda, será caro. No me creo esas historias de mujercitas tan inteligentes que pueden crear vestidos de baile a partir de sábanas viejas y, si son tan talentosas, sería mezquino no pagarles todo lo que se merecen.

—Efectivamente —contestó con aprobación—. Eres una perla de valor incalculable. Si yo fuera tú, acudiría a Madame Augustine d'Esterville. —Apuntó una dirección y le dio la tarjeta—. Al contrario que la mayoría, es francesa de verdad, aunque dudo de la validez del «de». Es una artista y elige a sus clientes cuidadosamente. Creo que te aceptará. Siente debilidad por mí y he sido un buen cliente en el pasado. —Sonrió—. No tengo vergüenza, ¿verdad?

—No, ninguna —concedió amablemente.

Él se levantó.

—Kit ha enviado un mensaje. Hay planeada una cena familiar formal para la semana que viene. Sin embargo, si yo fuera tú, estaría preparada para una visita de mis tías en cualquier momento, puede que incluso hoy mismo.

—¿Hoy? —exclamó Eleanor.

—Han insistido bastante, pero creen que hemos pasado la luna de miel en el extranjero. Tengo dos tías que no pueden aguantar no ser las primeras en todo. Ambas aparecerán lo más pronto posible. Le he pedido a Kit que venga esta tarde, por si acaso. Yo también estaré aquí, si puedo.

Le dio un leve beso en la mejilla y se marchó.

Eleanor se quedó sentada, en silencioso pánico. Había olvidado que Nicholas tenía familia y que querrían examinar a aquella intrusa inesperada. ¿Qué pensarían de ella? ¿Qué podrían pensar de ella? Una mujer, que ya no era joven, con un hermano de mala reputación, y que se había casado con el hijo pequeño de su noble casa en circunstancias misteriosas. En el extranjero...

Y, en esa ocasión, su protector iba a ser nada más y nada menos que el hombre que la había violado.

Se sintió tentada a anular la invitación a lord Stainbridge, pero decidió, por lo menos en esa ocasión, que su utilidad podría pesar más que la repugnancia que sentía hacia él.

También estaba la cuestión de los negocios de su marido, que lo mantenían lejos del hogar. Después de todo, no estaba metido en política ni tenía propiedades ni negocios que manejar. Temía que sus ocupaciones fueran sólo su amante francesa.

A pesar de su buena disposición a tratar tales asuntos con la cabeza fría, se sentía muy tentada a destrozar la delicada porcelana.

Con decisión, apartó esas ideas de su cabeza y se dispuso a desayunar. Lo único que podía hacer era soportarlo, y había aprendido mucho tiempo atrás que no tenía sentido luchar batallas inútiles.

En lugar de eso pensó en la invasión familiar y cómo enfrentarse a ella. Tenía que hacer algo con su aspecto. También debería visitar a la modista que le había recomendado Nicholas, aunque los vestidos que le encargara tardarían algún tiempo en estar listos. Tal vez Madame Augustine pudiera recomendarle un abastecedor decente de vestidos ya confeccionados.

Jenny y ella se dirigieron a la dirección que tenía apuntada. La modista demostró ser todo lo que su marido había prometido, aunque se mostró ligeramente curiosa con la mujer de Nicholas Delaney. Eleanor encargó un vestuario completo. Y se sintió entusiasmada al escoger dos vestidos ya confeccionados sobre los que afirmó la mujer que eran una gran mejora sobre su vestuario actual. Eleanor no lo dudó y no hizo muchas preguntas sobre su mágica aparición. Si otra clienta tenía que esperar uno o dos días más, que así fuera.

Madame Augustine le proporcionó todos los accesorios necesarios excepto los sombreros pero, como tenía su negocio a dos puertas de una excelente sombrerera, Eleanor estaba totalmente equipada cuando regresó a casa.

Inmediatamente se puso un vestido de tarde de color verde pálido que venía acompañado de zapatos de color crema y un elegante chal de cachemira de dos metros y medio de largo. Ese atuendo le sentaba maravillosamente. El color conseguía que la piel le brillara y el corte dotaba a su figura de una sorprendente elegancia. El tejido era un poco delgado para la época del año y el corpiño tenía un escote un poco pronunciado. Deseó que el chal fuera un poco más grueso y se dijo que, en lugar de eso, podrían encender las chimeneas.

Decidió de repente que Jenny le depilara las cejas.

—Y no me hagas caso si, a medio camino, pierdo valor, Jenny.

No le dolió demasiado y, cuando vio el resultado, se quedó encantada. Sus cejas siempre habían tenido tendencia a unirse en el centro, dándole una expresión severa. Ahora se curvaban hacia arriba desde el centro, limpio, y sus ojos parecían más grandes y más brillantes.

Teniendo en mente que tal vez las visitas llegarían pronto, fue a examinar el salón, que había ordenado que prepararan. El papel de la pared sobrecargado y las cortinas verdes y doradas tendrían que desaparecer pronto, pero al menos el mobiliario era tolerable. Era de un diseño sencillo y moderno, realzado con adornos de mimbre y junco. La señora Hollygirt le dijo que todo lo había comprado su marido.

A pesar de que el ama de llaves había supervisado una buena limpieza y pulido y había hecho todo lo que había podido, la estancia parecía vacía. Le faltaban los adornos y los pequeños artículos que le daban carácter a una habitación.

Eleanor se dirigió al ama de llaves.

—¿Hay alguna otra pieza en la casa que se pueda traer aquí, señora Hollygirt?

Después de pensarlo unos instantes, la mujer le sugirió que mirara en el desván, que estaba lleno de artículos y pequeñas piezas de mobiliario que su marido había traído de sus viajes.

—Aunque no me ha parecido ver nada que sea apropiado para una casa cristiana —añadió el ama de llaves con desprecio.

Eleanor, sin embargo, se dirigió esperanzada a aquel depósito de maravillas, porque ya sabía que el ama de llaves era muy conservadora. Se preguntó por qué los Hollygirt habían servido a su marido durante tres años, ya que él era un patrono nada convencional. Supuso que sus largas ausencias hacían que el puesto de trabajo fuera muy atractivo.

Una de las ventajas de las que gozaba una casa bajo los cuidados de la señora Hollygirt era que incluso el almacén no tenía polvo. No tuvo que temer por la falta de su nuevo vestido mientras exploraba las cajas y los objetos cuidadosamente apilados. Se dio cuenta de que le llevaría horas ver todo lo que había allí, así que se limitó a escoger unas cuantas piezas accesibles de entre las extrañas armas y trajes bárbaros.

Al final envió al piso inferior al lacayo con dos jarrones orientales, una caja de jade, un pequeño biombo decorado con plumas y un arbolito de plata del que colgaban frutas de coral con las delicadas tonalidades del arcoíris.

También tomó nota mental de otras piezas que mejorarían su dormitorio y su tocador cuando los redecorara. Sólo cuando ya lo había dispuesto todo a su antojo se le ocurrió pensar que tal vez a su marido no le gustara que hubiera sacado sus tesoros. Le quitó importancia al asunto. Ya no le tenía miedo. Podría ordenar que llevaran de nuevo los objetos al desván, pero no montaría en cólera.

Se preguntó si alguna vez sería capaz de preguntarle qué había hecho Desirée para que la golpeara.

Sus reflexiones se vieron interrumpidas por la llegada de lord Stainbridge.

Eleanor no pudo evitar sentirse incómoda con el encuentro. Él le dedicó una mirada escrutadora que la ofendió. Aquel hombre no tenía ningún derecho a preocuparse por su bienestar. Le sorprendió detectar que estaba ligeramente descontento y no pudo explicarse por qué. ¿Estaría disgustado de ver que ella parecía feliz y a gusto?

Era un hombre muy extraño. Se habría casado con él si él lo hubiera deseado, a pesar de saber la verdad. Después de todo, ella había accedido a casarse con Nicholas en tales circunstancias. Aunque el conde no lo había querido así, ahora parecía envidiarle la compañía a su hermano.

Tras unos momentos de educada conversación, él preguntó dónde estaba Nicholas. Frunció los labios al enterarse de que no se encontraba en casa.

—¿Sólo ha pasado un día después de la boda y ya te abandona? Debo hablar con él, Eleanor. Tiene que aprender a ser bastante más considerado.

Intentó decirlo con un tono ligero de burla, pero no lo consiguió. Su amargura era evidente.

Eleanor reprimió una respuesta cortante a esa queja tan injusta.

—Tiene negocios que atender, milord. Prometió regresar lo más pronto posible.

—Mi hermano no tiene ningún negocio que atender —respondió el conde con monotonía.

Eleanor se quedó mirándolo fijamente. ¿Es que no había visto la casa tan bonita que tenía? ¿Estaba ciego a las cualidades que tenía su hermano?

Se libró de responder porque Hollygirt anunció la llegada simultánea de las dos tías.

—Lady Christobel Marchant, la honorable señora Stephenson y la señorita Mary Stephenson —anunció el mayordomo, y se retiró para pedir la bandeja del té.

Lady Christobel ganó la primera batalla al entrar antes que la señora Stephenson. Había sido lady Christobel Delaney antes de casarse con un plebeyo y era una mujer alta y guapa con ojos hundidos y una voz ronca que, sorprendentemente, se oía por encima de todo. Había sido algunos años mayor que el padre de los gemelos y era, en muchos sentidos, la matriarca de la familia Delaney.

La señora Stephenson se cuidó bien de no entrar siguiendo la estela de lady Christobel, sino que dejó pasar unos segundos para hacer su propia aparición. Había sido la hermana gemela de lady Stainbridge. Desafortunadamente, parecía haber un patrón fijo de gemelos contrarios en la familia, porque la difunta lady Stainbridge había sido bien conocida por su encanto y su dinamismo, mientras que la señora Stephenson era una mujer aburrida y bastante estúpida. La gente decía, sobre todo lady Christobel, que después de casarse, lord Stainbridge había hecho lo posible por quitársela de encima.

Normalmente era retraída, excepto en una cuestión. Tras la muerte de su hermana, cuando Nicholas y Christopher aún eran unos niños, había tomado como obligación hacerse cargo de ellos. Para eterna gratitud de los niños, su padre había desbaratado ese plan, pero no había conseguido disuadirla totalmente de lo que ella consideraba un deber sagrado.

Con cautela, lord Stainbridge hizo las presentaciones y sentó a las dos mujeres lo más alejadas posible.

La señora Stephenson ganó la segunda ronda al conseguir sentarse cerca de Eleanor.

—Estoy encantada —dijo con voz difusa y susurrante— de que mi querido Nicholas por fin se haya asentado, querida. Es tan alocado y tan irreflexivo... Siempre le estaba causando problemas a mi pobre hermana, Selina. Aunque, por supuesto, ella no lo veía porque se lo consentía todo. Era una madre muy devota. —Sacó un diminuto pañuelo con puntilla de encaje y se enjugó los ojos secos—. Su muerte nos rompió a todos el corazón. —Se inclinó hacia delante y susurró—: Por eso él se fue al extranjero, ya sabes.

Lady Christobel, que estaba charlando con su sobrino, era muy capaz de seguir dos conversaciones a la vez, aunque una de ellas se pronunciara en voz baja.

—Tonterías, Cecily. Selina murió en 1804, cuando los chicos tenían catorce años. Eso fue cuatro años antes de que falleciera mi hermano, y fue su muerte la causante de que el muchacho comenzara a viajar. Fue muy sensato. No me parece apropiado que los gemelos permanezcan juntos tanto tiempo. Debilita su personalidad.

La señora Stephenson se sofocó.

—La querida Selina tenía una personalidad muy positiva.

—Eso parecía —replicó lady Christobel—. Pero fallecer por un simple resfriado... Los Delaney han sido muy desafortunados eligiendo esposa.

Le dirigió una mirada intencionada a su sobrino, que palideció.

Eleanor esperaba que él respondiera a ese comentario de mal gusto, pero se quedó en silencio, así que ella dijo:

—Tengo entendido que la esposa de lord Stainbridge murió al dar a luz, lady Christobel. Podría ocurrirle a cualquier mujer.

La señora Stephenson ahogó un grito al oírla hablar con tanta llaneza y miró alarmada a su hija. La muchacha, sin embargo, seguía la refriega con ojos brillantes.

Lady Christobel se dio cuenta de la mirada.

—No seas tan mojigata, Cecily. Si la chica no estaba al tanto de algunos de los peligros que tiene por delante, ya es hora de que se entere. —Satisfecha con ese bombardeo, volvió la artillería contra Eleanor—. Yo no morí en el parto, ni Cecily, y tampoco lo harás tú si te he juzgado bien. Juliette Morisby era la chica más bonita que había visto en mucho tiempo, pero cualquiera podía ver que no estaba hecha para ser madre. ¿Tú estás sana?

Eleanor parpadeó y respondió que sí. Luego desvió rápidamente su atención a la tía Cecily para hablar de la próxima presentación en sociedad de su hija. De nuevo la conversación pasó a temas generales y suspiró con alivio. Qué mujer tan horrible.

Se tomó un momento para mirar a lord Stainbridge, pero estaba charlando amigablemente con su tía. Sólo podía suponer que ese tipo de disputas eran algo frecuente y que ya no lo alteraban.

—¿Dónde está el novio? —ladró lady Christobel de repente—. Ese muchacho no tiene sentido del deber. Veo que no tienes ningún control sobre él, jovencita.

Eleanor ignoró diplomáticamente el último comentario y señaló que las tías se habían presentado sin ser invitadas. Afirmó que a Nicholas se le esperaba en cualquier momento. Sintió que estaba perdiendo rápidamente la costumbre de ser sincera.

Y pronto se dio cuenta de que habría sido mucho mejor decir la verdad.

—Entonces, esperaré —anunció lady Christobel.

La señora Stephenson se quedó inmediatamente pegada a su asiento. Eleanor le dirigió una mirada desesperada a lord Stainbridge, pero éste se limitó a encogerse de hombros con resignación. Sólo le quedaba esperar que Nicholas regresara pronto, si no, tendría que servirles la cena y prepararles camas para pasar la noche.

Gracias a la habilidad de Eleanor y del conde, mantuvieron una conversación educada durante un rato. Después comenzó una discusión sobre los adornos de la sala. Las tías se embarcaron en un despiadado debate sobre qué progenitor había dotado de gusto artístico a los hermanos. Según iban mencionando a más y más familiares en ambas familias para apoyar los razonamientos, el decoro exterior empezó a fragmentarse.

Eleanor estaba empezando a temer que los jarrones chinos se convirtieran en armas arrojadizas cuando su marido entró en la estancia. Nunca se había alegrado tanto de ver a alguien en toda su vida.

Aunque se dio cuenta de la situación de un solo vistazo, aparte de hacerle un guiño a su prima Mary, Nicholas no mostró ninguna emoción que no fuera arrepentimiento, y se lo expresó a Eleanor por haber llegado tarde.

Ella lo observó con admiración mientras él conseguía saludar a sus tías sin mostrar preferencia por ninguna.

Después, con un golpe maestro, retrocedió para permitir que ambas atacaran. Ninguna lo hizo. Ninguna deseaba expresar una opinión hasta asegurarse de que, por alguna desafortunada desgracia, no coincidía con la de su oponente. Tampoco podía ninguna menospreciar a Nicholas por miedo a que el enemigo viera una manera de endosarle la culpa a su familia.

Lady Christobel, que fue la más rápida en ver lo imposible de la situación, se puso en pie.

—Bueno, Nicholas, aunque me habría gustado verte más, ya me he entretenido aquí bastante. Me imagino que, sin duda, pronto tendrás más tiempo para dedicarle a tu familia.

Después se dirigió a Eleanor.

—Ha sido un gran placer conocerte, querida. Estoy muy contenta de que hayas accedido a casarte con el chico, aunque todo debería haberse hecho de una manera menos confusa. Sin embargo, no voy a decir nada más del tema, porque sé bien quién debería haberlo tratado.

Se giró para mirar a Nicholas con desaprobación.

¿Cómo era posible, se preguntó Eleanor, que pareciera tan contrito e inocente?

Por supuesto, la mujer no podía permitir que toda la culpa recayera en su sobrino, y volvió a la carga.

—Espero que seas un poco más resuelta, Eleanor —dijo severamente—. Una buena mujer puede salvar a muchos pecadores.

Eleanor miró fijamente a Nicholas que, aunque era evidente que estaba conteniendo la risa, mantenía una expresión maravillosamente inexpresiva. Se volvió un poco receloso en cuanto su tía se dirigió hacia él.

—Espero que ahora te comportes como lo haría un Delaney, Nicholas. Si no lo haces por tu bien, hazlo por el de tu esposa.

Una vez dicho aquello, se marchó como un barco triunfante de la naviera.

Cuando su enemiga se hubo marchado, la señora Stephenson volvió a su difuso estado normal. Solamente hizo comentarios dispersos antes de salir con su hija, que se reía tontamente.

Al encontrarse solos, los tres dieron rienda suelta a la risa.

Eleanor fue la primera en recuperarse.

—¡Lo siento! Es muy grosero reírse de vuestros familiares, pero estoy segura de que me habría controlado si vosotros no hubierais explotado.

—No te preocupes —jadeó Nicholas—. Es preferible reírse a estrangularlas. Lo siento muchísimo. ¿Ha sido muy malo?

—Nicholas —dijo Eleanor—, han estado aquí casi tres horas. ¿Siempre son así?

Lord Stainbridge contestó:

—No le preguntes a él, Eleanor. ¿Cómo va a saberlo? Ha conseguido evitarlas durante años. La verdad es que las mantenemos apartadas excepto en los nacimientos, bodas y funerales, pero ésos son precisamente los eventos que les dan más libertad de actuación. Si se encuentran en público, son tan dulcemente educadas que todos creerían que son amigas del alma.

Poco después lord Stainbridge se marchó y el matrimonio se quedó a solas. Eleanor escrutó el rostro de su marido en busca de alguna prueba de flirteo, pero ¿qué podría esperar encontrar?

Entonces él miró a su alrededor y vio los artículos que ella había bajado para decorar la sala. Eso le dio a ella otra razón para sentir ansiedad y tragó saliva con nerviosismo.

Sin embargo, lo único que Nicholas dijo fue:

—Has hecho maravillas con esta habitación, Eleanor. Reconozco algunas de las piezas. —La miró a la cara—. Cielo santo, no me mires como si te fuera a comer. Ya iba siendo hora de que todas estas cosas se airearan un poco. Tu marido es una urraca y nunca sé qué hacer con mi colección cuando llego a casa. Ahora, cuéntame contra quién han cargado las tías esta vez.

Se retiraron a la biblioteca de mutuo acuerdo y ella recreó la batalla de aquella tarde tan bien que ambos terminaron riendo.

—Qué mujeres más terribles —dijo él, y enseguida recobró la compostura—. Me habría gustado que dejaran a Juliette fuera, por el bien de Kit. Pero no importa. Dime qué más has hecho. Creo que reconozco el talento de Madame Augustine. —Hizo que Eleanor se levantara y la hizo girar con suavidad para mirarla—. Muy favorecedor.

—Me temo que he encargado unos cuantos conjuntos más.

—Me habría enfadado si no lo hubieras hecho. Pero hay algo más... —Le giró la cara hacia la luz—. Te has hecho algo en las cejas.

Eleanor se ruborizó.

—No pensaba que te darías cuenta.

—Debes de pensar que soy muy poco observador. Y, además —dijo fingiendo enfado—, ¿qué otro propósito podría haber aparte de que yo lo notara? A menos que ya tengas otra conquista a la vista.

¿Conquista? Eleanor se quedó mirándolo, sintiendo calor en las mejillas.

—Sin embargo, estoy seguro de que debe de ser doloroso —continuó antes de que ella pudiera decir nada—. Le perfiló con suavidad una ceja con el dedo—. No te tortures por mi culpa.

—No duele nada —mintió Eleanor mientras él le perfilaba la otra ceja distraídamente. Ella empezaba a sentirse un poco nerviosa—. Me gusta cómo me queda.

—Excelente. Pero te advierto —dijo con una sonrisa perezosa, y bajó el dedo lentamente por su mejilla—: no te pongas cremas y lociones cuando quiera besarte.

Le dio unos golpecitos en los labios entreabiertos.

Cautivada, Eleanor reunió el valor suficiente para retarlo:

—¿Y qué harías para detenerme?

A Nicholas le brillaron los ojos, pero puso una expresión seria.

—Te lo quitaría todo con brutalidad innecesaria, y después te condenaría a llevar la ropa que eligiera mi hermano durante el resto de tu vida.

Ella se rió y él le dio un beso en los labios. Eleanor se sentía ridículamente feliz.

—Y ahora, debo confesar algo —dijo él—. Te estoy endulzando a propósito porque tengo que pedirte un favor.

Ella le daría la luna y las estrellas.

—¡Lo que quieras! —exclamó.

Nicholas negó con la cabeza.

—Creo que la siguiente lección es la cautela. Me gustaría que presidieras una cena de solteros que voy a celebrar aquí mañana. Es una costumbre que viene de antiguo.

Aquello era más sobrecogedor que conseguirle el cielo. Eleanor no estaba acostumbrada a los grandes eventos sociales.

—De acuerdo, me encantaría asistir, Nicholas —dijo con vacilación—, pero tampoco me importaría cenar en mi habitación.

—Me gustaría que estuvieras allí. Necesito una influencia restrictiva, querida. Me reúno con algunos amigos periódicamente y normalmente terminamos ebrios. Quisiera que, en esta ocasión, mantuvieran intactas sus facultades. En cualquier caso, estará bien que conozcas a mis amigos más íntimos.

Eleanor deseó que fueran menos exigentes que sus familiares, aunque por otra parte no pudo evitar alegrarse por que le hubiera pedido a ella, y no a Madame Thérèse, que asistiera.

Era una necedad pensar en ello como en una competición cuando ella era su esposa. No tenía ninguna prueba de que Nicholas hubiera visto a esa mujer desde Newhaven.

Sin embargo, el recuerdo de aquella escena en la posada la obsesionaba, cómo él se había llevado las manos de la mujer a los labios. Y a ella misma la había embelesado…

No le hacía ningún bien pensar esas cosas. Se esforzaría por ser la esposa perfecta. Tomó nota obedientemente del número de invitados, llamó a Hollygirt y a la señora Cooke y juntos escogieron la comida y la bebida más apropiada para un grupo de jóvenes saludables.

Francis, lord Middlethorpe, abrió la carta que un mozo le había llevado, agotado, a su residencia de Hampshire. Reconoció la letra inmediatamente.

¿Qué demonios estás haciendo en Priory cuando te necesito en Londres? La reunión se celebrará mañana y es de vital importancia que estés aquí. ¡Habría pensado que, aunque sólo fuera por curiosidad de conocer a mi mujer, habrías venido corriendo!

Nicholas

Su Excelencia se quedó mirando la carta totalmente perplejo durante tanto tiempo que el mayordomo pensó que había ocurrido alguna catástrofe en la casa de Haile y después se dirigió rápidamente a la habitación de su madre. Cuando por fin ella le permitió entrar, le estaba dando los últimos toques a un meticuloso acicalamiento y miró con horror su ropa de montar.

—¡Francis, sólo quedan quince minutos para la cena! ¿Qué ha pasado?

—Mamá, ¿por qué no me dijiste que Nicholas se ha casado?

—¿Nicholas? —preguntó lady Middlethorpe vagamente.

—¡No uses esos trucos conmigo, mamá! Nicholas Delaney, tu tema tabú preferido. Y no me digas que no lo sabías, porque seguramente lo han anunciado y tú lees cada palabra de las noticias de sociedad.

Lady Middlethorpe le dedicó su mejor mirada de estar dolida, y como poseía una apariencia delicada y unos grandes ojos azules, era extraordinariamente efectiva. No obstante, en aquella ocasión su hijo, que normalmente era sensible a esos gestos, no se inmutó, y ella le contestó con un suspiro:

—Mi querido hijo, ¿me correspondía a mí informarte de sus locuras cuando él no se ha molestado en hacerlo?

—¿Qué locuras? Antes no hacías más que desear que se casara. Decías que eso lo centraría.

Su madre se sentó bien recta.

—Un matrimonio con una chica bien educada y de elevados principios habría tenido ese efecto —dijo ásperamente—. ¡No huir para casarse con Eleanor Chivenham!

Su hijo no captó la idea.

—La chica bien educada era Amelia —dijo, refiriéndose a su hermana pequeña—. Siempre estabas hablando de eso, mamá. Nick estaba destinado a terminar con una persona con ambición.

Su Excelencia sonrió con superioridad ante aquellas palabras, por decirlo suavemente.

—¡Una persona con ambición! Déjame que te diga que Eleanor Chivenham, ahora Delaney, debe de tener más de veinte años. No se puede decir que haya estado disponible para el matrimonio porque ha vivido toda su vida en una casa ruinosa en Bedfordshire hasta hace poco, cuando se mudó a Londres. A la residencia de su hermano.

Por fin la cara de su hijo mostró toda la consternación y horror que ella esperaba.

—¿Lionel Chivenham? —gritó él.

—Cálmate, por favor. Sí, sir Lionel Chivenham. Incluso yo he oído algo sobre los tejemanejes que se llevaban a cabo en su casa. Sin duda, tú sabrás más. Una novia refinada —se burló— para una de las familias más antiguas.

Después de haber obtenido la respuesta que buscaba, fingió pena y apoyó la cabeza en una mano.

—No sé lo que pensará el pobre hermano de Nicholas. Un hombre tan culto... Por supuesto, ella lo engañó. Solamente se puede sentir pena por él, aunque podría decirse que lo ha hecho por propia...

—No me creo ni la mitad de lo que dices, mamá —la interrumpió su hijo sin compasión. Era la única manera—. Seguramente, te has informado mal. De verdad, no creo que a Nick lo hayan engañado y —añadió con severidad— harías bien en no propagar esas ideas. Me voy a cambiar para la cena. Mañana me iré a la capital.

Dejó a su madre viuda arrepintiéndose por haber vuelto a perder el control en lo que se refería a Nicholas Delaney. Ese tema sólo servía para enemistarse con su único hijo varón.

Su marido había fallecido justo antes de que Francis tuviera que marcharse a Harrow, y ella había decidido resistir la tentación de mantener a su sensible y afligido hijo en casa. Era un niño adorable, el que ella más apreciaba, pero su padre había estado enfermo durante varios años y él no había desarrollado las características masculinas que habría necesitado.

Ella había estado segura de que le iría mejor en un nuevo ambiente, con un gran número de compañeros varones. Y había tenido razón, pero cuando Francis había regresado a casa por Navidad, se había quedado pasmada al ver que su hijo había trasladado la dependencia que antes tenía de su padre a un muchacho de su misma edad. Frases como «Nick dice», «Nick piensa» le taladraban los oídos hasta que deseaba gritar.

Y conocerlo no la había ayudado. Había invitado a Nicholas Delaney a Priory y él la había asustado. Incluso con sólo catorce años, con un tono de voz que solía escapar a su control, era increíblemente apuesto y un joven con mucha confianza en sí mismo. Ella había tenido que admitir que era amable y bien educado, pero tan maduro que en muchas ocasiones se había encontrado hablando con él como si fuera un adulto. Había descubierto que resultaba imposible enfrentarse a él y casi había llegado a odiarlo al ver la influencia que ejercía sobre su hijo y cómo podía controlar a toda su descendencia, mucho mejor que ella misma.

A lo largo de los años había desatado una guerra que pasó de ser sutil a totalmente abierta en un intento por separar a Francis de su amigo. Había fracasado, en parte por su incapacidad para expresar claramente sus objeciones, incluso a sí misma.

Había evitado volver a invitar a Nicholas a Priory durante casi dos años. Y cuando Francis por fin venció su resistencia, Nicholas había declinado la invitación educadamente. Y dejó bien claro, aunque con mucho tacto, que también declinaría todas las futuras invitaciones. No se había sentido agradecida. Lo único que había conseguido era que su querido hijo pasara gran parte de su tiempo lejos de casa, en Grattingley.

Solamente se sintió aliviada cuando a Nicholas Delaney se le metió en la cabeza viajar en lugar de asistir a la universidad.

Únicamente se habían visto una vez en los últimos cuatro años, cuando Francis y él acababan de regresar de un corto viaje a Irlanda. Aunque sólo estuvieron fuera dos semanas, el hecho de que él se llevara a Francis a donde fuera la aterrorizaba, y siempre la irritaba ver cómo su apuesto hijo se desvanecía ante la vitalidad de Nicholas Delaney.

El comportamiento del muchacho fue ejemplar al principio, a pesar de que ella sabía que había mostrado hostilidad. Se avergonzó al recordar cómo sus sentimientos la habían traicionado, hasta el punto de atacarlo abiertamente.

—Supongo que debería agradecerle —le había dicho— que me devuelva a mi hijo como a una mascota prestada.

Sus brillantes ojos castaños no habían mostrado desagrado.

—Digamos —había respondido— que la hosquedad está en los ojos de quien la mira. No sé lo que teme de mí, lady Middlethorpe, pero le aseguro que no es real. Sin embargo, estaré alejado de Francis durante algún tiempo. A menos que —añadió secamente— usted piense que debería llevármelo a América.

La idea la aterró y respondió con aspereza:

—Estoy segura de que puede convencerlo.

Él lo negó con la cabeza y le dedicó una sincera y dulce sonrisa.

—Yo estoy seguro de que no. Sabe cuáles son sus deberes hacia su familia y yo no podría alejarlo de todos ustedes, porque los ama.

Ella se quedó desconcertada, pero no aplacada, y llevó a cabo una réplica sin sentido para ocultarlo.

—¿Y qué hay de su familia, señor Delaney?

A pesar de haber disparado al azar, se dio cuenta de que había dado en el blanco. Él se limitó a decir, más para sí mismo que para ella:

—Mi deber está claro: permanecer con vida y apartarme del camino de los demás.

Ella nunca comprendió lo que había querido decir. Podría interpretarse como que su familia deseaba que la oveja negra se alejara y, aun así, aunque era un inconformista, nunca había oído decir nada vergonzoso de él. Era totalmente incorrecto que su familia lo quisiera lejos. Había oído que su hermano se angustiaba enormemente en su ausencia.

Cuando sonó la campanilla para la cena, lady Middlethorpe bajó, dispuesta a borrar cualquier disgusto que hubiera entre su hijo y ella. Esperaba poder mantener esa decisión si la charla cambiaba al tema de Nicholas Delaney.

Capítulo 6

Cuando Eleanor se despertó el segundo día como dueña de la casa de Lauriston Street, vio que Nicholas ya había abandonado la cama en la que, de nuevo, no había hecho más que darle un beso de buenas noches. Se dijo que, en el fondo, ese estado de cosas le venía muy bien.

En cualquier caso, tenía poco tiempo para analizar su matrimonio porque aquél era el día de la cena de solteros y estaba decidida a realizar el papel que él le había impuesto. Después de ultimar los detalles de la comida con la señora Cooke, de comprobar los vinos con Holly-girt y de escoger la decoración de la mesa, decidió recompensarse con un paseo rápido y enérgico al aire libre.

Se llevó a Jenny como acompañante y empezó a explorar el vecindario. Las casas de Lauriston Street eran nuevas y elegantes, y estaban lo suficientemente cerca de los centros de moda para resultar prácticas, pero también lo suficientemente lejos como para ser tranquilas. En los jardines centrales de las plazas de los alrededores había preciosas flores de primavera y los árboles estaban empezando a germinar. De vez en cuando, una pareja de pájaros bajaba en picado y gorjeaba realizando sus rituales matutinos.

El ambiente de renovación era irresistible, especialmente porque Eleanor se sentía como si su vida se estuviera preparando para florecer de nuevo.

Sin embargo, cuando volvían a Lauriston Street, Jenny dijo:

—Discúlpeme, señora, pero creo que nos sigue un hombre.

De inmediato, Eleanor recordó aquella extraña noche en Newhaven. Se obligó a no darse la vuelta para inspeccionar la calle y le dijo a Jenny que hiciera lo mismo.

—¿Qué aspecto tiene?

—No lo sé exactamente, señora. Un tipo joven, normal y corriente. Pero lo vi cuando miré hacia atrás, lo vi también hace un rato y creo que lo vi esperando en la calle cuando salimos. A esta hora del día no hay mucha gente en la calle, y menos deambulando sin hacer nada.

—Ciertamente, es muy extraño —musitó Eleanor mientras seguían caminando—. Jenny, quiero que te detengas como si se te hubiera metido una piedra en el zapato. Yo seguiré caminando y después me daré la vuelta para esperarte. Eso me dará la oportunidad de verlo.

Llevaron a cabo la maniobra con éxito y Eleanor vio a un joven corpulento apoyado con aire despreocupado en unas verjas, observando un árbol en flor. Iba vestido con sencillez y parecía un artesano o un dependiente. De hecho, se veía totalmente respetable si no fuera por el hecho de que, si así fuera, estaría trabajando, no vagabundeando por la calle.

Cuando reanudaron el paseo, Jenny susurró:

—¿Lo ha visto, señora?

—Sí. Joven, moreno y vestido de marrón.

—Es él, señora. Vaya, ¿cree que se ha encaprichado de una de nosotras?

Soltó una risita y se ruborizó por haber sugerido tal cosa a su señora.

—Es posible que lo hayan cautivado tus encantos —respondió Eleanor con una sonrisa, aunque en realidad no lo creía.

Si las estaban siguiendo, tendría que ver con los negocios de Nicholas. No obstante, el único negocio de su marido que ella conocía era su amante, y esa mujer no sería la responsable de que las estuvieran siguiendo.

—¿Lo conoces? —le preguntó a la doncella.

Jenny lo negó vehementemente y le explicó que «iba» con un lacayo de la casa de los Arbuthnot que la mataría si se atreviera a mirar a otro hombre. A Eleanor le divirtió saber que Jenny pensaba que el joven estaba enamorado de ella y se sintió halagada.

No dejó de pensar en aquello mientras volvían a casa. Podría ser un admirador que se quedaba esperando por si Jenny salía a dar un paseo. Pero ¿por qué no tenía empleo?

Una vez en casa, tuvo que olvidarse del asunto para atender los detalles de última hora de su primera reunión.

No obstante, en cuanto Nicholas regresó le habló del incidente de la mañana y lo observó cuidadosamente para ver si lo consideraba algo sospechoso.

—Qué truco tan ingenioso —dijo cuando ella le contó cómo había conseguido ver al perseguidor. Él pensó en el asunto unos momentos y añadió—: Podría haber sido algo inocente, un haragán admirando a dos mujeres hermosas. Sin embargo, admito que puede estar relacionado con mis negocios. Me encargaré de ello, pero preferiría que en los próximos días no salieras sin la compañía de un lacayo. Y evita los lugares aislados, aunque vayas acompañada.

Eleanor no se había esperado que lo admitiera tan abiertamente.

—¿Estoy en peligro? —preguntó, sorprendida—. ¿Qué negocios tienes que provoca tales aventuras?

—No estás en peligro —respondió secamente—. Si lo estuvieras, haría lo necesario para protegerte. Sin embargo, existe la posibilidad de que te molesten, y por eso te ruego que tomes precauciones. En cuanto a mis negocios, no te conciernen.

Eleanor estaba a punto de protestar por lo que acababa de decir, cuando Nicholas sonrió y dijo:

—Pronto se acabará. Entonces, tal vez, podremos disfrutar de una luna de miel en condiciones. Podríamos ir al campo.

Ella no quiso hacer que la conversación regresara a aguas turbulentas.

—¿Adónde iríamos?

—Podríamos ir a Grattingley, pero creo que sería mejor no contar con la compañía de mi hermano. Así que, aunque es atractiva la idea de acudir a un lugar de moda como Brighton, sugiero que vayamos a la propiedad que tengo en Somerset.

—Eso sería muy agradable. Pero lord Stainbridge dijo que tus propiedades están alquiladas.

Él sonrió con pesar.

—Las propiedades que heredé están alquiladas, y recibo los ingresos de las rentas. Yo mismo compré la residencia de Somerset.

—Pero...

Eleanor interrumpió lo que podría haber sido una pregunta impertinente.

—Pero ¿qué? —dijo él.

Después de un momento, hizo la pregunta.

—Pero ¿cómo puedes permitirte comprar esas propiedades?

Él no se ofendió.

—Llevando un estilo de vida económico —contestó con una sonrisa—. Kit piensa que mis ingresos son modestos, pero está acostumbrado a soportar la carga de dos propiedades, de la casa de la ciudad, de la cabaña de caza, de la residencia en Escocia, de la plantación de Jamaica... ¿Entiendes lo que quiero decir? Para alguien que viaja solo y con sencillez, mi «asignación» es una enorme cantidad de dinero, sobre todo porque vivir en el extranjero cuesta mucho menos. Podría vivir como un príncipe en Italia con la mitad de mis ingresos, pero no es mi estilo. Y también he invertido mi dinero. Mi hombre de negocios tenía instrucciones de comprar una pequeña casa en la ciudad y una cómoda propiedad en el campo, y eso ha hecho. Además, dispongo de dinero en fondos. En algunos viajes incluso he conseguido hacer ganancias extras, como las perlas, por ejemplo.

—Si querías una propiedad, ¿por qué no la compraste tú mismo?

Él se encogió de hombros y en el rostro se le reflejó cierta tristeza, como solía ocurrir cuando hablaba de su hermano.

—No estaba claro en el testamento de mi padre, ni en las instrucciones que le dejó a Kit, si se me permitía hacerlo. Además, me parecía muy conveniente tener algo para mí solo. —Curvó un poco los labios—. Después de todo, puede que algún día decida presionarme para hacer algo insensato.

Eleanor se quedó sin respiración y habría dicho algo al respecto, pero él continuó:

—Si te resulta posible, preferiría que no le dijeras nada a Kit todavía de la residencia del campo. Aún está intentando asimilar el hecho de que poseo esta casa.

Eleanor se tensó.

—¡Bueno, no me extraña que no me comentes nada de tus negocios si crees que se lo explicaré a todo el mundo!

Él levantó la mirada rápidamente.

—Por supuesto que no. Pero es posible que trates asuntos de familia con Kit. Parece que ya os llevabais muy bien antes de que nos casáramos.

Eleanor no podía creer lo que estaba escuchando.

—Entonces yo vivía en un malentendido.

Nicholas la miró.

—¿Y no puedes perdonarlo? ¿Cómo estabas planeando vivir en armonía conmigo cuando pensabas que yo era la causa de tus problemas?

—Esperaba verte poco —le espetó, y se quedó callada, horrorizada por lo grosera que había sonado.

Él no pareció sorprendido y se rió.

—Está bien. Lo entiendo. No obstante, te pediría que intentaras perdonar a Kit, y que lo olvidaras a ser posible. Para bien o para mal, ahora somos una familia. Aunque no siempre me gusta lo que hace mi hermano, el vínculo que hay entre nosotros es demasiado fuerte para romperlo. Los tres debemos encontrar la manera de vivir en armonía.

¡Armonía! La amargura la embargó.

—¡Cielo santo, casi lo había olvidado! —exclamó Eleanor, y se levantó tan bruscamente que él tuvo que evitar que le cayera el té en el vestido—. Soy una mujer Delaney. Debo tratar a todo el mundo por igual, supongo. Entonces, tengo que perdonar a Kit, ¿no es así? Y comportarme con él como si nunca hubiera ocurrido nada. ¿Y qué más? Tal vez debería vivir con él tres días a la semana. ¿Y tres noches también?

Se calló de repente, horrorizada por sus propias palabras.

Nicholas la miraba desconcertado. Ella se tapó la cara con las manos, avergonzada.

Él se acercó y la abrazó con suavidad. Empezó a acariciarle la espalda para consolarla.

—¿Sabes, querida? Creo que debes de estar embarazada. Sé que a las mujeres se os ocurren ideas descabelladas en ese estado. Eres mi esposa, la de nadie más, y sabré bien cómo proteger lo que es mío si debo hacerlo. —Le puso un dedo bajo la barbilla y le levantó la cara para que lo mirara. Tenía ojos risueños—. Si crees que tienes un marido complaciente, querida, estás equivocada. Sólo pensé que, como os habéis llevado bien, podrías olvidarte de esa aberración. Él será un buen amigo cuando yo esté ocupado, y lo estaré a menudo.

Eleanor se puso rígida de indignación al pensar en lo que hacía cuando estaba «ocupado» y volvió a ocultar la cara en su hombro hasta que pudiera controlar sus emociones. Después de todo, no tenía sentido amonestarlo, ni tampoco era justo.

Cuando recobró la compostura se desasió de sus brazos y se sonó la nariz con ferocidad.

—Posiblemente tengas razón respecto al niño —dijo—. Cada día se hace más probable y no suelo tener tan mal genio. Perdóname, por favor.

A pesar de que las palabras eran conciliadoras, no pudo evitar hablar con tono duro.

Volvió la cara hacia él, observándolo con preocupación.

—No hay nada que perdonar —dijo su marido. Levantó un pulgar para acariciarle la comisura de la boca y le suavizó la expresión, aunque todavía sentía amargura en su interior—. ¿Te das cuenta, Eleanor, de que éste es sólo nuestro tercer día de casados? Me siento tan cómodo contigo que a veces me olvido. Pero cuando pienso en todo lo que has sufrido, me maravillo de que no estés enfadada continuamente. Haz lo que quieras en relación a Kit.

Sobresaltada, se dio cuenta de que la estaba manipulando otra vez. Probablemente lo hacía todo el tiempo, pero al menos no era necesario que cediera a aquel intento tan descarado.

Se apartó de él.

—Preferiría —dijo con firmeza— ver a tu hermano lo menos posible. No sólo es el responsable de mi deshonra, sino que también llevó a cabo un engaño repugnante, también en lo que respecta a ti. Encuentro inaceptable su total falta de remordimientos, o incluso de conciencia.

Miró a Nicholas, preparándose para que él volviera a interceder por su hermano.

—Estás en tu derecho de sentirte así —dijo sin alterar la voz—. Vuelvo a decirte que hagas lo que quieras.

A la vista de esa aceptación, ella se ablandó.

—Intentaré llevarme bien con él cuando lo vea, Nicholas. Lo intentaré.

Dicho eso, se marchó rápidamente para vestirse para la cena antes de que se derritiera por completo.

¿Cómo debería tratar a aquel hombre, que era capaz de hacerle sentir un placer deslumbrante y que después se iba a cortejar a otra? Era imposible. Lo único que podía hacer era esforzarse al máximo y desear que, al final, eligiera a su esposa en vez de a su amante.

Un poco más tarde, ataviada con el otro vestido de Madame Augustine, de encaje azul oscuro sobre una combinación de color lila pálido, pensó en la caja llena de joyas que él le había dado. Ya que el vestido era bastante elegante para una fiesta de solteros, escogió adornos sencillos. Jenny la ayudó a ponerse un collar de plata con un camafeo de marfil y un sencillo brazalete de plata. Al mirarse en el espejo, supo que nunca había estado tan bella, pero seguía sintiéndose demasiado elegante, y así se lo hizo saber a Nicholas cuando éste entró en su tocador.

—En absoluto —contestó su marido—. Necesitarás toda tu dignidad para mantener a raya a esa pandilla de indisciplinados. Y, de todas maneras, quiero que te vean lo mejor posible para que me envidien por mi buena suerte.

Sus ojos risueños borraron cualquier posible ofensa de ese absurdo halago. Consiguió levantarle el ánimo y continuó ese coqueteo desenfadado mientras bajaban las escaleras.

Como consecuencia, ella se sentía animada y segura cuando saludaron a sus invitados, seis jóvenes apuestos y modernos cuyos rangos oscilaban desde Miles Cavanagh, un simple caballero irlandés, a Lucien de Vaux, marqués de Arden. A pesar de la presencia de la alta nobleza, el ambiente guardaba más semejanza con los días que los jóvenes habían pasado en Harrow.

Los seis parecían admirarla sinceramente y competían unos con otros para colmarla de halagos, hasta que se sintió abrumada. Paseó la mirada a su alrededor y vio que Nicholas la observaba con una sonrisa de orgullo que le hinchó el corazón. Le tendió la mano y él, al acudir, se la besó.

—¿Qué te han estado diciendo estos granujas para que tengas que pedir que venga tu marido a tu lado?

—Oh —dijo ella ruborizándose—, nada...

—La verdad —miró a sus amigos con dureza—, pensé que podríais hacerlo mejor. Eleanor, me estabas llamando para que te rescatara del aburrimiento.

Todos los hombres se rieron y parecían dispuestos a demostrar que aquello no era cierto, pero Nicholas cambió de tema de conversación y ella volvió a sentirse cómoda.

Vio que todos aceptaban a su marido como líder, a pesar de que ninguno de esos hombres era insignificante. El marqués, por ejemplo, aunque agradable, hacía buena gala de la arrogancia que cualquiera esperaría en el atractivo heredero de un ducado. Eleanor ya había oído hablar de sir Stephen Ball, que se estaba labrando una reputación en el Parlamento. ¿Qué unía a aquellos hombres?

Cuando anunciaron la cena, Nicholas la guió al comedor y la hizo sentarse a la cabecera de la mesa. Él se sentó al otro extremo y Eleanor deseó que estuviera más cerca. A su derecha, sin embargo, tenía a lord Middlethorpe, que poseía la belleza conmovedora de un poeta y exquisitos modales. Era imposible temerlo. A su izquierda tenía, ni más ni menos, que al rutilante marqués. Pensó que debería estar impresionada. Unas semanas atrás se habría reído al pensar que estaría sentada junto al heredero de un ducado, pero era tan maliciosamente encantador que sólo pudo disfrutar de la ocasión.

—Es condenadamente injusto —dijo él dedicándole una cálida mirada con sus cristalinos ojos azules— que sólo conozca a mujeres perfectas cuando ya están casadas.

Eleanor no fue inmune a esas palabras y, cuando le tomó la mano, no se opuso.

—Luce —dijo Nicholas indolentemente—, manos quietas. Tu definición de mujer perfecta es una que ya está casada.

El marqués obedeció, aunque antes depositó un beso suave y prolongado en los nudillos de Eleanor.

—No la aprecia —afirmó guiñándole un ojo con picardía—. Fúguese conmigo.

Eleanor miró rápidamente a su marido, que parecía estar divirtiéndose mucho.

—Fugarse dos veces en un solo mes —respondió ella con sequedad— sería un poco excesivo, milord.

El marqués se rió y todos comenzaron a conversar. En aquella fiesta nadie se limitaba a hablar con su compañero. Eleanor, a quien su marido le había cedido el liderazgo, jugó un papel pasivo, participando en la conversación sólo cuando era necesario y permaneciendo siempre pendiente de la comodidad de los invitados.

Lord Middlethorpe los observaba, a ella y a su marido, fascinado. Aquélla no era la mujer que había descrito su madre. Era una belleza, con elegancia y encantos naturales. En las miradas ocasionales que intercambió la pareja vio cariño y entendimiento. Había armonía entre ellos. Se descubrió deseando saber más cosas sobre Eleanor.

El joven moreno de mirada dulce atrajo la atención de Eleanor y ella enseguida entabló conversación con él. A pesar de no ser tan fascinante como el marqués, era más estimulante. Se sintió un tanto protectora hacia él, porque entre aquel grupo de hombres fuertes y saludables, parecía muy delgado, casi delicado.

—¿Hace mucho tiempo que conoce a mi marido, lord Middlethorpe?

—Desde que íbamos al colegio. Pactamos defendernos en Harrow.

—¿Defenderse de qué?

Él sonrió al recordar.

—¿Recuerda el Salmo noventa y uno? «Del terror de la noche, del mal que acecha en la oscuridad y de la destrucción que aguarda a mediodía.» En otras palabras, de los abusones y de los maestros demasiado severos. No se hace a la idea del horror que se podía sentir en una escuela de chicos.

—No, desde luego que no —contestó ella, y pensó que el joven lord Middlethorpe debía de haber sido especialmente vulnerable a tales miedos—. ¿Fue muy malo?

Para su sorpresa, él negó con la cabeza.

—No, lo estoy pintando demasiado sombrío. Hubo buenos momentos, algunos de los mejores de mi vida. Sin embargo, tanto los niños como los maestros pueden ser muy crueles. Mientras estábamos en Harrow hubo una revuelta, liderada por el famoso lord Byron para, según parece, protestar por las injusticias. Nicholas ya había tomado medidas menos llamativas para defenderse, a sí mismo y a otros. Formó un grupo y decidimos vengar la tiranía contra cualquiera de sus miembros. Nos llamábamos la Compañía de los pícaros.

—¿Cuántos eran?

—Doce. Tres están en las fuerzas armadas. Dos han muerto por su país. —Se puso serio—. No podemos defendernos de todos los peligros, ya sabe.

Lord Middlethorpe lo sentía sinceramente y, por instinto, ella puso una mano sobre la suya. Después, se apresuró a retractarse de ese gesto tan íntimo.

—Pero ¿les fue bien en la escuela? —preguntó rápidamente.

—Muy bien. No nos enfrentábamos a los castigos, sólo a los abusones. Pronto se dieron cuenta de que debían buscar presas mucho más fáciles.

—Parece increíble. Como si fuera una jungla.

Él sonrió y pensó en esas palabras.

—Supongo que, en cierto modo, lo era. Tal vez ésa sea la causa de que de nuestros colegios salgan excelentes soldados y diplomáticos. Pueden practicar en un mundo en miniatura antes de empezar a trabajar en el mundo real. Debería haber oído a Stephen dando un discurso sobre el estado de la comida.

En ese momento sir Stephen amenazó con levantarse y dar una perorata, pero sus compañeros de mesa se lo impidieron.

El señor Cavanagh intervino en la conversación.

—¿A qué escuela fue usted, señora Delaney? ¿Cómo es un colegio de chicas comparado con el de los chicos?

Eleanor se rió.

—Dudo mucho que la Academia para las hijas de los caballeros de la señorita Fitcham tenga algo en común con el lugar que acaba de describir lord Middlethorpe.

—¿De verdad? —dijo el irlandés pensativo—. Yo siempre había sospechado que las niñas eran tan desagradables como los niños.

Eleanor admitió que aquello era verdad, y añadió:

—Las mayores no suelen ser crueles con las más jóvenes excepto en la falta de consideración, y las profesoras eran lamentables. No daban nada de miedo.

—Entonces —dijo lord Middlethorpe—, debe de haber una razón oculta que explique por qué las jóvenes se convierten en esposas y madres dulces y amables mientras que los chicos terminan siendo como nosotros.

Todos se rieron y Nicholas se unió en ese momento a la conversación.

—Francis, si de verdad crees esa tontería, debería presentarte a la mayor parte de mis conocidas... que no son nada dulces ni amables. Y aunque algunas son esposas y madres, ¡casi todas hacen lo imposible por evitar serlo! —Miró a Eleanor con ojos risueños—. ¡Querida, creo que deberías echarme por haber dicho tal cosa!

—Sin lugar a dudas —se mostró ella de acuerdo—, pero te perdonaré si admites que ninguna de esas damas ha pasado por las manos de la señorita Fitcham.

Al oírla, todos se carcajearon, y Nicholas levantó su copa hacia ella con reconocimiento.

Animada por su triunfo, Eleanor se dirigió una vez más a lord Middlethorpe.

—Tengo entendido que ha viajado con mi marido, milord.

—Una vez fui con él a Irlanda. Tardé meses en recuperarme. Ahora me hago cargo de mis responsabilidades como feje de familia y me quedo cómodamente en casa.

—Señora Delaney —dijo el marqués arrastrando las palabras—, no crea ni una palabra de lo que dice. Es un verdadero demonio, aunque parezca un romántico. Y tiene una puntería mortal, se lo aseguro.

Eleanor lanzó a su derecha una mirada de reproche.

—Lord Middlethorpe, creo que ha intentado obtener mi compasión con falsos pretextos.

Estaba disfrutando enormemente.

—Es Arden quien la está confundiendo, le doy mi palabra. Puedo ganar fácilmente a las cartas en cualquier momento, pero nunca he apuntado a un hombre con un arma. No tendría el valor de hacerlo.

Aquello hizo que contara una anécdota lord Darius Debenham, el único miembro del grupo que admitió haber tomado parte en un asunto de honor. Sin embargo, Eleanor no podía creer que, en todas sus aventuras, Nicholas no hubiera disparado a nadie. Como en el asunto de lord Darius no había habido derramamiento de sangre, fue una historia muy ocurrente y, como el grupo había tomado ya una docena de botellas de vino, causó risas estruendosas.

Cuando los criados empezaron a llevarse los platos, Eleanor miró a su marido para ver si debía retirarse, pero él negó con la cabeza. Aunque había bebido tanto como sus compañeros y, ciertamente, no estaba sobrio, ella no pensaba que corriera el peligro de perder la sensatez. Debía de tener sus razones.

Les llevaron el oporto y no supo qué hacer. El marqués dudó cuando le llegó su turno de pasar la botella, pero se la ofreció a Eleanor diplomáticamente. Recordándose que debía alzar el vuelo, se sirvió un poco. El gesto hizo que unas cuantas cejas se enarcaran.

Cuando Hollygirt salió de la estancia tras el último sirviente, se sintió de repente incómoda en aquel ambiente masculino. Las damas nunca se quedaban con los caballeros después de la cena; se hacían muchas especulaciones sobre qué ocurría entonces, qué se decía. Se dio cuenta de que el vizconde Amleigh interrumpió una broma al ver que ella estaba allí. Volvió a mirar a Nicholas con ansiedad y él le sonrió otra vez de modo tranquilizador.

Guió la conversación a sus días de colegio y todos contaron sus hazañas favoritas de la Compañía de los pícaros.

—Pero —dijo lord Darius de repente—, mirad. Aquí estamos, contando nuestros secretos, y Eleanor no es un miembro.

—Debería serlo —intervino sir Stephen, pronunciando las palabras lentamente—. Hacedla miembro. ¿Por qué no?

Se creó un debate achispado sobre los tecnicismos de esa propuesta.

Nicholas los interrumpió para decir:

—Dudo que Eleanor quisiera tener el «honor». Recordad que tenemos la ceremonia de iniciación.

Lord Middlethorpe hizo un gesto brusco y casi derramó su copa.

—Dios mío, Nick, eso eran sólo tonterías de chavales. No es necesario hacerlo ahora.

Nicholas iba a responder, pero Eleanor se adelantó. Le molestaba que su marido no quisiera que formara parte de aquel grupo infantil.

—No estoy de acuerdo, lord Middlethorpe. Si se me invitara a ser miembro de esta selecta compañía, tendría que hacerse adecuadamente. Si no soy capaz de superar la ceremonia, tal vez porque sería algo indiscreto, entonces no puedo unirme a ustedes.

Un momento después se oyó un grito de aprobación y Eleanor se dio cuenta de que Nicholas estaba verdaderamente ebrio. Fue consciente de que apenas había cumplido su parte de ser restrictiva y admitió para sí que, aunque se había moderado, había consumido bastante más vino de lo que era su costumbre. Miró con aprensión a su marido, pero él no parecía preocupado.

—Eleanor, Eleanor —le dijo—, te estás apresurando cuando lo sensato sería dudar, te lo advierto. Pero no hay nada indiscreto en la iniciación. Como Francis ha dicho, es una tontería de niños. Nos hacíamos una cicatriz en la palma derecha con las navajas. Tuvimos suerte de que ninguno de nosotros desarrollara una infección purulenta.

Lord Middlethorpe y el marqués extendieron las manos para mostrar una pequeña cicatriz en el centro de las palmas. Eleanor dudó, sin saber muy bien qué debía hacer, y después extendió su mano, mucho más delicada, que también exhibía la misma cicatriz.

—Me temo, caballeros, que ya soy un miembro, aunque no oficial.

Todos se mostraron sorprendidos y pidieron a gritos que se lo explicara. Miró a Nicholas para ver qué le parecían aquellos acontecimientos. No obstante, él la miraba sin expresión, aunque ella sabía que estaba ocultando su reacción. No fue capaz de decidir si era una buena o mala señal y no tuvo oportunidad de pensar en la situación porque la obligaron a darles la explicación que le pedían.

—Caballeros, por favor —dijo, mirando todas las caras que la rodeaban.

Todos le devolvieron la mirada con buen humor inducido por el vino y la curiosidad, todos excepto su marido, que parecía fascinado por el tono rubí que la luz de las velas le daba al oporto en su copa. Eleanor quiso desafiarlo. ¿Qué derecho tenía a desaprobar lo que estaba ocurriendo? Ella lidiaba en esos momentos con una situación inusual lo mejor que podía.

—Yo era una niña infeliz —les dijo a todos—, y casi siempre estaba en desacuerdo con mi hermano y mis padres. Un día fuimos de visita a una casa enorme en cuyo jardín había una fiesta. Aunque no recuerdo exactamente lo que ocurrió, mis padres se disgustaron conmigo y yo me sentí mal. Corrí a ocultarme en una parte del jardín que se hallaba a un nivel más bajo, llorando por la injusticia del mundo. Un niño me descubrió y fue amable conmigo, en la medida en que un niño puede ser amable con una niña llorona.

Todos se rieron ante aquella observación y Eleanor bebió para darse fuerzas.

—Obviamente, él pensó que yo era una pobre mula, pero me dio unas cuantas soluciones a mis problemas. Sin embargo, yo no podía ni pensar en huir con los gitanos o envenenar a mi familia para ser la única heredera. Ya nos habíamos quedado sin ideas cuando me ofreció protección si accedía a someterme a una ceremonia de iniciación.

Eleanor miró su copa como si fuera una bola mágica que la estuviera llevando ante aquel recuerdo medio olvidado.

—Yo estaba completamente dispuesta. El chico era pocos años mayor que yo y para mí tenía la naturaleza de un dios. Habría saltado al lago si me lo hubiera pedido. Sin embargo, cuando llegó el momento y tuve su navaja en la palma, me fallaron los nervios. Recuerdo que mi aprensión lo disgustó y tuvo que terminarlo por mí. En cuanto empecé a sangrar, perdí el control por completo y eché a correr, gritando. Le dije a mi madre que me había caído y cortado y me volvieron a regañar. Desde entonces, tengo la cicatriz. —Paseó la mirada por la audiencia—. No recuerdo bien al chico, pero supongo que debió de ser uno de sus pícaros.

Sir Stephen se levantó como si estuviera en la Cámara de los Comunes.

—Caballeros. Tenemos ante nosotros evidench... evidencias de que se ha roto el voto de secretismo. —Hipó, pero no permitió que eso interrumpiera su discurso—. Se trata de un asunto de lo más che… serio y merece ser cat… castigado.

Se volvió a sentar con el cuidado que mostraban los borrachos.

Lord Darius estaba más ebrio que sir Stephen, pero se las apañó para aclarar que el juramento ya especificaba el castigo.

Todos los demás caballeros corearon:

—¡Ser hervido en aceite, devorado por los gusanos y otras sanciones demasiado horribles para ser mencionadas!

Todos excepto Nicholas, que parecía un mero observador.

Deleitándose en su papel de juez, sir Stephen pidió sonoramente que el culpable se diera a conocer para ser juzgado.

—Podría haber sido alguno de los miembros ausentes —señaló lord Middlethorpe.

Era cierto; no obstante, todos se miraron con cómica sospecha.

—Si está aquí —dijo el marqués, que parecía aguantar extraordinariamente bien la bebida y mantener el control de sus facultades—, debería confesar su falta inmediatamente.

Hubo unos segundos de silencio y entonces Nicholas se levantó con bastante seguridad, según notó Eleanor con interés, y se inclinó ante la compañía.

—Fuí yo, amigos míos. Ese niño era yo.

A los demás hombres aquello les pareció divertidísimo, tanto que lord Darius se cayó de la silla. La sonrisa triste de Nicholas era bastante reconocimiento de su culpa. Sin embargo, Eleanor, que aún estaba razonablemente sobria, vio una mirada extraña en sus ojos, como si la estuviera examinando con detenimiento.

Tal vez aquella velada no estaba saliendo según lo había planeado. Si se trataba de eso, ella no era la marioneta cuyos hilos él movía. Sintió un estremecimiento de miedo, y también mucha emoción. Había pasado muchos años de su juventud soñando con aquel muchacho divino en el jardín, imaginando que acudía a rescatarla de sus aprietos. Qué extraño era todo.

Nicholas se dirigió a ella con expresión completamente amistosa, como si la anterior emoción hubiera sido sólo una ilusión.

—Tú, querida Eleanor, lucías unas trenzas de color zanahoria y te faltaba un diente. Pensé que eras una enclenque. Mis disculpas.

Ella contestó:

—Por mi parte, te vi como a un héroe, aunque me hiciste sangrar, pero nunca pude recordar qué aspecto tenías. Supongo que era porque estaba hecha un mar de lágrimas.

Sir Stephen interrumpió la conversación.

—¡No es suficiente! Debe ser castigado. ¡No sólo rompió el voto de silencio sino que hirió a esta bella dama!

—No puedo aceptar el segundo cargo, Steve —protestó Nicholas—. En esa época todos pensábamos que las chicas eran las criaturas más inferiores que había creado Dios.

—Eso —dijo el marqués arrastrando las palabras— empeora el hecho de ofrecerle la membresía.

Eleanor vio que Nicholas y el marqués intercambiaban una mirada retadora y divertida. Sospechaba que el noble era el que menos posibilidades tenía de bailar al son de su marido.

Las palabras del marqués hicieron que todos asintieran alrededor de la mesa.

—No se le puede hervir en aceite —dijo—. Necesitaríamos una olla condenadamente grande.

—¿Los gusanos se pueden comer a alguien vivo? —preguntó el señor Cavanagh frunciendo el ceño—. Tal vez las serpientes...

—No podemos conseguir serpientes en Londres —señaló el vizconde Amleigh.

—¿Y qué hay de los tormentos demasiado horribles para ser mencionados? —preguntó el señor Cavanagh.

—Di uno.

—Almack's —sugirió el marqués, seguramente uno de los mayores premios del negocio de los matrimonios concertados.

Todos mostraron su acuerdo con un gruñido.

Se hizo el silencio. Eleanor esperaba que olvidaran el asunto; no obstante, el marqués la miró con picardía.

—Mi querida dama, creo que usted debería adjudicar el castigo. Se dice que a las mujeres se les ocurren tormentos mucho más espantosos que a los hombres.

—Pero yo no quiero infligir tormentos espantosos a nadie —protestó ella—. Y menos aún a mi marido.

—¡Qué vergüenza! —bromeó Nicholas con ojos brillantes—. Recuerda el desaire de antes. Y, aunque en realidad no hiciste el voto, te convertiste en un miembro de nuestra compañía y debes acatar sus reglas.

Eleanor descubrió que tenía una manera de mirarla que la calentaba por dentro.

—Luce —dijo Nicholas secamente—, recuerda que ella ya ha hablado.

Eleanor miró a su marido alarmada; no parecía estar enfadado, pero descubrió una mirada retadora entre los dos hombres. El marqués se rió.

—No será porque no lo haya intentado. Aquí estoy, obligado por el honor a casarme, y solamente conozco a mujeres afectadas y bobas... en el sentido más respetable, por supuesto.

—Iba a preguntar cuándo fue la última vez que Blanche sonrió con afectación —dijo Amleigh. Entonces miró horrorizado a Eleanor y se puso rojo.

Eleanor adivinó quién era Blanche. Otra prostituta francesa. Sin embargo, el marqués no parecía turbado y dijo:

—Nunca, gracias a Dios. —Se dirigió a Eleanor—. Todavía tiene que escoger un castigo, querida dama.

Ella miró a su alrededor con impotencia. Aparte de aquella breve y seguramente innecesaria intervención, Nicholas estaba callado, dejándola que resolviera la situación ella sola. Lo miró. Él se dio cuenta y le sonrió. Si hubiera tenido a mano una olla de aceite hirviendo, lo habría echado a ella de buena gana.

Fue lord Middlethorpe quien acudió en su rescate.

—Luce, pides demasiado. Una mujer debe odiar ser cruel. Yo sugiero un castigo. —Un brillo travieso iluminó sus ojos al decir—: Como Nicholas violó nuestras normas, no puede seguir siendo miembro a menos que vuelva a pasar por la ceremonia de iniciación.

Todos aclamaron la sugerencia al instante.

Nicholas se rió y dijo:

—¡Francis, demonio!

Sin embargo, rodeó la mesa hasta donde Eleanor estaba sentada y se dejó caer con elegancia sobre una rodilla. Sacó un pequeño cuchillo de plata del bolsillo.

—Me temo que está limpio. No obstante, puedo buscar uno viejo y oxidado como el que utilicé contigo, si así lo deseas.

Nicholas le mantenía la mirada. El apuesto marqués podría haber estado completamente desnudo en ese momento y ella ni lo habría mirado. Quería decirle a Nicholas que detuviera aquella sandez, pero sabía que era mejor continuar. Accedió a que usara el cuchillo limpio.

Él recitó con dramatismo:

—Yo, Nicholas Edward Martin Delaney, por la presente me comprometo a servir a la Compañía de los pícaros; a defenderlos a todos y cada uno de ellos, individualmente y como grupo, de cualquier daño malintencionado, y a no cesar nunca en mi empeño de infligir un horrible castigo a cualquiera que haya perjudicado a mis compañeros. Si soy culpable de perjurio, o si vuelvo a revelar los secretos de esta Compañía, que se me hierva en aceite, que me devoren los gusanos o que se me inflija otro tormento demasiado horrible para ser mencionado.

Entonces, muy lentamente y sin dejar de mirar a Eleanor, apretó la punta del cuchillo contra la palma de la mano hasta que brotó sangre. Ella no pudo evitar hacer un gesto con la mano para detenerlo.

Él se incorporó con elegancia y levantó la mano.

—Caballeros, ¿estáis satisfechos?

Todos corearon su aprobación.

—¿Y es ahora mi mujer un miembro de la Compañía de los pícaros y tiene derecho a disfrutar de su protección?

De nuevo gritaron para mostrar su acuerdo.

Nicholas se presionó la herida con una servilleta. Cuando se la quitó, Eleanor vio que prácticamente había dejado de sangrar. Él le tendió la mano vendada a su mujer y la acercó a él, alejándola de la mesa.

—Una vez prometí protegerte —le dijo en voz baja mientras salían de la estancia—. He tardado un poco en cumplir mi promesa.

—A veces te imaginaba como si fueras un caballero con armadura, llevándome a un castillo mágico. Supongo que, de alguna manera, ese sueño se ha hecho realidad.

Él la condujo al pasillo vacío y cerró la puerta del salón de la renovada cordialidad.

—Tienes un carácter indulgente, Eleanor, y eso me da esperanzas. ¿Te importaría mucho si te mandara a la cama? Tengo algunos aburridos asuntos que tratar con esos pillos, si consigo que recuperen un poco la sobriedad.

Más asuntos. Pero su asunto era su amante, ¿no? Eleanor empezó a preguntarse si los acontecimientos habían escapado del control de su marido o si todo habría estado planeado.

—No, por supuesto que no me importa marcharme —contestó—. Me habría retirado antes si así lo hubieras querido. Siento lo del cuchillo —añadió, observándolo—. Tendría que habérseme ocurrido una solución mejor.

—En realidad, ha salido muy bien —dijo Nicholas con calma, confirmando sus sospechas—. Un buen recuerdo de días pasados.

Le levantó la mano derecha y depositó un beso en la antigua cicatriz. Era la primera vez que su marido hacía algo tan íntimo de manera informal, tan cariñoso, y sintió que un escalofrío le recorría el cuerpo.

—Esto siempre ha sido una reunión social —siguió diciendo él contra su palma, envolviéndola con su cálido aliento—, pero ahora quiero que la Compañía vuelva a funcionar. Y no sólo para que tengas a tu disposición a un grupo de escoltas para las muchas ocasiones en las que voy a estar ocupado.

Madame Thérèse, pensó ella con una punzada de dolor que anuló los placeres que las atenciones de su marido le habían provocado.

Él no se dio cuenta y continuó, jugando distraídamente con sus dedos:

—Serás la joven más envidiada de Inglaterra.

Ella habló con indiferencia, deseando que los vapores del vino de su cerebro no distorsionaran su representación.

—Querrás decir la más odiada. Incluso yo sé que en esa habitación hay tres de los solteros más deseados de Inglaterra. Me sacarán los ojos.

—No si te presentas de la manera más acertada —contestó con una sonrisa—. Debo regresar.

Le besó los dedos de la mano derecha, uno a uno y prolongadamente. Todos los sentidos de Eleanor, bien relajados ya por el vino, respondieron.

—Hoy dormiré en el vestidor —dijo él—. Me acostaré tarde y mañana tendré que levantarme temprano. Viajo a Hampshire. Aunque no sé cuántos días estaré fuera, llegaré a tiempo para esa maldita cena familiar. ¿Cuándo es? ¿El viernes? Llama a alguno de mis amigos, especialmente a Middlethorpe, si lo necesitas.

De nuevo la había manipulado. Se marchaba.

—No estoy completamente desamparada —replicó con brusquedad, y apartó las manos de las suyas.

Él le acarició suavemente la mejilla con un dedo.

—Concédeme mi papel de caballero andante, Eleanor. Tengo que recuperar casi diez años de descuido.

Le puso un dedo bajo la barbilla y la besó en los labios. Ella se dio cuenta de que en principio iba a ser un saludo formal. Sin embargo, entonces la abrazó, los brazos de ella también parecieron cobrar vida propia, le rodearon los hombros y todo se volvió mucho más serio. Nunca se habían besado de esa manera.

Ella se sentía maravillosamente bien en sus brazos. Le hundió los dedos en el pelo, deleitándose con su cálida suavidad. Sus labios eran suaves contra los de Nicholas, más firmes, y se movían sensualmente en respuesta a sus besos. El exquisito sabor a oporto se mezclaba con el gusto que era exclusivo de su marido. La lengua de Eleanor estaba comenzando a unirse tímidamente con la suya cuando él se apartó y la miró inquisitivamente, como si fuera a decir algo importante.

Le rodeó la cara con las manos y empezó a decir:

—Me gustaría... —Pero suspiró y la soltó—. Es tarde, Eleanor. Debes de estar muy cansada. Buenas noches, querida. Que duermas bien.

A ella le dio la impresión de que la dejaba a regañadientes para regresar al comedor. Por un momento la había deseado. A ella, no a ninguna otra mujer.

El poder del alcohol, se dijo al subir las escaleras. No obstante, ¿no se decía *in vino veritas*? Ella tampoco había sido inmune a sus efectos. Si él hubiera acudido a su cama aquella noche, pensó, si la hubiera abrazado, si le hubiera soltado el cabello y la hubiera besado como acababa de hacerlo, no le habría resultado tan difícil ser receptiva. No, no le habría costado nada.

Nicholas regresó al comedor, confiscó el vino y pidió café, a pesar de las protestas generales. Cuando se lo sirvieron, solicitó su atención.

—Volvemos a tener trabajo —les explicó.

—¿Trabajo? —preguntó Amleigh con seriedad—. Dios, Nick, la última vez que la Compañía estuvo en activo fue en sexto curso, cuando el viejo Chisholme decidió meterse con Miles «porque no le gustaban los irlandeses».

Miles se rió.

—Me pregunto si llegó a saber quién le tiñó todas las camisas y los pañuelos de verde el día de San Patricio.

Nicholas sonrió.

—Lo sabía, pero se dio cuenta de que iría a peor si no paraba. Por aquel entonces ya teníamos cierta reputación.

—Entonces, ¿qué quieres de nosotros ahora? —preguntó lord Middlethorpe.

Nicholas jugueteó unos segundos con su taza y ese momento de abstracción, nada típica en él, captó la atención de todos.

—Estoy llevando a cabo una tarea para el país —dijo por fin—. El gobierno cree que hay una trama en marcha para liberar a Napoleón y restablecer su imperio.

En el grupo se oyeron exclamaciones de horror e incredulidad.

—¡Que el demonio me lleve! —exclamó Amleigh—. ¡Ya no voy a tolerar más esta locura!

Había servido en la Península antes de heredar su título al año anterior.

—Por supuesto que haremos lo que haga falta para ayudar, Nick —dijo el marqués—. Aunque yo no podría luchar, me encantaría asestarle un buen golpe al corso.

Nicholas vio que todos mostraban su acuerdo.

—Gracias. Pero antes de que os comprometáis —dijo con sequedad—, debo contaros cuál es mi tarea. No es un asunto muy noble. Parece ser que la persona más importante en esta conspiración es una francesa llamada Thérèse Bellaire. Es una aventurera, y tiene mucho éxito. La conocí hace cuatro años en Viena. De hecho, fuimos amantes. —Miró a sus amigos a los ojos y continuó—: Debo seducirla de nuevo y usar mi influencia para convencerla de que abandone esa conspiración y traicione a los líderes.

Silencio.

Entonces habló lord Middlethorpe.

—Pero, Nick, ¿y tu esposa?

Nicholas se ruborizó levemente y al fin apartó la mirada.

—No será la primera mujer en descubrir que su marido tiene una amante. No obstante, tengo la esperanza de que nunca llegue a enterarse. —Volvió a mirarlos—. Si, como sospecho, todo resulta ser un error, lo descubriré rápidamente. Si no lo es, estoy seguro de que puedo convencer a Thérèse de que traicione a sus colegas por el dinero que el gobierno está dispuesto a darle. Ella no tiene moral. No conoce el significado de la lealtad.

Fue sir Stephen quien expresó en voz alta lo que pensaban todos.

—¿No podrías haber aplazado la boda hasta que ese asunto estuviera zanjado, Nick?

—No —contestó rotundamente—. Eleanor está esperando un hijo.

Lord Middlethorpe rompió el silencio que provocaron esas palabras y dijo con cuidado:

—¿Qué quieres que hagamos, Nick? Te ayudaremos en todo lo que podamos.

El marqués añadió:

—¿Sería demasiado suponer que tu francesa pueda sucumbir a los encantos de alguno de nosotros? Yo podría hacer el sacrificio...

Nicholas sonrió.

—No, me temo que no. Ni siquiera a los tuyos, Luce. Aunque todos podéis intentarlo si queréis. Parece ser que ha montado un negocio en la ciudad, un burdel, para ser precisos. Es lo que suele hacer. Estará muy bien gestionado, os lo aseguro. También se ha hecho con una casa de campo cerca de Aldershot, donde entretendrá a sus favoritos. Yo ya he recibido una invitación y me marcho mañana.

Miró a sus amigos. Todos lo observaban con incertidumbre.

—Lo primero que os pido es que ayudéis a Eleanor. Conoce a muy poca gente en Londres. Si podéis acompañarla a los eventos sociales, presentarla a vuestras familias, puede que no note la ausencia de un marido. Si no consigo dar por finalizado el asunto en los próximos días, me gustaría que algunos vinierais conmigo al local de Thérèse de vez en cuando. Eso me daría apoyo moral y tal vez en grupo mi interés por ella no parezca tan evidente. —Dudó ligeramente y los evaluó—. Si os confabuláis conmigo en este engaño, me gustaría poder usaros como excusa por desatender a Eleanor. Si el asunto se alarga, vamos a celebrar muchas veladas de solteros.

Se reclinó en su asiento y esperó las respuestas. Todos los caballeros se miraron unos a otros con inquietud, al igual que a su líder.

El vizconde Amleigh, que estaba haciendo girar una nuez entre los dedos, dijo:

—En comparación, creo que la Península era más fácil que lo que estás haciendo.

Nicholas le sonrió.

—Sin duda, la habría preferido.

—A menos que puedas completar esta tarea rápidamente —intervino lord Middlethorpe—, vas a hacerle daño a Eleanor, Nick.

Nicholas miró a su amigo a los ojos.

—El matrimonio no es un asunto de amor, Francis. Es una mujer sensata y comprende cómo funciona el mundo. Si le hago daño, la compensaré. Mi mayor preocupación es que no se sienta avergonzada. Espero que mi comportamiento no se mencione en sociedad.

Francis negó con la cabeza ante tal optimismo, pero de nuevo le ofreció su ayuda y los demás siguieron su ejemplo.

Nicholas sonrió con alivio.

—Gracias. Ya sé que esto no es nada heroico, pero al fin y al cabo es un servicio y acabará pronto.

Capítulo 7

Como había predicho, Nicholas ya se había marchado cuando Eleanor se levantó a la mañana siguiente. Había dormido más de lo normal y se despertó con una opresión en la cabeza que pensó que debería ser por los efectos del vino.

Tal vez también fueran los residuos del vino los que la hacían sentirse deprimida. O quizá fuera el hecho de que su marido, esa parte nueva y ya muy fuerte de su vida, no estuviera con ella.

Vamos, chica, se dijo mientras se frotaba la cara y se lavaba la boca, *no va a servir para nada. No le harás ningún bien amargándote cada vez que se va de casa.*

Mientras desayunaba, analizó su vida con resolución, centrándose sólo en lo positivo.

No podía negar que el cambio era para mejor. Suponía que una verdadera dama estaría tan destrozada por lo que le había pasado que la recuperación sería larga y ardua. Tal vez su madre hubiera estado en lo cierto al lamentarse de que nunca sería una dama de verdad, que le faltaba sensatez. Sin embargo, aquella horrible noche siempre parecía haber sido una pesadilla y no algo real y, desde que se había casado, únicamente había tenido ese tipo de sueños una vez. No le resultaba difícil relegarlo a ese oscuro rincón de la mente donde se almacenaban los sucesos desagradables.

Como resultado de aquella noche, ahora era una mujer independiente, o con toda la independencia que se podía tener estando casada.

No, pensó, con bastante más. Pocas mujeres tenían maridos que insistieran en que fueran libres.

Tenía un marido amable y considerado, bastante más que eso, admitió con sinceridad. Tenía una casa maravillosa, ropa a la moda y tanto dinero para gastar que no sabía qué uso darle. Podía pedir el carruaje o pasar el día en la cama; salir y comprar cualquier cosa que se le antojara o encargar productos fabulosos especialmente diseñados para ella.

¿Y qué tenía que hacer a cambio de todo eso?, se preguntó mientras removía el té. Lo único que se le pedía era que fuera una esposa poco exigente.

Si su marido era un hábil manipulador, no parecía estar empleando artimañas en su detrimento. Ella no debía sentirse tan resentida. Tampoco debía deprimirse cada vez que se marchaba ni sentirse dolida si no le hablaba de sus negocios. Y, sobre todo, jamás debía dar muestras de que sabía que tenía una amante, y mucho menos que le importaba.

Le llevó algunos minutos manejar mentalmente ese asunto hasta que se sintió satisfecha, pero por fin percibió que lo había logrado. Se dijo con valentía que, aunque su marido invitara a Madame Thérèse a cenar a casa, ni siquiera parpadearía.

Después de haber decidido todo aquello, se dispuso a hacer planes. Sabía que no era suficiente quedarse sentada en casa y ser complaciente. Nicholas debía ver que era feliz viviendo su propia vida y que se había hecho un hueco en la alta sociedad.

Casi perdió el valor al pensarlo. La hermana de Lionel Chivenham... Bueno, podía ir olvidándose de Almack's, eso estaba claro. Soltó una risita al recordar el horror que los amigos de su marido habían expresado la noche anterior al pensar en el negocio de los matrimonios concertados y allí estaba ella, deseando que la admitieran.

Entonces, con un trozo de tostada a medio camino de la boca, pensó en las tías. Lady Christobel y la señora Stephenson se movían en los mejores círculos sociales. ¿La ayudarían? Lo dudaba. No obstante, si conseguía encontrar la manera de usar su rivalidad, podrían estar dispuestas a intentarlo.

¿Qué truco emplearía? Si acudía a una antes que a la otra, corría el riesgo de que la desairada se ofendiera. Deseó poder consultarlo con su taimado marido, pero estaba fuera de la ciudad y debía ponerse a ello inmediatamente.

¿Lord Stainbridge? No le gustaba la idea de pedirle ayuda. Por otra parte, tenía la sensación de que él debería hacer algo para compensar sus acciones, aunque parecía improbable que alguna vez las reconociera. Asintiendo, apartó la comida y se dirigió a la biblioteca para escribirle una nota pidiéndole que fuera a verla cuando pudiera.

Eso la hizo darse cuenta de que debía pedir papel y sobres para cartas.

Estaba claro que lord Stainbridge no se sentía incómodo con su situación. Llegó menos de una hora después.

Ella interrumpió las corteses preguntas sobre su bienestar y le propuso la idea.

—Sí —dijo él—, tienes razón en que podrían hacerlo, pero en equipo. La tía Christobel tiene una íntima amistad con los Drummond-Burrell. Si hay alguien que pueda meterte en Almack's, es ella. Y la tía Cecily está muy bien relacionada.

Se quedó en silencio pensando, mordiéndose el labio. Ella se descubrió dándole gracias al cielo por que Nicholas no tuviera esa costumbre tan irritante. Sin embargo, parecía ser efectiva para ayudarlo a tomar decisiones.

—La única manera —dijo por fin— es darles tareas por separado, insistiendo en que la otra no podría hacerlo. A la tía Christobel se le puede encargar la labor de introducirte en Almack's. La tía Cecily nunca lo lograría. Pero puedo pedirle que dé una fiesta para ti. Organiza unas reuniones estupendas, únicamente porque tiene un personal excelente y porque sus invitaciones no suelen ser rechazadas. Sus invitados son un grupo selecto, sólo los más correctos, por supuesto, justo el tipo de gente con quien necesitas relacionarte.

—Entonces, ¿qué debo hacer? —preguntó ella.

—Nada. Déjalo en mis manos. Creo que lo puedo conseguir. Tú sólo muéstrate correcta y agradecida.

Se levantó para irse, pero dudó en la puerta. Ella supo que iba a pasar algo que lo iba a hacer sentirse incómodo. Se preguntó si por fin se iba a mostrar arrepentido.

—En cuanto a tu hermano... —empezó a decir.

—¿Sí?

—No creerás que es necesario tener que tratar mucho con él, ¿verdad? Sé que es la única familia que tienes...

Eleanor se dio cuenta de que esperar que hablara de aquella noche terrible no era realista. Probablemente lo habría borrado de su mente. En el fondo, ella no lo sentía. No podría imaginarse cómo reaccionaría.

—Lionel es un sapo —contestó sin emoción—. No quiero volver a verlo nunca.

—Bien, bien. Nicky dijo que se ocuparía de él, así que supongo que no te molestará.

—No creo que lo haga, sobre todo porque debe de estar mudándose para hacerse cargo de mi parte de la herencia. Debería tener suficiente para un año, más o menos, si sus deudas no son demasiado grandes.

Él palideció al oírlo.

—Tendrá que demostrar que has roto las condiciones del testamento. Me pregunto qué...

Qué alegará, pensó Eleanor. Lo tranquilizó.

—Mi «huida» será suficiente excusa si no refuto el asunto, y no lo haré.

—Habrá papeleo legal —dijo él—. No hagas nada sin consultar antes a Nick, ¿de acuerdo?

—Por supuesto.

—¿Dónde está?

A Eleanor se le cayó el alma a los pies. No pensaba que hubiera podido evitar la pregunta, pero había tenido esperanzas.

—Ha tenido que salir de la ciudad por unos días. Se ha ido esta mañana.

Él frunció los labios, como hacía siempre que algo lo incomodaba.

—¿Qué podría ser tan importante...?

—Se trata de algo que llevaba tiempo organizando —lo interrumpió con calma—. Llegará a tiempo para la reunión familiar del viernes.

—Eso dice. ¡Es un desastre! Dejarte en una casa extraña como ésta para que te encargues tú sola de todos estos asuntos sin ayuda cuando debería saber que no estás acostumbrada a esto...

—No creo que incumpla su palabra, lord Stainbridge —le espetó Eleanor antes de que se le agotara la paciencia y dijera algo inapropiado—. Soy una persona bastante independiente y me siento completamente feliz de poder disponer de mi vida a mi antojo. Es un lujo que no he tenido antes, al menos no con el dinero necesario para que la situación fuera cómoda. Si necesito ayuda —añadió diplomáticamente—, estoy segura de que usted podrá ayudarme con estas cuestiones sociales mejor de lo que lo haría él.

Dicho aquello, lo despidió. Pensó con remordimiento que no tenía ningún derecho a criticar a su marido por manipular a la gente cuando ella estaba imitándolo con tanta dedicación.

Se sintió aliviada al librarse del conde y por haber podido evitar la peor pregunta, que tenía que ver con el paradero de Nicholas. Solamente sabía que estaba en Hampshire, un condado que se extendía desde cerca de Londres hasta la costa. Sabía que lord Stainbridge habría interpretado su desconocimiento como un insulto más hacia ella y otra causa para quejarse de su hermano.

¿La esposa tenía derecho a saberlo? Si había alguna emergencia familiar, ¿no se esperaría de ella que enviara a alguien a buscarlo?

Apartó por un momento ese problema de su mente y se centró en el asunto de la alta sociedad. Pidió un carruaje, le dijo a Jenny que la acompañara y salió para inscribirse en Hookham's. Siempre cabía la posibilidad de que, al moverse en los círculos apropiados, se encontrara con alguna conocida de sus días de colegio, aunque la señorita Fitchman no atraía a los niveles más altos de la sociedad. Eleanor lo había elegido porque la cuota no era alta.

De hecho, no se encontró con ninguna amiga de la escuela en aquel establecimiento elegante y noble, y salió con libros y sin amistades. Eso no la sorprendió, y por lo menos consiguió el tan ansiado *Giaour*.

Cuando regresó a casa envió a Thomas, el lacayo, a que encargara tarjetas de visita para ella y para su marido. Se esperaba que cuando ella dejara una de las suyas, también debía entregar otra de su marido, como el señor de la casa, y no tenía manera de saber si él disponía de suficientes tarjetas. También pidió distintos estilos de sobres y papel de cartas para elegir. Envió un pedido fijo a una florista que le había recomendado Hollygirt para que siempre hubiera flores frescas en las estancias de recepción. Invadió los tesoros almacenados de su marido de una manera más sistemática y encontró diversos artículos que podría exponer.

Finalmente, citó a un decorador y a un ebanista para el día siguiente. Sabía que, dado el gusto que su marido ya había demostrado en la casa, sería mejor esperar a que Nicholas regresara, pero sentía que esperar siempre a su consejo era una tendencia poco saludable.

Después, satisfecha con aquel día de trabajo, se permitió relajarse con lord Byron.

Al día siguiente, sir Stephen la visitó con su hermana, la señorita Fanny Ball. Sin duda lo hicieron con buena intención, pero la señorita Ball resultó ser una literata mordaz con espíritu proselitista. Eleanor aceptó una invitación para una velada literaria que la dama iba a organizar a la semana siguiente, pero con reservas, porque el orador iba a ser un tal señor Walker, el autor de un análisis crítico de la filosofía de lord Bacon. A pesar de que sabía que debería sentirse fascinada por el tema, no pudo mostrar mucho entusiasmo.

Se sintió mucho más contenta cuando se encontró con lord Darius Debenham en Green Park y éste le presentó a su prima, lady Bretton.

De ese encuentro salió una promesa para reunirse en una pequeña *soirée* para jugar a las cartas a la semana siguiente. Eleanor estaba deseando asistir, porque la dama era tan vivaz e ingeniosa que estaba segura de que la reunión sería deliciosa.

Sin embargo, no había posibilidad de forjar una amistad. Había pensado que la mujer simplemente estaba rolliza, pero lady Bretton le confesó que en unas semanas se marcharía de Londres porque estaba, de nuevo —añadió con un suspiro—, en un estado interesante.

—Y siempre en la temporada de los acontecimientos sociales —se lamentó la mujer.

Después, Eleanor recibió una invitación para acudir a una fiesta teatral celebrada por lady Maria Graviston, la hermana del marqués. La invitación se la llevó el propio lord Arden, que también se ofreció a acompañarla.

—¿Y qué le ha dicho a su hermana, milord? —le preguntó Eleanor, sorprendida de que tal miembro de la alta sociedad la admitiera.

—La verdad —respondió sonriendo—. Que usted era nueva en la ciudad y necesitaba que la conocieran. Mi hermana tiene muy buen corazón. —Y, guiñándole un ojo de manera traviesa, añadió—: Si viene, verá a Blanche.

—¿En la fiesta de su hermana? —preguntó Eleanor con asombro.

Él se rió.

—Sobre el escenario. La señora Blanche Hardcastle, la paloma blanca de Drury Lane.

Le pareció que aquel reconocimiento lleno de orgullo de la mujer era adorable, y tuvo que admitir que le picó la curiosidad. Sentía un interés morboso por el asunto de las amantes.

Lady Graviston resultó ser una agradable dama unos diez años mayor que su hermano. No guardaba mucho parecido con el atractivo marqués, porque era morena y de piel cetrina, pero era de una elegancia impresionante. Independientemente de lo que le hubiera dicho lord

Arden, Eleanor fue consciente de que la mujer la sometió a un duro escrutinio antes de acogerla. A partir de ese momento, sin embargo, todos en la fiesta fueron muy amables.

Eleanor empezaba a pensar que podría establecerse en la alta sociedad por méritos propios... con el apoyo del apellido Delaney y la ayuda de la Compañía de los pícaros.

La obra era una comedia titulada *Esteban y Elizabetta*, con Blanche Hardcastle como protagonista. La actriz era una encantadora criatura que, Eleanor enseguida se enteró, tenía la particularidad de vestir siempre de blanco para hacer juego con su cabello, prematuramente encanecido. De ahí su nombre: la paloma blanca. Era una actriz mediocre, pero su mayor don era una increíble elegancia de movimientos y un tremendo encanto e ingenio que se transmitían fácilmente a la audiencia. El marqués la observaba con cariño y orgullo.

Eleanor pensó que su esposa, cuando finalmente eligiera una, tendría que enfrentarse a un difícil reto. Entonces se acordó de Nicholas y de su bella prostituta francesa y suspiró. ¿Cómo podría competir con ella una mujer normal y corriente?

Cuando llegó el viernes, el día fijado para la cena familiar y el regreso de su marido, ya había bastantes proyectos de Eleanor que estaban avanzando. Había encargado el mobiliario para su dormitorio y había decidido el estilo para esa estancia y el tocador. Había escogido colores claros para enriquecerlos con nuevo mobiliario de madera de amboyna taraceada. También habían llegado las nuevas tarjetas, así que, si tenía ocasión de hacer visitas, podría hacerlo de la manera adecuada.

Y por último y lo más maravilloso, después de una rigurosa entrevista con la formidable señora Drummond-Burrell, le habían prometido que entraría en Almack's. Poco después la había visitado lady Christobel para insistir en que había sido una labor hercúlea y para ordenarle que se asegurara de no presentar nunca a su hermano a nadie. Aunque no le gustaba mucho su tía política, se había mostrado de lo más agradecida.

Por todo aquello, Eleanor pudo saludar a su marido cuando regresó con un alegre parloteo que esperaba que diera la impresión de que apenas había notado su ausencia.

Mientras le servía el té y le elegía unos pasteles, le relató sus actividades.

—... y tu tía Cecily ha preparado un desayuno veneciano para mí la semana que viene. Para ti también, si puedes asistir.

—¿Debo hacerlo? —preguntó con una sonrisa perezosa.

Ella vio que sus diligencias le agradaban. Cuando entró estaba un poco tenso, pero ahora ya parecía relajado.

—Por supuesto que no, si no quieres. Básicamente se celebra para que yo conozca a las personas apropiadas.

—Intentaré asistir —le prometió, aunque con poco entusiasmo.

—Recuerdas la cena familiar, ¿verdad? —le preguntó con ansiedad. Parecía a punto de quedarse dormido—. Estoy segura de que preferirías pasar una tranquila tarde en casa; sin embargo, tengo la sensación de que no podemos perdérnosla.

Él se frotó la cara con una mano.

—Oh, sí, la recuerdo. Si no hubiera sido por esa reunión, habría retrasado mi regreso unos cuantos días. Este asunto no ha resultado ser tan fácil como esperaba.

De repente se volvió inexpresivo, lo que quería decir que ese «asunto» era más serio de lo que ella suponía. Y medio había sospechado que estaba con su amante.

—Ya sé que es una tontería, Nicholas —dijo, sintiéndose culpable—, pero ¿puedo ayudarte de alguna manera?

Él le sonrió y a Eleanor le dio un vuelco el corazón.

—Gracias, querida, pero no. Es un... encargo para un amigo que debe solucionarse enseguida. El único problema es que me obligará a desatenderte un poco más. Si lo puedes soportar con amabilidad, ésa es toda la ayuda que necesito.

—Por supuesto. No debes sentirte obligado por mí.

Eleanor dudó unos segundos y luego decidió que era un buen momento para plantearle un problema.

—Nicholas, lo siento si esto es impertinente, pero ¿no sería adecuado que me dijeras adónde vas cuando estás ausente? ¿Y si ocurre alguna emergencia familiar? Me sentiría tonta de no saber adónde hay que avisarte.

Nada más soltarlo, supo que había dicho algo incorrecto. Su marido se puso serio y apartó la mirada hasta posarla en el paisaje que adornaba la pared.

No obstante, cuando respondió lo hizo con voz calmada.

—Por supuesto. Tienes toda la razón. Debes perdonarme si algunas veces lo olvido. Ser un marido es nuevo para mí.

Volvió a mirarla, pillándola de improviso. La expresión de sus ojos, aunque indescifrable, era algo inquietante. Ella empezó a sospechar, sorprendida, que Nicholas no sabía qué más decir.

Se quedaron sentados mirándose durante un buen rato.

De improviso Nicholas sacudió la cabeza como si acabara de salir de una ensoñación.

—Eleanor, me estoy quedando sin ocurrencias, o tal vez sea sólo el cansancio. Perdóname, pero si quiero estar en plenas facultades para los buitres familiares, creo que debería descansar un poco.

Se levantó con un movimiento fluido y elegante y le dio un beso en la mano.

—Si tienes un vestido que le haga justicia a las perlas, creo que deberías ponértelas.

Dicho aquello, se marchó. Eleanor se quedó con las manos en el regazo, pensando en el encuentro. En lo que respectaba a sus planes, había ido bien, aunque no podía evitar pensar que al final Nicholas no había estado de buen humor. ¿Era por su culpa o todo se debía al tedioso asunto que estaba llevando a cabo? Durante el poco tiempo que llevaban juntos, nunca le había visto perder el control como acababa de suceder.

Ella había achacado su agotamiento a haber estado de viaje todo el día, pero no era así. El hecho de haberse levantado con habilidad indicaba que no estaba físicamente cansado. Lo que lo agobiaba era una pesadez del espíritu.

Suspiró. Sabía que su marido no aceptaría bien que se preocupara por él. Tendría que quitarle de encima incluso la carga de su preocupación.

Jenny y Eleanor trabajaron mucho para prepararse para la velada. Eleanor sabía con exactitud qué imagen quería dar: la de una belleza a la altura de él, pero con matices sobrios y respetables.

El vestido de seda de color marfil con bordados rosados, que Madame Augustine había especificado que sería apropiado para las perlas, acababa de llegar. A Eleanor le agradó descubrir que el cuello era moderadamente alto, aunque tan ancho que las mangas abullonadas sólo le llegaban al borde de los hombros. Cuando estuvo vestida se dio cuenta de que el tejido, a pesar de llevar dos capas, era tan fino que podía ver la sombra de sus pezones. Durante un instante, presa del pánico, pensó en ponerse una prenda interior, pero era claramente imposible, y Madame Augustine nunca se lo perdonaría.

—Jenny —susurró—, ¿crees que este vestido es indecente?

—Por Dios, no señora —contestó la muchacha con ojos brillantes—. ¡Es maravilloso!

—Pero es... ¡Es transparente!

—No lo es, señora —le aseguró Jenny, tirando de la falda para acomodarla—. Puede que lo insinúe, pero no lo es. Al señor se le saldrán los ojos, seguro.

—Pero quiero estar respetable esta noche —se quejó Eleanor.

—Es respetable —afirmó la doncella con firmeza—. Simplemente, les dará ideas a los hombres. Y eso será problema de ellos, ¿no le parece, señora?

Eleanor se rindió por el momento. Esperaría a ver lo que decía su marido. Aunque siempre tendría tiempo para cambiarse, no disponía de otro vestido que fuera adecuado para las perlas. Eligió un peinado sencillo y un simple brazalete de marfil tallado como adorno.

Después, nerviosa por conseguir la aprobación de Nicholas, su admiración incluso, fue a llamar a la puerta de su vestidor.

Clintock la abrió para que entrara y ella vio a su marido sentado frente al espejo, dándole los últimos retoques a un pañuelo de cuello excelentemente dispuesto, con los volantes de la camisa rozándole los largos y hábiles dedos.

Entonces él se levantó y se giró, esbelto y elegante con sus pantalones bombachos formales hasta la rodilla. Eleanor, sin embargo, concentraba toda su atención en la cara. Al principio, se tranquilizó al ver que su buen humor de siempre había vuelto. Fueran los que fueran los demonios que lo habían atosigado antes, ya habían sido exorcizados. Después, sólo vio apreciación por su vestido.

—Debe de ser una de las muchas obras de arte de Madame Augustine —dijo con una sonrisa—. Modesto aunque con una pizca de picardía, sofisticado y, aun así, fresco y juvenil. Y parece hecho a propósito para las perlas.

Permitió que su valet lo ayudara a ponerse un chaleco profusamente bordado y una chaqueta oscura ajustada. Después él mismo escogió unos cuantos adornos, un anillo y un enorme alfiler de diamantes para el pañuelo.

—¿Te hago justicia? —preguntó con una sonrisa, haciendo una pose.

Eleanor no pudo evitar reírse de una forma que creía haber olvidado, como se reían los niños, de pura alegría. Su marido era una delicia con ese humor que tenía y ella temía que, si él se lo pidiera, le pondría su corazón en el suelo para que lo pisoteara. Oh, era muy peligrosa la manera en la que ese hombre la hacía sentirse.

Por un momento, mirando sus ojos brillantes con motas doradas, sintió que sólo tendría que alargar la mano para alcanzar la luna. Al instante, tal vez como respuesta a lo que él había visto en su rostro,

Nicholas cambió la brillantez por una amigable cortesía. La oportunidad, si la había habido, se había esfumado.

O casi.

Él todavía tenía buen ánimo. Como si fueran niños, se apresuraron a bajar las escaleras para coger el fabuloso collar y pasaron quince minutos colocándolo hasta que encontraron la mejor manera de lucirlo. Por fin quedaron satisfechos con tres vueltas que le caían sobre la piel, brillando como el pálido cielo al alba. Nicholas le abrochó en la nuca el cierre de diamantes.

Eleanor, que ya estaba nerviosa por notar sus dedos contra la piel, casi dio un brinco cuando su marido posó los labios donde habían estado los dedos. Por el espejo lo vio mirándole los hombros. Había ternura en su rostro.

Entonces él levantó la mirada para encontrarse con la suya y una nube le oscureció los ojos.

Eleanor se encontraba perdida. No sabía nada de hombres, de cómo se suponía que debía comportarse en circunstancias normales, y mucho menos en aquel matrimonio tan fuera de lo común. ¿Qué quería de ella? Recordó la noche anterior a su marcha. ¿Esperaba que reaccionara cálidamente, como lo había hecho entonces por la calentura del vino? ¿Debía girarse hacia él?

Sin embargo, fuera lo que fuera lo que se esperaba de ella, el momento desapareció. Él se apartó y pidió sus capas. Enseguida salieron de camino a la mansión de lord Stainbridge.

Tendrían que pasar horas antes de que Eleanor tuviera de nuevo tiempo para la introspección. Había veinte familiares reunidos para examinarla, desde el abuelo de los gemelos, que claramente aterrorizaba a su hija, la señora Stephenson, hasta un montón de jóvenes primos, incluidos Mary Stephenson y su hermano, Ralph.

Siempre que era posible, Eleanor se acercaba al grupo de los jóvenes, ya que era mucho menos probable que ellos la interrogaran por la historia de su vida. Era consciente de que Nicholas se mantenía pendiente de ella y estaba segura de que la rescataría si surgía algún problema, aunque se le veía bastante ocupado derrochando encanto entre los mayores y sobreviviendo a la inquisición sobre su estilo de vida.

Como ella era consciente de él sólo de manera superficial, vio un movimiento extraño.

Algunos miembros un tanto extravagantes del clan Stainbridge habían sido invitados a la sobremesa. Entre ellos había dos jóvenes cuya entrada en la sala provocó que Nicholas se quedara inmóvil un segundo, antes de reanudar su conversación con una tía abuela.

Eleanor esperaba con ansiedad a que le presentaran a los recién llegados. Resultaron ser Thomas Massey y Reginald Yates, unos frívolos bastante simpáticos, aunque de poca importancia. Ella sólo pudo asumir que entre uno de ellos y su marido había algún rencor que venía de largo.

Esa hipótesis pareció quedar confirmada cuando vio que el señor Yates la miraba despreciativamente. No obstante, cuando los dos se acercaron a Nicholas para felicitarlo, no pudo detectar nada que se saliera de lo normal por parte de ninguno. Sabía que su marido era un disimulador nato, pero no había ninguna razón por la que los otros dos ocultaran su malestar.

Los nervios debían de estar jugándole una mala pasada.

Sin embargo, iba a aprender más cosas antes de que terminara la velada.

Cedric Delaney, un primo lejano del conde, que se había nombrado a sí mismo el historiador de la familia, insistió en llevarla a ver los diversos retratos familiares que había en la casa. A Eleanor le pareció muy interesante.

Los gemelos parecían haber heredado su aspecto de su fascinante madre. En un retrato nupcial aparecía sentada bajo un frondoso árbol, riéndose de las travesuras de un spaniel King Charles. Se parecía mucho a Nicholas cuando estaba de buen humor. El padre de los niños, que se encontraba detrás de su esposa, serio, era moreno y tenía rasgos duros. Si había que buscar algún parecido con sus hijos, estaba en el conde, cuando se mostraba severo.

Llegaron a algunos bocetos de Holbein de los que Cedric afirmó que eran particularmente interesantes. Desafortunadamente, las lámparas de aceite no iluminaban bien el lugar, así que él se apresuró a buscar más velas. Eleanor se quedó sola en la galería del segundo piso, que rodeaba al recibidor por tres partes. Descubrió que el recibidor, que alcanzaba la altura de la casa coronado por una magnífica claraboya en el techo, propagaba el sonido maravillosamente. Mientras esperaba, oyó con claridad al mayordomo dándoles instrucciones con voz calmada a los atareados sirvientes, al igual que algunos comentarios irreverentes de éstos.

Entonces, cuando estaba empezando a pensar que tendría que olvidarse de la visita y regresar abajo, oyó las voces del señor Massey y del señor Yates.

—Cielos, Pol —dijo el señor Yates arrastrando las palabras—. Tenía que escapar un momento. El esfuerzo de aparentar normalidad me está matando.

—¿Qué ocurre?

—Se trata del maldito Nicholas Delaney y de su bella esposa. Ahí está, actuando como el marido perfecto. ¡No hace ni dos días que lo vi con otra potrilla en cierto lugar cerca de Aldershot! Se quedó blanco como el papel cuando me vio entrar. Por supuesto, le seguí el juego. No seré yo quien le fastidie los planes, pero cuando lady Christobel empezó a contarme que él estaba sentando la cabeza y que yo debería hacer lo mismo… Bueno, estuve a punto de decir: «¡Dame un capricho como ése y la cosa está hecha!»

—Ah, sí. Te refieres a Madame Thérèse Bellaire, ¿verdad? ¿Quieres decir que has estado en su casita de campo? No sabía que ya estaba en funcionamiento. Oye, Yatters, me encantaría que me llevaras allí. ¡Va a ser el lugar de moda!

—Por supuesto, Pol. Era la gran inauguración. La fabulosa Madame por fin ha llegado, ya sabes. Conseguí estar allí porque he estado visitando la casa de la ciudad con regularidad. Todo el mundo decía que, cuando ella llegara, iba a ser un gran acontecimiento, y no estaban exagerando. ¡Qué mujer! Te diré una cosa: te llevaré mañana a su casa. A la casa del campo sólo se puede asistir con invitación.

—Estaría bien, Yatters. Pero seguramente, no es tan malo que Delaney esté ahí. He oído que muchos tipos van al establecimiento de la ciudad a pasar una tarde placentera. Sin usar el alojamiento, ya sabes.

—Es cierto, Pol, pero yo no. —Se oyeron unas risotadas—. ¡Vaya mujeres que hay allí! Nunca has visto nada parecido. Nada de chicas de la calle. Y todo lo que saben hacer... Pero no, el querido primo Nicholas no estaba sólo bebiendo vino y escuchando música, créeme. Era el hombre elegido de Madame. El fijo. El hombre de la casa. Te aseguro que no se acaban de conocer. Parecían un matrimonio bien avenido. Si crees que se está encariñando con ésta, deberías verlo con la otra.

Eleanor, que se había quedado helada al escuchar la conversación, soltó el aire que había estado conteniendo. Debería irse. Sólo Dios sabía qué más oiría si se quedaba... No obstante, la necesidad de saberlo todo, cada detalle amargo, superaba a la razón.

—¿Quieres decir que la Madame es su amante? —preguntó el señor Massey—. Eso es mucho más fuerte de lo que esperaba, por lo que he oído.

—Espera a conocerla, Pol. Con una sola mirada de sus enormes ojos oscuros, estarás dispuesto a hacer cualquier cosa. Si sabes lo que quiero decir.

Los dos hombres se rieron disimuladamente, pero entonces el señor Yates pareció pensativo al decir:

—Pero yo no diría que era su amante, exactamente. Si me preguntas mi opinión, él es el que está ansioso por agradarle. Diría que está desesperado por ella y, personalmente, no creo que eso sea saludable. Lo dejará seco y luego lo escupirá.

—¡Vaya, Yatters, qué cosa!

Más risas celosas, unidas a la envidia concupiscente.

—Bueno, si hay alguien que pueda manejar la situación, es el primo Nicholas. Las mujeres se derriten a sus pies. Ojalá supiera cómo lo hace. Aunque, por muy amansada que la tenga, creo que su esposa montaría un escándalo si se enterara de sus aventuras, así que él me debe una. Me aseguraré de que organice algo especial para Madame. Te diré una cosa, Pol, lo compartiré contigo. Conseguiremos dos preciosas...

En ese momento, Eleanor se apartó con resolución para dejar de escuchar. El corazón le latía aceleradamente y sentía las piernas tan débiles que se dejó caer en una silla que había allí. No estaba furiosa. No tenía tendencia a «montar un escándalo». Se sentía emocionalmente abandonada.

Qué fatigoso tenía que ser para Nicholas, pensó sombríamente, mantener satisfechas a dos mujeres. Se resentiría incluso su encanto. No le extrañaba que pareciera exhausto.

Madame Thérèse Bellaire. La mujer de Newhaven. Una mujer que enredaba a los hombres. Y, aparentemente, tenía a Nicholas bien atado. Eleanor se había hecho a la idea de que fuera su amante, pero de una forma normal. Había supuesto que él le pondría una pequeña casita en alguna parte y la visitaría de vez en cuando.

Esa sirena, ese objeto de adoración, no era en absoluto lo que esperaba. ¡Esa mujer tenía un burdel!

No deseaba imaginarse a Nicholas humillándose por conseguir los favores de una mujer, ni siquiera los de su esposa y, especialmente, los de una mujer como ésa. Cuando, supuestamente, había estado fuera por negocios, había estado con ella, adulándola, babeando por ella, sin duda.

Entonces sí que se sintió furiosa. Le había mentido. Recordó las palabras de ese horrible señor Yates: «Las mujeres se derriten a sus pies». Pues ella no lo haría.

No podía mirar a Cedric Delaney. En realidad, preferiría no tener que hablar con nadie, pero era imposible huir para lamerse las heridas.

Así que bajó rápidamente para ocultarse entre la multitud. Allí podría esconder sus sentimientos charlando despreocupadamente.

Pero Nicholas se dio cuenta.

Se acercó con una copa de vino para ella.

—¿El primo Cedric te ha dejado agotada, querida? —preguntó con una amable sonrisa—. Aunque está obsesionado con la historia de la familia, es muy culto. Habría que tratar con él en pequeñas dosis.

Eleanor no sabía cómo reaccionar y optó por lo más sencillo.

—Estoy muy cansada. ¿Crees que podríamos irnos, Nicholas?

—Por supuesto. Si te encuentras en el estado que creemos, debes cuidarte.

Mientras él se despedía de todos y pedía sus mantos, Eleanor se planteaba la posibilidad de reprenderlo por sus acciones. Sin embargo, no lo haría. Había prometido no crear ese tipo de altercados y, sólo porque la situación había resultado ser ligeramente peor de lo que había esperado, no era razón para romper su palabra.

Pero se moría por decir algo, cualquier cosa, que hiciera trizas la compostura de su marido.

En el carruaje, él le agarró la mano.

—No ha sido tan malo, ¿verdad?

Eleanor se obligó a no apartarla.

—Oh, no —contestó con calma—. Están predispuestos a ser amables, creo.

—Estás cansada, ¿verdad? —dijo suavemente, y le apartó de la frente un mechón de cabello—. Ven, ponte cómoda.

A pesar de que ella se resistió un poco, Nicholas consiguió que se apoyara cómodamente en su hombro. Se dijo a sí misma que sería extraño negarse a esa amabilidad bienintencionada. Sin embargo, la magia ya estaba empezando a funcionar. A pesar de todo lo que había oído, estaba sucumbiendo a lo que parecía auténtica preocupación y cariño. Admitió con desolación que probablemente aceptaría cualquier migaja, si eso era todo lo que iba a conseguir.

Él no la molestó dándole conversación, se limitó a abrazarla para que no sintiera los bandazos del carruaje. Eleanor recordó las extrañas palabras de Nicholas en su propia cena sobre las mujeres que no deseaban ser madres ni esposas. ¿Madame Bellaire sería una de ellas? ¿Prefería la francesa llevar una casa de mala reputación a ser respetable? ¿Habría deseado Nicholas casarse con ella, pero lo había rechazado? La francesa debía de tener unos diez años más que él.

Odiaba pensar en Nicholas adulando a una mujer así y de repente decidió luchar contra ese encaprichamiento antinatural.

Yo soy su esposa se recordó. *Eso me da ventaja. Estoy esperando un hijo que aceptará como suyo.*

Pero ¿podría competir con la fascinante francesa? Ella no sabía nada de las artes sensuales que claramente la otra dominaba. ¿Era la lujuria la única manera de atar a un hombre?

Si así era, pensó con desolación, ¿cómo podría ganar?

Cuando llegaron a Lauriston Street, él dijo:

—Vamos, tienes que meterte en la cama. ¿Quieres un refrigerio?

La idea de la cama enlazó con sus anteriores pensamientos y lo miró. No había nada lujurioso ni lascivo en su cara, sólo amabilidad.

—No, gracias. Puedo arreglármelas bien. No estoy exhausta, sólo un poco cansada del escrutinio familiar.

—Entonces —contestó con una sonrisa—, tal vez deberíamos volver a salir. Aún no es medianoche y tenemos invitaciones para varios eventos.

—Que hemos rechazado.

Él chasqueó los dedos.

—¿Crees que no nos dejarían entrar?

A veces parecía un niño travieso y ella no pudo evitar sonreír.

—Nunca he dado a entender que tuviera tanta energía. Quiero mi cama, pero puedo llegar a ella sola.

Se dio cuenta de que eso sonaba como si lo estuviera rechazando y se apresuró a añadir, ruborizándose:

—¿Por qué no sales tú, si quieres…?

Se calló al pensar adónde iría probablemente. ¿Cómo podía una simple conversación estar tan llena de trampas?

También pensó que, si hacía algún movimiento, si lo animaba de alguna manera, tal vez él no saldría.

Sólo Dios sabía lo que Nicholas vio en su cara, pero frunció el ceño ligeramente y le tomó las manos.

—Eleanor, ¿qué ocurre?

Ella se apartó.

—¡Nada!

Volvió a agarrarla.

—Sí que ocurre algo. Me gustaría que me lo contaras. —La miró fijamente—. ¿Alguien te ha dicho algo esta tarde que te ha molestado?

—No, por supuesto que no.

Lo adivinaría rápidamente y le sonsacaría la verdad. Y en cuanto saliera el tema de su amante, ya no volverían a vivir en paz. Eleanor sabía lo que debía decir, aunque era difícil. Bajó la mirada a uno de los botones de plata de su marido.

—Es que parecía que te estaba negando de nuevo nuestra cama, Nicholas —murmuró—. Y no quería decir eso.

Cuando él le levantó la cara con suavidad, se sintió aliviada al ver que únicamente había diversión en su mirada.

—Ya sé que no. ¿Crees que soy un monstruo que te molestaría cuando estás tan cansada? De todas formas, para ser sincero, yo también estoy demasiado fatigado. Ve arriba, Eleanor. Yo tengo algunas cosas que hacer y luego, si te parece bien, subiré contigo. El sofá no es muy cómodo.

—Desde luego —respondió rápidamente, sin querer pensar en por qué estaba tan cansado—. En una o dos semanas mi dormitorio estará listo. Así las cosas serán más fáciles.

Desesperada, se dio cuenta de que había vuelto a decir algo inapropiado. Se apresuró a darle las buenas noches y se fue corriendo.

Tenía los ojos llenos de lágrimas cuando subió las escaleras y entró en el vestidor, donde Jenny la estaba esperando. Obviamente, la doncella se preguntaba qué la angustiaba, pero ella nunca se lo diría. No quería que extendiera ningún rumor sobre si su matrimonio era infeliz o que Nick era cruel.

—Tengo una jaqueca terrible, Jenny —dijo a modo de explicación mientras la doncella le quitaba los prendedores del cabello—. Recógemelo atrás. Quiero acostarme.

La muchacha, sintiendo lástima por ella, hizo lo que le pedía y pronto Eleanor se encontró sola en el silencio de su dormitorio. La pequeña luz de noche era lo único que rompía la oscuridad y creaba extrañas formas en el techo.

¿Qué iba a hacer? Muy pronto engordaría como lady Bretton. Si quería atraer a su marido, debía hacerlo ahora. A veces él la deseaba. Seguro que no era todo fingido. Si ella lo satisfacía, ¿abandonaría a la otra mujer? ¿No se sentiría feliz de librarse de una de ellas? Pero ¿podría hacerlo ella? ¿O los recuerdos de aquella noche lo estropearían todo?

Se quedó dormida antes de que él se metiera en la cama, dándole vueltas a pensamientos y planes confusos.

Se despertó con la luz de la mañana y con Nicholas tirando sonriente del lazo que le recogía el pelo. Le devolvió la sonrisa espontáneamente, contenta de tenerlo de vuelta en su vida.

—¿Qué estás haciendo? —le preguntó.

—Investigo. La cuestión es: si lo hago con cuidado, ¿puedo cubrir toda la almohada con tu cabello?

Era como un niño jugando mientras sus dedos se hundían en su cabello y lo esparcían. Eleanor estaba inmóvil, observándolo. Se deleitó con la línea recta de su mandíbula y los músculos del cuello, las leves arrugas producidas por la risa alrededor de la boca y los pequeños pliegues junto a los ojos. Con atrevimiento, dejó que su mirada bajara por su pecho, perfectamente moldeado, suave y bronceado. Aunque ansiaba explorar con los dedos esos contornos satinados, no era tan valiente.

Por fin, él dijo:

—Ya está. No te muevas.

—¿Y cómo sé que de verdad lo has conseguido? —le preguntó, esforzándose por hablar con tono juguetón, al igual que él. Tenía el corazón acelerado y le faltaba el aire.

Nicholas tenía los ojos risueños.

—Te doy mi palabra de Delaney. Sin embargo, si mueves un solo músculo, lo echarás todo a perder.

Entonces se inclinó hacia ella y la besó en los labios, y Eleanor supo lo que vendría a continuación.

Oh, por favor, que lo haga bien, rogó.

Como él así lo deseaba, hizo lo posible por quedarse quieta mientras los labios de Nicholas la envolvían en una magia aterciopelada y empezaba a explorarle el cuerpo con las manos. Era muy difícil. Se sentía como si su corazón acelerado le estremeciera todo el cuerpo y ansiaba mover las manos para sentir su piel.

Él movió el cuerpo suavemente para que ella pudiera ponerle una mano sobre las costillas, en la piel sedosa y cálida. Eleanor hizo pequeños círculos con las yemas de los dedos, disfrutando del placer que eso le provocaba.

Cuando Nicholas movió los labios desde los suyos a la oreja, intentó pensar en algo que decir que lo alentara.

—¿Qué te parece mi nuevo camisón? —le preguntó con voz débil y jadeante.

La prenda era de seda fina, adornada con encaje y cintas de seda verde.

—Mucho mejor que el otro —contestó en voz baja, y deslizó un dedo por dentro del cuello para juguetear con el montículo de su pecho.

Ella tragó saliva, pero mantuvo quieta la cabeza.

Envalentonada por la calidez que había en su mirada, se atrevió a deslizar una mano por su pecho y lo exploró con los dedos. Suspiró de satisfacción. Era extraño que un gesto tan sencillo la hiciera sentirse tan bien.

Él le sonrió y le bajó la seda por un hombro para dejar completamente al descubierto un pecho. Eleanor detuvo la mano que lo estaba acariciando y lo miró. Nicholas le rodeaba una y otra vez el pecho con los dedos, acercándose cada vez más al pezón. Haciendo un esfuerzo, ella se relajó y empezó a acariciarlo de nuevo.

Su marido volvió a sonreír y bajó la cabeza hacia su pecho. Al sentir el suave roce de los dientes, Eleanor jadeó y se estremeció involuntariamente.

—Lo siento —dijo ella rápidamente. Nicholas pensaría que sentía repulsión.

Él levantó la mirada.

—¿Por qué?

No se le ocurrió qué contestar.

—No... no me desagradaba lo que estabas haciendo.

Los ojos de Nicholas parecieron sonreír.

—¿Puede ser, dulzura, y tal vez por eso te gustaba?

Ella comenzó a asentir con la cabeza y de repente se acordó del pelo.

—Sí... Sí, creo que sí.

—Hmm. Si trabajamos en ello un poco, puede que estés segura.

Comenzó de nuevo la magia con labios, dientes y manos errantes.

Pronto a Eleanor le resultó imposible quedarse quieta bajo sus hábiles caricias. Cambió de posición para que sus propias manos y boca se aventuraran sin habilidad ni control, sólo con necesidad. La realidad, los recuerdos, las preocupaciones diarias se esfumaron ante sentimientos y deseos de lo más inexplicables. Dejó que el instinto se apoderara de ella para acariciar y lamer su cálida piel mientras algo crecía en su interior. Algo con un terrible poder.

Como arrastrada por una tormenta, le clavó los dientes en el hombro. Él se quedó sin respiración y Eleanor recobró algo de cordura.

—¡Oh, lo siento! —exclamó.

Nicholas se rió y la alzó de manera que quedó encima de él, con el cabello envolviéndolos como si fuera una tienda de campaña.

—¿Tienes hambre? —le preguntó Nicholas, con los ojos oscurecidos por la pasión.

—No lo sé.

A Eleanor le palpitaba el cuerpo por el anhelo. Su mirada se estaba dando un festín con la belleza que tenía debajo de ella. Inconscientemente, se humedeció los labios y Nicholas dejó escapar un suspiro tembloroso.

Muy despacio, la bajó, mostrando su fuerza, hasta que pudo lamerle un pezón, que ya estaba hinchado por el deseo. Ella arqueó la espalda y gimió. Parecía que ya no podía controlar sus actos.

—Tienes hambre —murmuró Nicholas—. Te daré de comer si prometes no morderme.

Volvió a bajarla y ella lo besó por primera vez por propia voluntad. Su marido le acariciaba con firmeza la espalda y las nalgas redondeadas, apretándola contra él. Le había dicho que tenía hambre, y era verdad que se sentía como si quisiera comerse todo su cuerpo.

Entonces Nicholas giró sobre ella y, despacio, se introdujo en su interior. Eleanor sintió cada centímetro. Se le despertaron lugares que ni siquiera sabía que existían. Descubrió la comida que le había prometido, la unión que había estado buscando y el placer que jamás habría pensado que fuera para ella.

Nunca habría imaginado que pudieran existir tales sentimientos. Una necesidad que era la necesidad de todo el mundo y un dolor que era exquisito placer. Un lugar que temía y, a la vez, deseaba intensamente visitar.

Perdida en ese territorio extraño, la invadió el pánico y sacudió la cabeza.

—No puedo… ¿Qué…? ¡Por favor!

Él la tranquilizó y, a la vez, la llevó a la cima. Eleanor nunca habría sido capaz de imaginar lo que encontró en aquel turbulento torbellino. Se aferró a él como si Nicholas fuera la única realidad, ambos con la respiración acelerada, sintiendo su piel en la boca y bajo sus dedos y los frenéticos latidos de su corazón junto al suyo propio.

Permanecieron tumbados juntos mientras regresaba la realidad. Eleanor temía la separación. ¿Cómo podrían separarse? Se sentía como si fuera a perder algo vital. No obstante, al final se apartaron y él retiró con suavidad unos mechones húmedos de su cara para verla mejor. Ella no temía lo que pudiera encontrar. No necesitaba fingir.

—¿Siempre es así para un hombre? —le preguntó.

—En cierto modo, pero en realidad, no —contestó perfilándole la mandíbula con un dedo—. Eres hermosa, esposa mía.

Nunca le habían dicho eso.

Estaba pensando en algo igualmente importante que decir cuando él giró hasta quedar de espaldas, mirando al techo. Al mirarlo, se le hizo un nudo en la garganta. Por su expresión sabía que los demonios habían vuelto. ¿Qué había hecho? ¿Qué había ido mal?

Posó una mano en su pecho. Ahora le parecía perfectamente natural tocarlo de cualquier manera que se le antojara.

—¿Nicholas? ¿Qué ocurre?

Él le cubrió la mano con la suya, pero durante unos momentos no contestó. Después se giró para mirarla. Ya no quedaba en él nada de buen humor.

—Eleanor —dijo, apretándole la mano con fuerza—, recuerda esto: eres la persona más importante de mi vida. Nunca te haría daño. Puede que no lo consiga, pero al menos lo intentaré.

Ella liberó su mano y comenzó a trazar con un dedo líneas de amor sobre el cuerpo de Nicholas.

—Supongo que todos hacemos daño a los demás, a pesar de nuestras buenas intenciones.

Él volvió a agarrarle la mano, deteniéndola.

—Recuerda —insistió— que me importas.

—Por supuesto —contestó tiernamente—. Y tú me importas a mí, por eso te perdonaré ese dolor con el que me amenazas.

Nicholas se llevó su mano a la boca y le besó la palma. Su rostro, sin embargo, estaba mucho más sombrío que antes. Eleanor comenzó a sentir frío. Estaba perdiendo una batalla y eso que no sabía qué ocurría.

—Te tomaré la palabra de ese perdón —dijo él, y salió de la cama. Eleanor se preguntó si iba a confesarle que tenía una amante. Esperaba que sí. Podría perdonarlo, y después todo habría acabado. Estaba claro que ahora no necesitaba a esa mujer.

Pero Nicholas se envolvió en la bata y se fue a su vestidor.

Se encontró de nuevo sola, intentando darle sentido a la situación. Por unos instantes había pensado que todo se iba a arreglar, que podían encontrar la manera de estar juntos, pero no era así. Aunque seguramente ahora todo era mejor, no era tan perfecto como sentía que podía ser.

Suspiró y se dijo que no debía esperar demasiadas cosas muy pronto. Aquel día habían puesto los cimientos sobre los que seguramente podrían construir un palacio de delicias.

Lord Middlethorpe encontró a Nicholas en su puerta antes incluso de haber acabado de desayunar. Compartió con él la comida.

—¿Problemas? —le preguntó mientras le servía una taza de café.

Nicholas suspiró.

—Creo que me he metido en un cenagal, Francis. Por lo que sé, esa trama quijotesca es real, y Thérèse está demostrando ser tan difícil de manejar como una anguila recién pescada.

Lord Middlethorpe se rió.

—Debo confesar que hay algo de justicia en el hecho de verte enfrentándote a una mujer a la que no puedes cautivar al instante.

Nicholas hizo migajas un trozo de pan.

—No tiene gracia, Francis. ¿Qué voy a hacer con Eleanor? Esta mañana le he hecho el amor.

No fue el tema de conversación, sino algo en el tono de su amigo, lo que hizo que lord Middlethorpe se sonrojara ligeramente.

—No me parece que eso sea nada extraordinario.

Nicholas lo miró fijamente.

—Sí que lo es. He decidido, ya que obviamente voy a tener que pasar más tiempo cortejando a Thérèse, que debería dejar en paz a mi mujer. Hay algo repugnante en el hecho de ir de la cama de la amante a la de la esposa. Además, siento que... No estoy acostumbrado —dijo violentamente— a perder el control.

Francis sabía que, aunque Nicholas sentía un potente apetito por el amor, nunca se tomaba a las mujeres a la ligera y siempre las trataba con respeto. Podía, en cierto modo, comprender su dilema.

—Entonces, ¿vas a dejar el asunto?

Nicholas estaba destrozando más pan, sin comer nada.

—¿Cómo podría hacerlo? ¿Podría enfrentarme a las consecuencias si esta maldita conspiración tiene éxito?

—Es posible que Melcham encuentre la manera de ponerle fin.

Nicholas se dio cuenta de lo que estaba haciendo y miró con exasperación los restos del panecillo.

—Pretendo ir a verlo hoy para planteárselo, pero me temo que no hay otra forma. Por lo que sabemos, Thérèse es la única conexión con los líderes. Aunque él ha intentado un acercamiento directo, incluso un acoso, nada ha funcionado. Ella está dejando claro que, por alguna razón, solamente tratará conmigo. ¡Me voy a volver loco!

A pesar de que se preocupaba por su amigo, lord Middlethorpe no pudo evitar decir:

—Te está bien merecido por ser un amante tan maravilloso.

Nicholas Delaney le tiró a la cabeza lo que quedaba del pan.

Capítulo 8

*A*quella tarde, mientras Nicholas estaba otra vez ocupado con sus asuntos, Eleanor se negaba a creer que esos asuntos fueran Madame Bellaire después de lo que había ocurrido por la mañana, ella aceptó de buena gana una invitación para salir en carruaje con el marqués. Sin embargo, cuando vio el extremadamente elevado faetón, sintió algo de recelo.

—¿Esa cosa es segura? —le preguntó—. Parece como si el viento lo fuera a volcar.

—Oh, mujer de poca fe. No solamente tiene un diseño excelente, sino que yo soy un excelente conductor.

Eleanor necesitó todo su coraje para subir la escalerilla hasta el asiento y luego se pusieron en marcha, mirando a los demás carruajes, mucho más bajos, como si fueran los señores de la creación.

—Supongo —dijo Eleanor— que el heredero de un ducado espera vivir con cierta altura.

Él se rió y le dedicó una de sus miradas centelleantes y seductoras.

—A veces descubro que por los simples mortales merece la pena descender.

Una parte de Eleanor reaccionó ante aquellas palabras. ¿Qué mujer no lo haría? Aun así, sabía que ese hombre no tenía sobre ella el poder que Nicholas poseía, y que podía sacar al marqués de Arden de su vida sin pensárselo dos veces.

Pensar en vivir sin Nicholas era insoportable, y se perdió gran parte de la ingeniosa conversación de lord Arden soñando con las delicias que la esperaban esa noche.

Aun así, Lucien de Vaux derrochaba encanto y cuando Eleanor regresó a su casa iba tarareando una melodía y haciendo girar su sombrero de paja por las cintas. Vio que su marido estaba bajando las escaleras.

—¡Nicholas!

Sabía que no había manera de ocultar la alegría que sentía, así que la dejó brillar. A él no podía hacerle daño saber que estaba encantada con su compañía.

Tal vez estaba equivocada.

Nicholas habló cordialmente. No obstante, las sombras habían vuelto a sus ojos. Además, parecieron intensificarse cuando lo saludó.

—Eleanor. Parece que estás de muy buen humor. ¿Arden te ha tratado bien?

Ella mantuvo el tono alegre al contestar:

—Por supuesto, y lo he pasado estupendamente. Espero que hayas tenido un día tan agradable como el mío.

—Me temo que no —contestó mientras se dirigían a la biblioteca.

Se dio cuenta con nerviosismo de que él no la miraba a los ojos, sino que se dedicó a estudiar un montón de cartas que lo aguardaban.

—Creo que este complicado asunto me va a quitar mucho tiempo. —Le dio la vuelta a una carta como si la estuviera leyendo, pero era evidente que no lo estaba haciendo—. Tengo un amigo que desea que adquiera una propiedad en su nombre —continuó, y de repente le dirigió de nuevo una mirada honesta.

Entonces, ¿era verdad?

—Cuando acepté encargarme de esa tarea, parecía algo muy sencillo, pero ahora el vendedor se está volviendo muy exigente. Tengo que estar prestándole atención a dicha cuestión casi constantemente. Sin embargo, me siento comprometido. Para mi amigo es una cuestión de suma importancia.

—Qué agobiante debe de ser —dijo ella suavemente, y se preguntó cómo se relacionaba aquello con Madame Bellaire.

Tal vez fuera cierto que Nicholas no había pasado todo aquel tiempo con ella. Tal vez estuviera usando su casa para llevar a cabo las negociaciones.

—¿Te resultaría de ayuda —le preguntó— si invitáramos a ese caballero y lo agasajáramos con buena comida y compañía?

Aunque los ojos de su marido brillaron con humor, éste enseguida desapareció.

—Es una idea muy generosa, pero me temo que no, Eleanor. Tengo que ir a la montaña, si sabes lo que quiero decir, y mis poderes de persuasión parecen ser la única clave. Pero gracias por el ofrecimiento. —Se volvió hacia el montón de papeles—. Ya hay numerosas invitaciones para ti, querida.

—Sí —contestó mientras cogía el montón de tarjetas que él le tendía—. Las tías están perseverando mucho en la tarea de introducirme en la alta sociedad, y los pícaros asisten cuando pueden.

—Bien, bien. No se me ocurre nada peor.

Ella se rió y él le devolvió la sonrisa, más libre ahora que estaban tratando un tema más seguro.

—A veces es un poco estresante —admitió ella—, pero estoy empezando a ser capaz de elegir a mis amistades. He prometido asistir a la *soirée* de los Bretton esta tarde. Aunque Francis se ha ofrecido a acompañarme...

—Esta noche tengo que salir —dijo él apresuradamente—, pero mañana estoy libre. Te acompañaré a donde quieras, o podremos pasar una tarde tranquila junto a la chimenea. ¿Cenas en casa hoy?

—Sí, pero Francis también va a venir.

Cuando subía a su vestidor, Eleanor maldijo esa circunstancia. Después de aquella mañana, le encantaría estar a solas con su marido. Pero ahora que él estaba en casa, se dijo que iba a verlo todo lo posible, por muy ocupado que estuviera con sus negocios. Podría soportar su relación.

Mientras no estuviera con la francesa, pensó irónicamente, Nicholas podía dedicar su tiempo a lo que deseara.

Eleanor estaba de muy buen humor en la cena, y Nicholas parecía alegrarse por ello. Hablaron de la interesante gran duquesa Catalina de Oldenburg, que se había negado a alojarse en Carlton House para hacerlo en el Hotel Pulteney. También comentaron las festividades que había planeadas para cuando el zar de Rusia y el rey de Prusia llegaran para celebrar la victoria sobre Napoleón. Cuando fueran a casa de los Bretton pasarían junto a Carlton House para ver la maravillosa iluminación que habían hecho en honor a la victoria.

Lord Middlethorpe observaba a Nicholas y a Eleanor, disfrutando de la manera en que sus mentes parecían encajar a la perfección cuando compartían una broma y entristeciéndose en las ocasiones en las que él se encerraba en sí mismo y se apartaba de algún tema que rozaba lo personal. No veía manera de solucionar aquello.

Cuando Eleanor y él se marcharon a casa de los Bretton, le dijo:

—No me habría importado si hubieras cancelado esta salida, Eleanor. Estoy seguro de que preferirías pasar tiempo con Nicholas.

—Sí, es cierto —contestó con sinceridad—, pero él pensaba que estaría ocupada, así que tiene otros compromisos. Una partida de cartas en casa de Miles, creo.

—Por supuesto —dijo lord Middlethorpe, que sabía que no se había organizado nada parecido.

Eleanor notó algo de reserva en él, pero después empezó a hablar de otros asuntos. Esperaba que no comenzara a inquietarse por el «abandono» de Nicholas, como hacía lord Stainbridge cuando se encontraban. Bueno, pronto se darían cuenta de que no había nada de qué preocuparse. Estaba segura de que su marido y ella tendrían una relación mucho más estrecha a partir de ese momento.

Así no era como debía ser.

Eleanor se sintió asombrada y dolida cuando se dio cuenta de que aquel breve instante de placer podría no haber existido nunca. Nicholas empezó a tratarla como a una amable desconocida y a evitar estar a solas con ella cada vez que podía. Incluso cuando compartían la cama estaba distante, y no tenía ni idea de cómo acercarse a él. Una vez le pidió que la abrazara y se lo concedió, muy bondadosamente. No consiguió nada. De vez en cuando lo buscaba para mantener alguna conversación, que él interrumpía en cuanto se lo permitía la buena educación.

Por fin tuvo que admitir, con el corazón roto, que sus planes para separarlo de la francesa habían fracasado. Él había descubierto que no podía con las dos, pero había rechazado a su mujer, no a su amante.

Cuando su dormitorio estuvo acabado y se pasó a él, fue un alivio amargo. Ya no albergaba esperanzas de que alguna noche su marido la encontrara deseable.

Lord Middlethorpe, que era a menudo su compañero en los eventos sociales, veía lo dolida que estaba. Le planteó el problema a su amigo una noche que Nicholas cenaba en su casa.

—Si tienes tiempo libre, Nick, ¿no crees que harías mejor dedicarlo a cenar en casa?

—No —replicó de manera inflexible.

—Eleanor disfrutaría de tu compañía —insistió.

Nicholas suspiró al ver que su amigo estaba decidido a tratar el tema.

—No puedo, Francis. Paso tiempo con ella en público porque no quiero que haya habladurías. Pero en casa no puedo.

—¿Por qué? Comprendo vagamente que no quieras hacer el amor con ella ahora, pero seguro que puedes hacerle compañía.

Su amigo sonrió con tristeza.

—Si la veo, quiero tocarla, y si la toco, quiero besarla, y si la beso… —Cerró el puño con fuerza y volvió a relajar la mano—. Corre el peligro de enamorarse de mí y no puedo hacerle eso, Francis. Hemos tenido mucha suerte de que todo este asunto no se haya hecho público todavía. Y esa suerte no durará a menos que pueda terminar pronto todo este desastre. Tal y como están las cosas ahora, si llega a salir a la luz, Eleanor se sentirá incómoda, pero al menos no le romperé el corazón.

Aunque Francis se preguntaba si no sería ya un poco tarde para eso, se mordió la lengua.

—¿Cuánto tiempo crees que queda?

—Sólo Dios lo sabe. Aún no me puedo creer que la conspiración sea real, y que Thérèse esté involucrada. Podría retorcerle el pescuezo por lo indecisa que se muestra. Le he prometido dinero, inmunidad ante las persecuciones y un rápido pasaje hacia la seguridad de América. Ahora quiere que me vaya con ella. También se lo prometeré, aunque romperé mi palabra. No entiendo por qué lo está retrasando. Parece tener miedo de alguien.

Lord Middlethorpe jugueteó con el pescado que le quedaba en el plato. La preocupación que sentía por su amigo le había hecho perder el apetito. Tenía que decir algo.

—Ten cuidado, Nick. A pesar de todo, estás haciéndole daño a Eleanor. Puede que te apartes tanto de ella que ya no puedas volver.

Nicholas dijo simplemente:

—Lo sé.

Lord Middlethorpe levantó la mirada de repente.

—¿Crees que ayudaría si hubiera una tercera persona en tu casa?

—¿Estás pensando en mudarte? —le preguntó con una ligera sonrisa.

—No, estaba pensando en Amy.

Nicholas estaba sorprendido.

—¿Por qué iba a vivir con nosotros? Está en tu casa, disfrutando de la temporada de eventos.

—No exactamente —contestó lord Middlethorpe, y empezó a explicarle su idea.

Por lo menos, Eleanor podía consolarse con que no había vergüenza pública, aunque a veces le preocupaba cuántos hombres, como el señor Yates y el señor Massey, conocerían el encaprichamiento de su marido. ¿Lo sabrían los pícaros? Suponía que su código de honor hacía que mantuvieran tales asuntos entre ellos.

De todas formas, en aquel momento la gente no buscaba escándalos; cada día era una nueva emoción que tenía que ver con el final de la guerra. El regente hacía de anfitrión para el zar de Rusia y para el rey de Prusia, y la temporada de eventos estaba llena de interminables recepciones reales, bailes y viajes ceremoniales. Los edificios públicos estaban iluminados y había estandartes colgados de las ventanas.

También había escándalos. Estaba la hermana del zar, la duquesa Catalina, que se había negado a alojarse en Carlton House porque prefería el Hotel Pulteney y demostrar así lo poco impresionada que se sentía por el regente. Estaba el propio zar, el líder absoluto de Europa, exhibiendo un marcado gusto por la compañía de los radicales. Después estaba el taciturno rey de Prusia, que había rechazado la enorme cama que le habían ofrecido para pedir un catre de campaña militar.

Con todas aquellas emociones, a Eleanor le resultaba fácil ocultar sus preocupaciones domésticas en público, aunque siempre eran lo primero que tenía en mente.

Nicholas se ocupaba de ella lo justo para evitar comentarios. Acudieron juntos, al igual que el resto del mundo, a la noche de gala de la ópera organizada especialmente para los visitantes reales. Estaban en el palco del duque de Belcraven con el marqués y su madre, la duquesa, su hermana y el marido de ésta y lord Middlethorpe con su madre y su hermana, Amelia. A nadie parecía importarle la multitud y todos cantaron *Dios salve al rey*.

Cuando todo el mundo se sentó para ver la representación, hubo otro revuelo y nuevos vítores. Eleanor echó una ojeada y vio que la princesa Carolina, de quien el regente se había separado, entraba en su palco, robándole la gloria a su marido. Nicholas y ella intercambiaron una mirada y Eleanor se mordió el labio para no reírse.

—¡Qué maravillosa coordinación! —susurró él mientras el zar y el rey de Prusia se levantaban y hacían una reverencia y todo el mundo volvía a levantarse para aplaudir. A regañadientes, y como si se fuera a arrancar los botones de rabia, el regente también se puso en pie y saludó con una reverencia.

Hubo otro movimiento que pasó desapercibido a la mayoría. Otra mujer entró en un palco con un séquito de hombres muy atractivos.

Eleanor miró a Madame Thérèse Bellaire.

No la había visto desde Newhaven y había tenido la esperanza de que la impresión de belleza y fascinación hubiera sido falsa. Ahora, sin embargo, le parecía mayor que antes. Su vestido negro lucía adornos de plata incrustados y un pronunciado escote que realzaba sus exuberantes pechos. Éstos corrían el fascinante peligro de salirse de la prenda en cualquier momento. Una gruesa gargantilla de diamantes resaltaba su cuello, largo y esbelto. Sus movimientos eran lánguidamente seductores, y todos los hombres que la acompañaban revoloteaban a su alrededor como polillas, corriendo el peligro de una inmolación instantánea.

La mujer levantó la mirada y la vio. Sonrió, no con desprecio, sino como reconociendo que compartían algo. Después hizo un pequeño gesto con su abanico de plumas que podría haber sido un saludo o un desafío.

Eleanor miró rápidamente a Nicholas. Aunque él también estaba mirando a su amante, su expresión era completamente indescifrable.

La obra comenzó y Eleanor, por fin, miró hacia el escenario.

La mayor parte de los eventos que compartía con Nicholas se desarrollaron un poco mejor, porque no volvieron a coincidir con Madame Bellaire y él era muy hábil mostrándose en público como un marido afectuoso. Eleanor atesoraba las risas y el coqueteo de esos momentos como si fuera una mendiga recogiendo migajas de la mesa, hambrienta y avergonzada.

Fueron juntos a Almack's el veintidós de junio, cuando el zar insistió en bailar un vals. Bajo tal presión, los pobres mecenas no pudieron resistir aquel baile escandaloso, y pronto todos los que sabían cómo hacerlo estaban girando.

Fue el marqués quien le tendió la mano a Eleanor y le dijo:

—¿Te parece si nos mostramos escandalosos?

—Querrás decir ridículos —replicó—. No sé hacerlo.

Entonces Nicholas se interpuso entre los dos.

—Escandalosos o ridículos —dijo con sequedad—, estoy seguro de que ese lugar me corresponde a mí. Baila conmigo, Eleanor.

Ella le dio la mano.

—No sé bailar el vals —repitió.

—Confía en mí.

Fue como si el mundo entero, ruidoso y lleno de parloteo, se desvaneciera y sólo existiera Nicholas. Eleanor le permitió que la guiara.

—Bajo tu responsabilidad —le dijo en voz baja.

—Acepto cualquier responsabilidad. Déjate llevar y relájate.

Eleanor hizo lo que le pedía y se sintió flotar. Ojalá la vida fuera tan sencilla como el vals, pensó.

Hizo de marido amante incluso delante de los criados, aunque ella sospechaba que el cariño marital que mostraba no sería su comportamiento habitual si el matrimonio fuera de verdad. Incluso la agasajó con pequeños presentes, pero nunca se los daba en persona. Se los dejaba en la mesa del tocador. Ella no sabía si era para evitar que le diera las gracias o para que Jenny también los viera.

A pesar de que en una ocasión estuvo tentada de rechazarlos, se obligó a reaccionar como si le encantaran. También tomó la decisión de hacer que aquel matrimonio de conveniencia fuera lo más sencillo posible para su marido. Después de todo, él no estaba rompiendo ningún compromiso que hubiera entre ellos. Sin embargo, a menudo deseaba que Nicholas no hubiera roto la placidez en la que ella se había sentido tan cómoda si más tarde iba a abandonarla.

Por lo menos tenía el apoyo y la Compañía de los pícaros. En ocasiones reunía un maravilloso séquito de atractivos jóvenes. Eso hacía que muchas personas la miraran con asombro, pero ella tenía buen cuidado de contrarrestarlo haciendo gala de un comportamiento impecable y, como Nicholas había sugerido, con acertadas presentaciones.

Lord Middlethorpe y el marqués de Arden eran sus acompañantes más habituales. Lord Middlethorpe se estaba convirtiendo rápidamente en un amigo, pero el marqués, debía admitirlo, coqueteaba con ella. Era tan hábil en ese juego y tan apuesto que cualquier mujer tendría que ser de piedra para resistirse.

Al principio se había sentido un poco cohibida por sus halagos y sus comentarios, en ocasiones subidos de tono, mas era como si él le estuviera enseñando gradualmente una nueva y placentera habilidad. Cuando se encontraron en el baile de su madre a principios de julio, ella ya se sentía cómoda con aquellas destrezas.

Él sonrió al ver su vestido de satén de color zafiro con una túnica de encaje plateado.

—Ah, Madame Augustine —suspiró el marqués apreciativamente.

Ella le dio unos golpecitos con su abanico de plata, un regalo de Nicholas.

—¿Estás diciendo, Lucien, que le debo todos mis encantos a mi modista?

Él le cogió el abanico, lo abrió y lo mantuvo delante de su cara, como si fuera una tímida doncella. Batió sus pestañas escandalosamente largas.

—¿Le debo yo todos mis encantos a mi sastre?

Ella recuperó el abanico.

—Tu sastre le debe penas a todas las mujeres vulnerables de Londres.

Él pareció dolido.

—¿Crees que mi sastre me hace ser quien soy?

La cogió de la mano y tiró de ella para hacerla entrar en una antesala. Aparte de gritar y revolverse, no había manera de resistirse.

—¡Lucien! Tengo una reputación que mantener.

—Yo también —le aseguró con una sonrisa—. Únicamente me llevará un momento demostrarte que mis encantos son sólo míos.

Eleanor abrió de golpe la puerta de la sala y se tapó los ojos con la mano. Pero miró con disimulo entre los dedos, y sabía que él lo sabía.

—Si puedes quitarte toda esa ropa en un momento, lo veremos —le dijo—. Esa chaqueta parece muy ajustada.

Él se quedó con las manos en las caderas, riéndose.

—Es cierto. Pero todo lo que llevo es ajustado. Podrías pasarme las manos por encima para asegurarte de que no hay relleno.

Ella lo miró.

—También podría pincharte con un alfiler para asegurarme de que no eres una vejiga hinchada.

El marqués se acercó despacio, le agarró una mano y se la besó.

—Ten piedad, delicia de mi corazón. Soy el futuro duque de Belcraven y mis subalternos me inflan el ego cada mañana con una bomba manual. Podrías causarme un daño irreparable.

—Yo podría hacerte más daño con una bala —dijo Nicholas desde la puerta.

Sin embargo, parecía indulgente. Eleanor habría preferido ver que lo devoraban los celos. Su marido le apartó la mano de la de Lucien y se la besó él mismo.

—Lo que se me ocurre decir es mejor tarde que nunca. ¿Te queda algún baile para un simple marido?

—Por supuesto —respondió Eleanor—. Podemos bailar el siguiente. A Lucien no le importará. ¿Verdad que no, mi señor marqués?

—Por supuesto que me importará, criatura perfecta. Pero ¿cómo puedo competir? «Semper in absentes felicior aestus amantes» —Saludó a Nicholas con esa frase, que parecía algo combativa—. Parece que la cena de Debenham ha terminado pronto, ¿no es así? —añadió mientras salía de la sala. Sonó como una salva de despedida.

Eleanor miró a Nicholas, preguntándose de qué iba todo aquello. También quería saber qué significaban aquellas palabras en latín, porque carecía de esa clase de educación.

Como si le hubiera leído el pensamiento, su marido dijo:

—La separación hace que el corazón añore más al amado ausente. —Mientras se dirigían a la sala de baile para situarse para la siguiente pieza, él añadió—: Luce siempre ha sido demasiado inteligente.

Eleanor esperaba que la Compañía de los pícaros no fuera a unirse a lord Stainbridge para criticar la conducta de su marido. No le haría la vida más fácil. Cuando el marqués se unió a ellos en el baile, ella le proyectó ese pensamiento enérgicamente, junto con una mirada severa. Él, al verla, le sonrió con pesar.

Eleanor se dio cuenta de que no tendría un acompañante para el baile después de haber dejado al marqués. Sin duda, la hermosa señorita Swinnamer, la sensación de la temporada, había abandonado sin piedad a otros admiradores. Porque, después de todo, ¿quién rechazaría la posibilidad de bailar con el heredero de Belcraven?

La esposa de Nicholas Delaney.

La música comenzó a sonar y ella le hizo una reverencia a su marido mientras él se inclinaba.

Nicholas se había dado cuenta de la larga mirada que le había echado al marqués de Arden.

—¿Debería estar celoso? —le preguntó a la ligera.

—Eso sería bastante ridículo, ¿no te parece? —contestó en el mismo tono, y se acercó bailando al centro de la sala, dejando que lo interpretara como quisiera.

Por lo menos lord Middlethorpe seguía siendo un amigo devoto y leal y se encontraba tan a gusto con él que se alegró cuando llegó a visitarla en el momento en que estaba a punto de sentarse para cenar sola.

—¡Francis! Vaya horas para hacer una visita. ¿Pido que pongan otro cubierto?

—No, no. Bueno, ¿por qué no? Estoy endemoniadamente hambriento. De hecho, estoy en un pequeño aprieto y esperaba que pudieras ayudarme.

Era evidente que se sentía inquieto, él, que siempre era imperturbable, pero Eleanor esperó a que estuviera sentado a su lado antes de preguntarle nada.

—Caroline tiene sarampión —declaró, y vio que Eleanor no comprendía nada—. Mi hermana pequeña, no la conoces. Está bastante enferma, me temo, aunque, afortunadamente, no corre peligro. Por supuesto, mi madre quiere que las otras chicas no estén cerca. Van a marcharse a casa de la tía Glassdale, en Yorkshire, pero Amelia no desea irse. Me preguntaba si podría quedarse aquí.

A Eleanor le daba vueltas la cabeza con tanta información.

—¿Tu hermana? ¿Aquí?

—Ya sé que es un tremendo descaro, Eleanor, pero no hay ningún otro sitio en la ciudad donde pueda quedarse, y no quiere marcharse ahora, en plena temporada de eventos.

—Bueno, lo comprendo, aunque debe de haber algún familiar con quien pueda quedarse. No es que yo no quiera, pero ¿no sería un poco extraño?

—No si le decimos a la gente que sois amigas. Después de todo, ella es sólo un año o dos más joven que tú, Eleanor. Y no, en realidad, no hay nadie más. La tía Hortense está en Londres con toda su prole y en su casa ya no cabe nadie más.

Eleanor se rindió.

—Muy bien. Estaré encantada de tener compañía. —Al pensar en su soledad, recordó a su marido—. Tendré que preguntárselo a Nicholas, por supuesto, aunque no creo que se oponga.

No pensaba que él se preocupara lo más mínimo por lo que ella hiciera. Rápidamente apartó de su mente esos pensamientos, antes de que el perceptivo joven se diera cuenta.

—Sin embargo —añadió secamente—, recuerdo que una vez describiste a tus hermanas como un montón de descaradas problemáticas.

—Sí, bueno... —Sonrió con inquietud—. Ninguna de ellas es muy tranquila, pero tampoco tienen maldad, y yo estaré por aquí, por si te ocasiona algún problema. Amelia es una buena chica. Me temo que no es ninguna belleza, pero tiene un gran corazón.

Dos días después, lord Middlethorpe acompañaba a su hermana a Lauriston Street, donde Eleanor aguardaba a su invitada. Por una vez, Nicholas estaba con ella.

Como lord Middlethorpe había afirmado, Amelia no era hermosa. Su cabello era de color castaño apagado y se le escapaba de los prendedores, y habría sido acertado decir que tenía unos rasgos difuminados. No obstante, se movía con elegancia, tenía una buena figura y derrochaba alegría.

—Señora Delaney —dijo, y corrió a agarrarle las manos—. ¡Gracias, gracias! Le prometo que no se arrepentirá. Francis me ha sermoneado severamente y ha amenazado con azotarme si le causo algún problema.

—Sobre mi cadáver —declaró Nicholas, y levantó a Amelia en brazos, haciéndola girar de manera fraternal—. Amy, ¡cuánto has crecido!

Ella soltó una risita.

—Bueno, por lo menos ya no me puedes tirar de las coletas. —Lo observó con detenimiento—. Pero... estás moreno. Pareces un pirata, es fascinante. Tal vez pruebe lo de pasear sin sombrero.

Él sonrió.

—Posiblemente, te saldrían pecas.

—Lo sé —contestó con tristeza—. Mamá se ha gastado la fortuna familiar en loción de Dinamarca y se enfada muchísimo si pongo un pie en la calle en un día soleado. ¿Cómo es que no te he visto en las últimas semanas? Te aseguro que he estado en los mejores eventos y he visto a tu mujer tres veces.

—Ya sabes que yo siempre limito mis compromisos sociales, Amy —contestó—. Eleanor es amable y no me obliga a asistir a ellos con demasiada frecuencia.

La amable Eleanor observaba esa relajada relación como de lejos, preguntándose qué pasaría si alguna vez lo obligaba a hacer algo. Le hacía daño presenciar la amistosa cháchara entre Nicholas y Amelia cuando su marido la trataba de manera tan formal. De repente miró a su alrededor y vio que lord Middlethorpe la estaba observando. Eleanor esperaba que su expresión no hubiera delatado sus sentimientos, pero sospechaba que así había sido. Salvó la situación llevándose a Amelia a la habitación que habían preparado para ella.

—Es una casa muy bonita —dijo la joven mientras subían las escaleras—. La prefiero a la casa de Francis, que es sofocante y grande.

—Pero piensa en las desventajas —contestó Eleanor—. No hay sala de baile, por ejemplo.

—Es verdad. Definitivamente, es una ventaja celebrar un baile en la casa de una, en lugar de tener que alquilar una sala. Sin embargo, creo que, una vez acostumbrada, un sitio sencillo es mejor. Qué suerte tiene de haberse casado con Nicholas. Solía estar desesperadamente enamorada de él, porque siempre me trataba como si fuera hermosa o como si fuera a serlo algún día, aunque no lo era ni nunca lo seré. Pero era una idea preciosa cuando era más joven.

A Eleanor la emocionaron esas palabras, pero le preocupó que ese apego siguiera presente. Podría ser muy embarazoso.

—¿Ese sentimiento ya ha pasado? —le preguntó.

—Oh, sí —respondió Amy—. Por supuesto, todavía lo aprecio mucho, es una persona maravillosa. Pero estoy enamorada de otro hombre —confesó, ruborizándose.

—Entiendo —dijo Eleanor, vislumbrando otro problema—. Espero que sea alguien adecuado, porque supongo que es la razón por la que insistías tanto en no salir de la ciudad.

—Sí. ¿No se lo ha contado Francis? Tal vez pensó que sonaría demasiado romántico. Aún no se ha acostumbrado a la idea de que su hermana esté pensando en casarse.

—Entonces, entiendo que la relación está aprobada —dijo Eleanor con alivio mientras guiaba a Amelia a su habitación.

Al menos, nadie esperaba de ella que consintiera nada que pudiera resultar deshonesto.

—Oh, sí. Mi madre está encantada. Conocemos a Peter de toda la vida. Aunque solía pensar que lo quería como a un hermano, igual que a Nicholas, de repente me di cuenta de que era bastante diferente. Teníamos pensado anunciarlo en breve. No obstante, ahora tendremos que esperar, por el sarampión. Hemos fijado la fecha de la boda para octubre. Espero —añadió ansiosamente— que usted no tenga inconveniente en que me visite aquí...

—Por supuesto que no —respondió Eleanor.

Entonces, consciente de sus deberes, animó a Amelia a que hablara ampliamente de todas las perfecciones de Peter Lavering: su casa, su familia, sus perros y sus ocurrencias, hasta que se reunieron de nuevo con los hombres en el piso inferior.

Sentía envidia por la libertad de la joven para ensalzar a su amado y profesar su amor. Sin embargo, no pudo evitar dudar si Peter Lavering sería la figura divina que parecía ser. Supuso que el amor, como de costumbre, era ciego.

Mientras presidía el té, se sintió muy abatida. Ahí estaba el Nicholas de los primeros días de su matrimonio: ingenioso, generoso y alegre.

También estaba el Nicholas que de vez en cuando actuaba para ella en público, pero en ese momento, por primera vez en meses, era auténtico.

Sin embargo, todo era por Amelia y Francis. Incluso en ese ambiente relajado, cada vez que se dirigía a ella lo hacía con cierta formalidad. Eleanor se encontró preguntándose de nuevo cuándo encontraría la ocasión apropiada para decirle que tenía la certeza de que habría un bebé, porque había consultado a un médico para asegurarse.

Muy pronto él mismo se daría cuenta con sólo mirarla. Tal vez ya lo daba por sentado, pero a ella le gustaría decírselo formalmente. No obstante, nunca estaban solos, y no era un asunto que se pudiera tratar en la cena de un desconocido o en un palco abarrotado del teatro. Aunque probablemente él pensara que la noticia no tenía importancia, no soportaba la idea de decírselo en público.

Ese pensamiento condujo a otro.

—Nicholas —le dijo—, creo que deberíamos organizar algún tipo de entretenimiento ahora que Amelia está con nosotros. ¿Cuándo te parecería bien, querido?

Había desarrollado la costumbre de dirigirse a él con expresiones cariñosas en público. Si él podía fingir, también podría hacerlo ella. Era su único gesto de rencor, y él nunca reaccionaba.

—El jueves que viene estaría bien —contestó amablemente—. Si se ajusta a tus otros compromisos, querida.

Eleanor consultó su pequeña agenda con estuche de oro, otro de sus regalos.

—Sólo una aburrida lista de posibilidades. El jueves, entonces. ¿Podemos contar contigo, Francis?

—Por supuesto, aunque sólo sea para vigilar a mi hermana.

—Invitaré a los Merrybrooke, a los Ashby. ¡Qué pena que los Bretton se hayan ido! ¿Sabes si el señor Cavanagh sigue en Londres? Él se asegurará de que la velada no sea aburrida. Las señoritas Marmaduke son muy agradables... —Se interrumpió al ver las caras de los caballeros y se rió—. Oh, muy bien. Como todos los hombres, disfrutaréis del evento pero no queréis saber nada de la organización. Idos a vuestro club y dejad que Amelia y yo seamos las cabezas pensantes.

En cuanto se hubieron marchado, Eleanor sonrió a la otra mujer.

—¿Puedo llamarte Amy, igual que hace Nicholas? Se pronuncia mucho más fácilmente. Debes ayudarme con esta fiesta. Nunca he organizado nada así.

Amy abrió mucho los ojos.

—Oh. ¿Por qué no?

Eleanor le hizo un resumen de cómo había sido su educación. Una vez que hubo comprendido la situación, Amy se mostró ansiosa por ayudarla. Lady Middlethorpe había educado a todas sus hijas minuciosamente, así que era bien capaz de planear el evento. Como confiaban en que Hollygirt consiguiera todo lo que necesitaban, no debería haber mayor problema.

—Debes enviarle una invitación a tu Peter —le recordó Eleanor.

—Como si fuera a olvidarme. Y nada le impediría venir. A veces es tan celoso que me hace reír. Odia verme bailar con otros hombres y, en casa, donde conocemos a todo el mundo, mira con furia a cualquier hombre que se pase un poco de la raya. —Los ojos de Amy brillaron con picardía—. Me parece absolutamente delicioso. No termino de acostumbrarme al hecho de que es a mí a quien ama tan apasionadamente, y yo soy tan... bueno... simple.

Eleanor estaba deseando conocer a Peter Lavering. Las descripciones de Amy parecían estar llenas de contradicciones. Era delgado y de proporciones divinas; amable, simpático y fiero como un león; un hombre de campo al que le encantaban su tierra y sus caballos, pero capaz de ser el más culto y refinado; de trato fácil y, aun así, tremendamente posesivo.

Había decidido desechar la mayor parte de esas descripciones y esperaba encontrarse con un caballero de lo más normal.

Se sorprendió mucho cuando lo conoció. Peter Lavering medía bastante más de un metro ochenta, tenía una constitución soberbia y atlética y era increíblemente atractivo. El cabello rizado del color de las hojas en otoño enmarcaba un rostro propio de un dios griego, y sus ojos oscuros brillaban con cualquier emoción que sintiera en el momento. La pequeña y trivial Amy y él parecían seres de mundos diferentes. Eleanor no se sentía capaz de vincularlos, pero los amantes no parecían ver ninguna incongruencia.

—Hola, ratoncilla —dijo el dios griego con una sonrisa maliciosa—. ¿Cuántas travesuras has hecho ya?

—Me estoy comportando como una perfecta dama, Peter. Cuéntame todas las novedades.

A ese saludo tan prosaico lo contradijeron un cálido abrazo y los mensajes que se intercambiaron con la mirada. Eleanor hizo de carabina un rato y después acalló su conciencia y salió de la estancia durante unos momentos.

En el recibidor se encontró a Nicholas, que entraba en la casa. Por lo que ella sabía, no había estado allí la noche anterior, pero eso no era nada raro aquellos días y nunca lo solían mencionar.

—Tienes una expresión muy culpable —le dijo su marido, y le dio un beso impersonal en la mejilla.

—Bueno, así es como me siento —contestó ella—. He dejado a Amy y a Peter solos unos momentos. Creo que se morirán si no se pueden dar ni un besito.

De repente fue muy consciente de su situación, y de cuánto le gustaría que Nicholas le diera «un besito». ¿Qué haría él si intentaba besarlo? Seguramente no la rechazaría...

Nicholas ya se había apartado ligeramente.

—Me gustaría regresar contigo —dijo con desenfado—. Estoy ansioso por conocer a ese dechado de virtudes. Por cierto, Miles pregunta si puede traer a su hermano a nuestra *soirée*. Va a pasar unos días en Londres. Es clérigo, pero Miles responde por él y dice que no sermoneará a nadie, y entretendrá a las feas del baile.

Eleanor abandonó cualquier necia idea de seducirlo y se mostró de acuerdo con incluir a tal tesoro en la velada.

—¿Se lo dirás tú, o crees que debo enviar una invitación?

—Oh, yo se lo diré. Ahora, tal vez debamos interrumpir a los amantes.

Así eran sus conversaciones aquellos días.

Aunque enviaron las invitaciones con muy poca antelación, a los Delaney no les faltó compañía en su velada. Eleanor había decidido organizar un evento informal. Había una gran variedad de excelente comida y bebida y un hábil trío para tocar música, o para bailar. Como la mayoría de los invitados eran jóvenes y animados, fue una reunión muy alegre, pero para ella resultó un placer un tanto ireal.

Le gustaba ver a Nicholas derrochando encanto al máximo para que el evento fuera un éxito, aunque eso también le hacía sentir cierta amargura.

Si puede cambiar de humor tan rápidamente, pensaba ella, *no le haría ningún daño mostrarme también a mí su lado bueno. Yo misma podría hacerlo muchas veces cuando me encuentro animada.*

A Eleanor le parecía divertido ver el celo con el que Peter trataba a Amy, hasta que lo comparó con el respeto informal con el que Nicholas la trataba a ella. Incluso cuando lord Arden hincó una rodilla frente a ella para rogarle una rosa de su cabello, su marido se limitó a sonreír. Desde ese momento, no pudo evitar amargarse ante cada mirada apasionada y de adoración que Peter le dirigía a Amy. Debió de haber dejado ver su dolor, porque lord Middlethorpe, que estaba a su lado, le dijo:

—¿Qué tienen esos amantes repugnantes que te pone tan triste?

—Nada —respondió, consiguiendo un tono desenfadado—. Solamente estoy preocupada por la organización. Ésta es mi primera fiesta de verdad, ya sabes.

Él negó con la cabeza.

—No te creo, Eleanor. ¿Me dejas adivinar? Estabas mirando a Peter y a Amy y deseando que Nicholas se comportara contigo de la misma manera.

Ella sabía que se había ruborizado y no intentó negarlo.

—No sería un buen anfitrión si lo hiciera —añadió él—. Y tal vez confíe en ti bastante más de lo que Peter parece confiar en Amy.

A Eleanor le traicionaron sus amargas palabras al decir:

—Me atrevería a decir que no le importaría si me arrojara a los brazos de otro hombre.

Sorprendentemente, lord Middlethorpe se rió.

—Es evidente que todavía no conoces a Nicholas. —La miró pensativamente—. Siempre he pensado que los celos no son un reflejo muy atractivo de la posesividad, pero ¿te haría feliz si él estuviera celoso?

Eleanor desearía no haber dicho nada.

—Francis, eso es muy inapropiado y muy tonto. No puedo... —Ante su mirada, amable e insistente, dijo—: Sí, sí que me haría feliz.

—Entonces, ven —contestó, y le ofreció el brazo.

Cuando lo miró de manera interrogativa, le explicó:

—Enséñame algún libro especial de la biblioteca, Eleanor. Aunque solamente sirva para eso, te dará unos momentos de paz en los que no te preocuparás por la organización.

Eleanor le dirigió una mirada a su distraído marido y después posó una mano en el brazo de lord Middlethorpe y permitió que la sacara de la estancia.

—¿Esperas que venga detrás de nosotros? —le preguntó mientras atravesaban el recibidor—. Creo que ni siquiera se dará cuenta de que me he ido, no importa con quién.

—Yo, sin embargo, sé que me estoy jugando la vida —respondió él, y sonrió.

Su mirada sensible reflejaba la preocupación que sentía por ella y a Eleanor se le encogió el corazón. ¿Por qué estaba rodeada de gente que se preocupaba por ella, exceptuando al único que...?

Él interrumpió sus pensamientos.

—Anímate o me harás pensar que no soy una buena compañía.

Cuando entraron en el oscuro estudio, Eleanor dijo con calidez:

—Por supuesto que no lo eres. No sé qué haría sin tu amistad, Francis.

Él encendió las velas con una astilla de la chimenea y miró a su alrededor.

—Siempre he pensado que es una habitación muy elegante. Bueno, ¿qué libro estás tan ansiosa de compartir conmigo?

Eleanor se encogió de hombros y luego cogió la carpeta de los grabados chinos.

—¿Has visto éstos? Son exquisitos.

Él pasó las páginas con cuidado.

—Muy finos. Tengo algunos parecidos, pero no tan delicados como éstos.

Estaba siendo muy amable y ella se relajó, como siempre le ocurría en su compañía. Estaban admirando los grabados, Eleanor sentada y

Francis inclinado sobre su hombro, cuando la puerta se abrió y entró Nicholas. La cerró con suavidad a sus espaldas.

Eleanor se ruborizó y Francis sonrió.

Aunque no podría decirse que Nicholas estuviera enfadado, ni preocupado, le brillaron los ojos al entrar. Eleanor tuvo que hacer un esfuerzo para no ponerse en pie y balbucear un montón de excusas.

Nicholas se acercó a la mesa.

—¿Los estáis admirando? Creo que deberíamos enmarcar algunos.

—Sí —contestó Francis con tono ligeramente casual—. Es una pena ocultarlos, pero ten cuidado de que la luz no los dañe. Hay que cuidar bien los tesoros.

Le echó una mirada a la cabeza de Eleanor, que parecía absorta en las láminas, y salió de la habitación sin hacer ruido.

Al oír la puerta cerrarse, ella levantó la mirada, alarmada. La había abandonado. Nicholas la estudiaba con mucha atención.

—¿Estás molesta por algo? —le preguntó.

Los dos sabían que no se refería al estado general de su matrimonio.

—No, en absoluto —se apresuró a contestar—. Debemos volver. No es bueno que los dos descuidemos a nuestros invitados.

—Creo que todos están bastante contentos por el momento.

Se sentó en una esquina de la mesa, junto a la silla en la que ella estaba. Era la situación más íntima en la que habían estado en semanas. Él se enroscó perezosamente uno de los rizos de su esposa en un dedo.

Ella no podía mirarlo.

La voz suave de Nicholas rompió el silencio de la habitación.

—Estás siendo muy valiente y muy cauta, Eleanor. No te imaginas lo agradecido que te estoy.

Hubo un momento mágico y ella intentó atraparlo, pero se evaporó en cuanto recordó lo que él hacía con el tiempo que ella le cedía tan generosamente. No quería que le agradeciera esa complacencia. Estaba intentando decidir qué contestar, con la cabeza todavía baja, cuando él volvió a hablar.

—¿Te ayudaría saber que a mí me está resultando tan difícil como a ti? Y, además, sospecho que por las mismas razones.

Sorprendida, respondió sinceramente con un ligero asentimiento. El enfado se había transformado en lágrimas a punto de salir. Pensó que eran lágrimas de pena y de felicidad a partes iguales. No entendía lo que su marido estaba diciendo, pero el tono de profunda preocupación era como un bálsamo para su orgullo. Por lo menos, sentía algo por ella.

Entonces él se puso en pie bruscamente, rompiendo la magia. Cuando levantó la mirada, sorprendida, Nicholas había apartado la cara. Dijo con voz áspera:

—No puedo explicarte las cosas, Eleanor, y créeme cuando te digo que tampoco te ayudaría que lo hiciera. Vamos, debemos regresar.

Lo miró totalmente confundida.

Cuando él se giró para ofrecerle el brazo, se levantó obedientemente, sin poder darle ningún sentido a aquella conversación. Él detuvo el gesto de tenderle el brazo y cambió el movimiento.

Levantó las manos para tomarle la cara entre ellas. Eleanor sabía que el indicio de las lágrimas estaba ahí, por muy valientemente que sonriera.

—Oh, Eleanor —suspiró—. Ni siquiera puedo pedirte perdón, querida.

Se inclinó hacia delante hasta rozarle suavemente los labios con los suyos. Era un beso que hablaba más de cariño que de necesidad, pero ella se sentía agradecida por cualquier cosa que pudiera darle. Había una gran dulzura en estar tan cerca el uno del otro, en sentir que se preocupaba por ella, aunque no estuviera entre sus brazos...

—Oh, Dios —soltó y se apartó.

Ella vio la desconcertante necesidad en su mirada torturada antes de que se diera la vuelta y saliera de la habitación.

Perpleja, Eleanor se puso a guardar los grabados. No entendía nada. Nada en absoluto. Pero Nicholas no estaba disgustado con ella, y tampoco era indiferente. Sin poderse contener, y a través de las lágrimas, sonrió.

Cuando regresó a la sala de música no le sorprendió ver que su marido había recuperado de nuevo el control. Estaba desplegando sus encantos con la terriblemente tímida señorita Harby, hasta casi conseguir que la mujer pareciera normal. Eleanor aceptó una invitación de Miles Cavanagh para bailar.

—Eleanor, esta noche estás radiante. De hecho, pareces una mujer a la que acabaran de besar.

Ella no pudo evitar sonrojarse y lanzarle una mirada traicionera a su marido, lo que hizo que el irlandés se riera. El movimiento del baile le evitó responder y no hubo ningún otro comentario que la avergonzara aquella noche. Con la nueva seguridad de su lugar en la incomprensible vida de su esposo, se sentía más feliz de lo que había estado en semanas.

Cuando más tarde Amy y ella subieron a sus habitaciones, se felicitaron mutuamente por una velada muy bien llevada.

Eleanor estaba preparada para acostarse cuando se dio cuenta de que, como de costumbre, Nicholas no iba a acudir a ella y de que estaba decepcionada. No obstante, ni siquiera eso consiguió quitarle el buen humor. Recordó cómo la había besado antes, la necesidad que había visto en él. ¿Lo habría confundido durante esos dichosos momentos de amor? ¿Le habría dado la impresión de que era reacia a su cariño?

Por ésa y otras razones mucho menos analizadas, se dejó el cabello suelto y decidió romper la norma no escrita llamando a la puerta de su habitación.

Oyó que despedía a Clintock y después la puerta se abrió. Nicholas solamente llevaba los pantalones bombachos y una camisa abierta. Recordó de pronto aquella primera noche en Newhaven. Si ella se hubiera comportado de otra manera, ¿habrían ido las cosas mejor desde entonces?

—¿Ocurre algo, Eleanor? —le preguntó con mucha formalidad.

—N... no —tartamudeó ella. No había esperado que regresara tan rápidamente al trato impersonal. Se le desvaneció todo el valor—. No quería... No importa.

Debería haberse marchado, pero el sonrió y le cogió una mano para besársela.

—Lo siento, Eleanor. ¿Te he gritado? Nunca tengas miedo de mí, te lo ruego. Debes de estar cansada. La velada ha ido muy bien. Te felicito.

Aunque él lo estaba haciendo bien, Eleanor se daba cuenta del esfuerzo que le estaba costando. ¿Qué le había ocurrido al maestro del disimulo?

—Las felicitaciones se las merecen sobre todo el personal y Amy, creo —respondió, observándolo—. Yo soy una novata.

—Tonterías. La señora marca el estilo de la casa.

Era un halago sincero, pero su tono no era del todo correcto. Tal vez era por la palabra «señora».*

Por una vez, Eleanor sintió que tenía más control que él.

—Quería hablar contigo, Nicholas —dijo con compostura—, porque he pensado que éste sería un buen momento para decirte que estoy segura de que habrá un niño.

Él sonrió. Parecía una expresión sincera de placer.

—Son buenas noticias. Al menos, creo que lo son. Supongo que te sientes diferente.

—Oh, no. Me gustará mucho tener el niño. Sin embargo, he pensado que tal vez tú hubieras preferido que... que naciera más tarde.

—¿Para saber con seguridad que es mío? —preguntó con franqueza—. No, eso no me preocupa. Por supuesto, si el otro supuesto padre fuera otra persona, sería distinto, pero como es mi hermano... No, no me importa. —La observó y se rió—. ¿Sabes, Eleanor? El embarazo es algo con lo que no tengo experiencia, ni siquiera indirectamente. No sé si deberías parecer una inválida o la personificación de la buena salud.

* *Mistress* es tanto «amante» como «señora» *(N. de la T.)*

—Entonces, estamos empatados. Yo tampoco lo sé. Pero me siento bien. Ni siquiera tengo náuseas, que es lo más normal, aunque ya no soporto los platos especiados de la señora Cooke.

—Pobre Eleanor —contestó riéndose, y la tomó en sus brazos—. No más sopa *mulligatawny*—. Le apartó con suavidad el cabello de la cara—. Debes cuidarte, querida. Por el bien del niño y por el tuyo propio. Y por el mío. ¿Has elegido ya un partero?

Eleanor sabía que su preocupación era auténtica y se sentía tan cerca de la felicidad como podía imaginar allí de pie, envuelta en sus brazos.

—Creo que preferiría una matrona —contestó—. Si consigo encontrar una buena. Había una matrona excelente en Burton que nunca perdió a ninguna madre.

—Tal vez deberías contratarla —le dijo, y la apartó un poco de él para mirarla—. Es un momento peligroso para una mujer. Debes hacer todo lo posible para garantizar tu seguridad. Prométeme que lo harás.

Eleanor levantó la vista y se encontró con sus cálidos ojos castaños. Era peligroso permitirse aquello, porque sabía que sus problemas no habían desaparecido. Seguro que tendría que pagar por esos momentos y, aun así, eran maravillosos.

—Por supuesto que sí —le aseguró—. Es una promesa fácil de cumplir.

—Bien. —Frunció el ceño ligeramente, como si estuviera buscando las palabras apropiadas, y después dijo en voz baja, con un poco de desesperación—: Y las cosas mejorarán.

Dicho aquello, la levantó en brazos y la llevó a su cama. La dejó allí con suavidad y la tapó. Le dio un ligero beso en la frente, apagó las velas y se fue.

Su marcha no hizo que se sintiera menos feliz. Echaba en falta su amabilidad más que su pasión, y eso, como mínimo, había vuelto.

Cayó en el sueño, satisfecha.

Y las cosas mejoraron. Aunque Nicholas seguía pasando poco tiempo en Lauriston Street, tal vez debido a la presencia de Amy, cuando estaba en casa buscaba la compañía de las dos mujeres y se relajaba. Las trataba a las dos con alegría y a veces Eleanor pensaba que eran los mejores momentos que había vivido.

En ocasiones, Amy se excusaba con tacto para dejarlos a solas. Incluso en esos momentos, él se mostraba cálido y atento y la abrazaba y la besaba con ternura. Nunca había nada de pasión en esos gestos y ella se cuidaba de no forzar esos instantes más de lo que él deseaba. La vida no era perfecta, pero era tan dulce que no quería arriesgarse a destruirla.

Sin embargo, se destruyó a finales de junio.

Capítulo 9

*A*my ya se marchaba para unirse a su madre y a sus hermanas en Weymouth, ya que había pasado el peligro de infección. A la convaleciente le habían recetado la brisa del mar. Tanto Nicholas como lord Middlethorpe estaban allí para despedirla y, casualmente, lord Stainbridge también se encontraba en la casa.

Nicholas besó a Amy.

—Te echaremos de menos. Ahora nos aburriremos aquí, un viejo matrimonio.

—Hablas como si fuerais unos ancianos.

—Tú me haces sentir como un anciano —contestó él.

—Bueno, Eleanor no es tan mayor —respondió Amy, y le dio a Eleanor un cálido abrazo—. Escribiré con frecuencia. —Soltó una risita al bajar la vista al vientre de Eleanor, que aún estaba plano—. Supongo que pronto tendrás que dejar de aparecer en sociedad. ¿Irás al campo?

—Entonces, ¿tendré que recluirme? —dijo Eleanor—. Creo que seguiré saliendo, aun con la tripa grande. ¿Eso conmocionará a la gente? Desde luego, ha conmocionado a Kit.

Le lanzó una mirada irónica. Si lord Stainbridge había decidido invadirle la casa, ella se sentía con derecho a pincharlo.

Nicholas se adelantó para proteger a su hermano.

—Kit es fácilmente impresionable —dijo con calma, pero era una reprimenda—. Y tú no deberías haberle dado esa noticia tan importante con tanta indiferencia.

De hecho, Eleanor había olvidado que el conde aún no sabía que el embarazo se había confirmado. Ahora, en público, no tuvo más remedio que sufrir las torpes felicitaciones de lord Stainbridge antes de poder despedirse de Amelia y de Francis y de huir a su dormitorio. Vio que Nicholas se llevaba a su hermano a la biblioteca.

Supuso que los gemelos estarían hablando íntimamente de «su» embarazo y de repente tuvo ganas de destrozar algo valioso. Dios santo, a ese paso se iba a convertir en una arpía. Se preguntó si se debería a los extraños efectos del embarazo o si estaba cambiando de personalidad.

A Nicholas no le había gustado cómo se había burlado de su hermano, y a ella le importaba su opinión. Su marido quería a Kit a pesar de sus debilidades, y suponía que debería intentar enterrar el pasado en aras de la armonía familiar.

Decidió bajar para permitirles a ambos aplacar sus conciencias permitiéndoles que mostraran su preocupación y que hicieran grandes planes para el niño.

Cuando se acercaba al estudio vio que la puerta estaba ligeramente abierta; podía oír sus voces con claridad. Estaban hablando del niño y ella quería saber qué decían. Con una rápida mirada se aseguró de que no había ningún criado en el recibidor, así que se quedó donde estaba, escuchando a escondidas descaradamente.

—No tienes ningún derecho sobre ese niño, Kit.

Como siempre, Nicholas hablaba con voz tranquila. Pero no lord Stainbridge.

—Puede que sea mío. Definitivamente, será mi heredero.

—Has renunciado a cualquier derecho que pudieras tener. Si quieres un heredero, eres libre de conseguirlo tú mismo.

—¿Qué clase de vida podrías darle tú? ¿Qué clase de vida le estás dando a Eleanor? Tiene que criarse en Grattingley, donde pertenece.

—¿Y Eleanor? Seguramente, tendrá algo que decir.

—Estará con el niño, por supuesto. —Lord Stainbridge parecía muy exasperado—. Por el amor de Dios, Nicky, no puedes esperar que se quede aquí sola.

—Entonces, tal vez me corresponda a mí quedarme con ella —replicó con calma—. ¿O se me permitirá a mí también establecerme en Grattingley?

Se hizo el silencio.

—Sabes perfectamente bien —dijo al fin el conde— que estarás ausente por tus viajes. Ése era el trato, que no te sintieras atado.

—Nadie me dijo que se me prohibiera echar raíces si así lo deseaba.

—¿Quieres quedarte? —respondió lord Stainbridge, claramente desconcertado.

—Puede que sí. —El tono de Nicholas era indiferente, y Eleanor lo odió—. Después de todo, puede muy bien ser hijo mío, ya sabes, y no estoy completamente seguro de querer que tú lo críes.

Lo dijo sin rencor, pero el silencio ensordecedor que siguió a esas palabras fue un grito de reproche. Eleanor se dio cuenta de que se había llevado una mano a la boca.

—No puedo creer que hayas dicho eso, Nicky.

La voz de lord Stainbridge estaba llena de dolor.

—Kit, somos muy diferentes —contestó Nicholas con voz cansada—. No permitiré que ningún hijo mío crezca con esa camisa de fuerza de conformidad que usas para protegerte.

—¡Cómo te atreves!

La presión debía de ser insoportable, porque Nicholas también se acaloró, casi se volvió desesperado.

—¡Muy fácil! Reclamo mi derecho a quedarme.

—¡Te lo prohíbo!

—¡Vete al infierno!

Horrorizada, Eleanor paseó la mirada por el recibidor, convencida de que las voces pronto atraerían a los curiosos. No podía creer que el imperturbable Nicholas por fin hubiera perdido la paciencia.

Lord Stainbridge replicó con voz rota por el dolor:

—No estás preparado para criar a un niño. ¿Serías capaz de apartarte de los burdeles el tiempo suficiente para prestarle atención?

Eleanor dejó de respirar. Así que lo sabía. ¿Acaso lo sabía todo el mundo?

—Tal vez —dijo Nicholas con aparente preocupación— la paternidad haga que me interese. No hagas el ridículo, Kit. Esto, sencillamente, no es asunto tuyo.

Lord Stainbridge intentó imitar el tono de su hermano.

—Entonces, ¿cómo pretendes darle a tu hijo lo que necesita? No sé de dónde sacas el dinero para vivir como lo haces. ¿Del juego, tal vez?

—Puede ser lucrativo. Pero no lo necesito.

—¿Ah, no? Pues pronto lo harás. Te lo advierto, Nicholas, volveré a usar la misma arma.

—¿Cómo? —Era evidente que no comprendía lo que quería decir. Pero entonces se rió. No fue un sonido agradable—. Oh, como hiciste cuando me ordenaste que me casara con Eleanor. Estuve tentado a desafiarte a que lo hicieras. ¿De verdad me dejarías sin un penique?

—Sí. Quiero a Eleanor y al niño.

—Entonces, deberías haberte casado con ella. Estoy seguro de que ella lo habría preferido... en aquel momento.

—Sabes que no podía casarme. ¡Maldito seas! ¿Qué estás haciendo? Tú no la quieres. La tratas de manera abominable. Renuncia a ella, Nicky. Será más feliz conmigo.

—¿De verdad crees eso? —respondió con desdén—. A lo mejor ya has olvidado cómo se ha burlado de ti hace un rato. ¿Tengo que recordarte que no tiene ninguna razón para ser bondadosa contigo? Además, ¿crees que puedes competir con mis... eh... habilidades y encantos?

Eleanor se ruborizó al oír ese horrible tono de voz.

—Tiene demasiado carácter para ti, Kit —continuó su marido—. Te desafío. Haz lo que creas conveniente, porque me quedo. Si tienes razón y me canso de la vida doméstica, cederé de buena gana todos los derechos sobre Eleanor y el niño.

Eleanor se mordió los nudillos para intentar controlar la angustia y la rabia que sentía. Lo mataría. ¡Los mataría a los dos!

Lentamente.

Al darse cuenta de que estaba temblando, subió las escaleras dando traspiés y cayó llorando en la cama. Sólo era una novedad para él, un juego del que terminaría cansándose. Decidió que, si llegaba ese momento, jamás pasaría dócilmente, junto con su pobre hijo, a estar bajo el cuidado de lord Stainbridge. Mantendría su independencia a toda costa.

Recordó el cinismo de la conversación con un sabor amargo en la boca. Por fin había salido a la luz el verdadero Nicholas. Era un embaucador muy inteligente, un pícaro encantador. Lo había visto manipular a otras personas. ¿Cómo podría haber pensado que ella sería diferente?

Pues muy bien, eso se iba a terminar. Que se fuera a visitar los burdeles y a su amante francesa. Ella mantendría la fachada porque se lo había prometido, pero ya no recibiría sus falsas atenciones. Además, si intentaba manipularla, a ella o al niño, se resistiría hasta el final.

Se sentía incapaz de ver a ninguno de los hermanos hasta haber recobrado la compostura, así que pidió el carruaje y se fue con Jenny a Hookham's. Sin embargo, a su mente atormentada no le atrajo ningún libro y regresó a casa con las manos vacías.

Ojalá no tuviera que volver a ver jamás a Nicholas Delaney.

Cuando llegó a casa, él había salido. Eleanor sonrió con ironía. Podría conseguir fácilmente no ver a su marido. Llenaría su agenda con tal cantidad de compromisos que apenas estaría en casa, excepto para dormir, y en la cama Nicholas nunca se acercaría a ella.

Ahora que Amy se había marchado, Nicholas había restablecido la distancia entre ellos y, si por casualidad se encontraban, Eleanor imponía el tono de las conversaciones, que solía ser ligero. A veces le parecía que él la miraba con preocupación, pero nunca hacía ningún comentario personal y ella se mantenía aparentemente jovial.

No obstante, una mañana coincidieron en el desayuno. Ambos se sentaron en silencio y se dedicaron a estudiar minuciosamente los periódicos.

Eleanor lo miró y se dio cuenta de que el oro estaba perdiendo su brillo. Su marido estaba más delgado, tenía ojeras y más arrugas. Su vida de libertinaje estaba haciendo que se le desvaneciera el bronceado, volviéndolo amarillento. Se le encogió el corazón. ¿Cómo podía hacerse eso a sí mismo? Sin embargo, ella no podía hacer nada para apartarlo del desastre.

Y ahí había otra razón para evitar a Nicholas: para no tener que ser testigo de su autodestrucción.

Eleanor intentaba, a pesar de la desesperación que a veces se apoderaba de ella, cuidarse bien, como él le había pedido. No regresaba tarde a casa; hacía varias comidas al día a pesar de no tener apetito; bebía tres tazas diarias de leche de cabra recién ordeñada, aún cálida; y daba muchos paseos al aire libre.

En una ocasión, mientras paseaba por el parque con Jenny, recordó aquel día de marzo, cuando creía que la estaban siguiendo. Tal vez fuera porque estaba pensando en ello, pero se convenció de que en ese momento las observaban de nuevo.

Como era por la tarde, había más gente, pero hizo la misma estratagema de la otra vez y vio a un hombre tras ellas que le resultaba vagamente familiar. Entonces, lo reconoció. Era Tom Holloway, el testigo de su boda en Newhaven. Siguió caminando y pensó que sólo había una explicación para aquello: su marido estaba haciendo que la siguieran. Tal vez él también fuera el responsable de la vez anterior. No se había sorprendido mucho cuando ella se lo había contado.

Eleanor sintió una oleada de rabia. ¿Como él era incapaz de comportarse decentemente, sospechaba que ella también tenía citas clandestinas? Era increíble. Era despreciable.

De repente, se le ocurrió algo aún peor. ¿Y si Nicholas quería hacerle daño? Después de todo, nunca había querido casarse con ella. Ahora estaba irrevocablemente unido a una mujer con la que no tenía nada en común; una mujer que lo evitaba; una mujer que llevaba en su interior un niño que había provocado una desavenencia entre su hermano y él y que podría causarle la ruina.

—¡Señora! ¡Señora Delaney!

La queja de Jenny, que estaba jadeando, le hizo darse cuenta de que había acelerado el paso hasta casi echar a correr. Bajó el ritmo. La doncella la miró con extrañeza pero no dijo nada, y Eleanor tampoco le dio una explicación.

Recuperó el sentido común. Si Nicholas se sentía atado, solamente tenía que cederle todos los derechos a su hermano y volvería a ser libre y rico. Sin embargo, ella dudaba de que lo hiciera. Durante la acalorada discusión, había afirmado que no lo haría, y los hombres eran unas criaturas ridículamente orgullosas. ¿Le resultaría más fácil planear su muerte y la de su hijo que faltar a su palabra?

Aunque parecía algo increíble, esos días Eleanor tenía un concepto muy bajo de los hombres.

Recordó que lord Middlethorpe había dicho: «Los celos no son un reflejo muy atractivo de la posesividad». ¿Sabía que lo único que Nicholas sentía por ella era un tipo desesperado de posesividad, alimentada por Dios sabía qué clase de celos de su hermano gemelo que, por el azar de haber llegado al mundo unos minutos antes, lo tenía todo mientras que él no tenía nada?

De repente, se encontró sentada en su dormitorio, temblando, con Jenny frotándole las manos. No tenía ni idea de cómo había llegado hasta allí.

—Señora, ¿se encuentra bien?

—Estoy mareada. Creo que me voy a desmayar, Jenny. —Nunca debía confesarle sus miedos a la doncella—. Tengo que tumbarme.

—¿Quiere que avise al médico, señora?

—No, no. Se me pasará. Sólo necesito descansar.

Sentía echar de esa manera a la muchacha, pero necesitaba estar sola. Quería pensar.

Cuando Jenny se marchó, se quedó tumbada mirando al techo.

¿Estoy loca? ¿Es esto una rareza del embarazo? ¿Realmente podría un hombre planear la muerte de su esposa en esos tiempos modernos?

¿Y si él está loco? Es encantador e inteligente, sí. No obstante, ¿no podría ser esas cosas y, a la vez, estar trastornado? Tal vez lord Stainbridge lo sepa y por eso quiere que el niño y yo estemos bajo su protección.

Pero Nicholas siempre había sido amable, le dijo la voz de la cordura. Nunca le había levantado la voz, y menos aún la mano, a su indeseada esposa que no le había aportado ningún beneficio. ¿Qué podría inducirlo ahora a ser violento?

La francesa. *Quizás Madame Bellaire ha accedido finalmente a casarse con él y él quiere ser libre.* Eleanor se llevó instintivamente una mano al abdomen, que ya estaba levemente abultado. *¿Qué debería hacer? ¿Qué puedo hacer?*

Irme.

¿Adónde?

No tenía ningún sitio adonde ir. Regresar a casa de su hermano era imposible, y sabía que si acudía a lord Stainbridge Nicholas la traería de vuelta. Lord Stainbridge no era el tipo de hombre capaz de evitarlo. Además, no confiaba en el conde más de lo que confiaba en su hermano.

El sentido común regresó a ella como una brisa fresca y todas sus fantásticas suposiciones se desvanecieron. ¡Debía de haber estado leyendo demasiadas novelas de Minerva! El simple hecho de ver a Tom Holloway en el parque la había llevado a inventar una trama atroz comparable a cualquier complot propio de «Monk» Lewis o de la señora Anne Radcliffe.

Se levantó de la cama y descorrió de golpe las cortinas para dejar entrar la brillante calidez del sol. Después se sentó ante el espejo e intentó entrar en razón.

Estás casada con un hombre que no te ama. Es amable, generoso y te deja en paz. ¡Muchas mujeres rezan por tener eso! Nunca te ha dado pie a creer toda esa crueldad que te has estado imaginando.

Crees que te han estado siguiendo. Dos veces en cuatro meses. La primera ocasión podría haber sido un paseante inocente, y el señor Holloway tiene el mismo derecho que cualquier otra persona a caminar por la calle.

¿Y qué hay de esa conversación que oíste a escondidas, cosa que le has ocultado? Dijo que no te cedería a su hermano. ¿De qué te quejas? Si hizo ese último comentario sin tacto, fue porque había perdido la calma. Su hermano lo había provocado y dijo algo de lo que probablemente se arrepentiría un momento después.

Tras haber puesto en orden sus pensamientos, Eleanor tomó una decisión. Dejaría de evitar a su marido. *Puede que acuda a una prostituta,* le dijo a su reflejo severamente, *pero al menos no viene luego a ti con falsas palabras de amor. Si lleva una vida de libertinaje, al menos no permite que eso invada su hogar ni que te ofenda. Si tienes alguna esperanza de que algún día se canse de todo eso y te preste atención, a ti y a tu hijo, deberías empezar a preparar el terreno siendo una compañera agradable a partir de ahora.*

Su imagen en el espejo asintió y sonrió.

No quiso admitir que la felicidad que sentía al tomar esa decisión surgía del hecho de que quería ver a Nicholas y no le resultó difícil mantenerla. Canceló sus compromisos para todo el día y se quedó en casa con la esperanza de verlo.

Sin embargo, la primera consecuencia de aquello no fue nada deseable. Cuando estaba sentada leyendo en el salón, se presentó Hollygirt.

—Le pido disculpas, señora. Ya sé que dijo que no estaba en casa, pero ha llegado un caballero que dice ser su hermano.

Eleanor se quedó perpleja. Nicholas le había dicho a Lionel que nunca se pusiera en contacto con ella. Permaneció en silencio intentando decidir qué debía hacer y Hollygirt habló de nuevo.

—El señor Delaney dejó dicho que usted nunca está en casa para sir Lionel, pero el nuevo lacayo le ha permitido entrar, y el caballero es muy insistente. Dijo que se trataba de un importante asunto familiar. Tal vez deba preguntarle si desea dejar una nota.

A pesar de los buenos propósitos que acababa de hacer, el hecho de que Nicholas hubiera dado órdenes a los sirvientes de que no se la visitara sin consultarlo antes con ella la decidió a ver a su hermano. En vista de su anterior charla sobre la independencia, pensó que su marido se había excedido con su autoridad. Después de todo, ella estaba en su propia casa, rodeada de sus propios sirvientes. Si Lionel decía una sola palabra fuera de tono, haría que lo echaran, lo que le produciría gran placer.

—Haz pasar a mi hermano, Hollygirt —dijo con firmeza—. No necesitaremos ningún refrigerio.

El mayordomo palideció.

—¿Está segura de que es lo correcto, señora?

—Es mi hermano. Hazlo pasar.

En cuanto Lionel entró en la habitación, le dijo que disponía de cinco minutos, ni uno más.

Él sonrió amplia y afectuosamente y paseó su mirada ojerosa por la estancia, evaluando todo lo que veía.

—Vaya, vaya, Nell. Qué forma de saludar a tu único hermano.

Al enfrentarse a él, sintió que los restos de temor que le quedaban se evaporaban, y contestó con indulgente desprecio:

—Mi querido hermano, que ha sido siempre tan amable y considerado.

—¿Acaso puedes negar —preguntó haciendo un gran ademán— que tuve algo que ver con el hecho de que consiguieras toda esta magnificencia?

Eleanor se quedó muda. Debería haber tenido claro que Lionel no sabía lo que significaba la culpa y que siempre se convencía de que lo que hacía era lo mejor. Y también solía convencer de eso a los demás.

Abandonó toda idea de hacerle ver su maldad y dijo:

—Oh, siéntate, Lionel, y dime qué quieres, porque te vas a marchar pronto.

Él suspiró y pareció dolido mientras se sentaba en una silla.

—Ah, bien. Siempre fuiste grosera, querida. Solamente he venido para informarte de mis próximas nupcias.

Eleanor lo miró fijamente.

—¿Te vas a casar?

Lionel sonrió.

—Mi querida hermana, cuando vi la dicha que te ha aportado el matrimonio, estuve, en secreto, tentado de probarlo... De hecho, me he declarado y he sido aceptado.

—¿A quién has violado? —preguntó ella con malicia.

—No me extraña que tu marido pase tanto tiempo fuera de casa si ése es el tono de tus conversaciones.

Eleanor había recuperado la calma y no dejó que aquello la exasperara. Le sonrió con dulzura.

—¿Y qué hay de nuestra inspiradora dicha marital?

La sonrisa de su hermano fue igualmente endulzada, e igualmente falsa.

—Precisamente, querida. Mi idea de felicidad marital es que el marido sea libre de hacer lo que quiera mientras la mujer se queda tranquilamente en casa.

Eleanor se quedó sin respiración ante esa descripción tan acertada de su vida. Lionel siempre metía el dedo en la llaga.

—¿Y tu futura esposa sabe eso? —preguntó bruscamente.

—Por supuesto que no —dijo, y se rió.

—¿A quién, en el nombre del cielo, has encontrado para que te aguante?

La afabilidad de Lionel no desapareció.

—No creo que la conozcas. Debo admitir que tu gusto en cuanto a las compañías siempre ha sido excelente. Deborah es, lamento decirlo, de la clase mercante. Pero rica. Muy, muy rica —dijo como en un arrullo.

Ella sacudió la cabeza.

—Entonces, ¿ya te han atrapado?

Él no se sintió ofendido.

—De ninguna manera. Un hombre prudente da algunos pasos con antelación. Incluso el señor Derry podría oponerse a tener un yerno endeudado. Por eso he invertido tu dinero en hacerle algunas mejoras a la casa y en unas cuantas baratijas para Deborah, y ya está todo decidido. De la mejor de las maneras.

Eleanor sintió un pinchazo de inquietud.

—¿Cuántos años tiene tu futura esposa, Lionel?

—Oh, es muy joven. Diecisiete. Una tierna flor, que pronto se convertirá en una mujer, creo.

—¡Dios, es indecente! Seguro que incluso un mercader está al tanto de tu reputación. Probablemente le debas dinero.

—Así es —admitió con satisfacción—. El querido papá Derry cree que un verdadero caballero siempre debe dinero. Y sabe que las historias que se cuentan son exageradas y que estoy realmente arrepentido de las locuras que pude cometer en la imprudencia de la juventud.

—Es decir, que lo has engañado como engañas a tanta gente. —Miró a su hermano pensativamente—. Yo podría estropearte los planes.

Lionel no dejó de sonreír, pero su mirada se volvió cruel.

—Eso sería muy insensato, querida hermana. Estoy dispuesto a ser amable contigo, pero si interfieres en mis asuntos, podría cambiar de opinión.

—¿Qué quieres decir? No necesito nada de ti.

—Por supuesto, no te lo voy a decir. Como bien sabes, mis amenazas son siempre veladas, y siempre auténticas. Baste decir que creo que podría beneficiarme haciéndote daño.

—Si pudieras hacerlo, deberías hacerlo ahora —replicó Eleanor—. Basta de juegos. Ya no tienes ningún poder para hacerme daño, hermano.

Él se encogió de hombros y pareció recuperar por completo el buen humor, cosa que la preocupó.

—Mantén las manos alejadas de mi pastel, Nell. Supongo que no hay posibilidad de ver a mi encantador cuñado, ¿no es así?

—Dudo que quisieras hacerlo.

—Pero en verdad lo encuentro encantador —protestó—. Y tremendamente sensato. De hecho, lo invité a una fiestecita que organicé, pero se vio obligado a declinar la invitación.

—Por asco, imagino.

—No sé de dónde sacas ese carácter tan beligerante, Nell. Para ser sinceros, habría dicho que, por su trayectoria actual, mi fiesta habría sido de su agrado. Tal vez, después de todo, habrías hecho mejor conformándote con Deveril. Al menos, él no te habría descuidado.

Sonrió cuando ella se estremeció involuntariamente.

—Me temo que ahora debo marcharme, Nell. Tu infelicidad es demasiado agobiante para mi buen humor. Y odio que algo, cualquier cosa, ataque mi buen humor. —Ella se dio cuenta de que era una amenaza—. Adiós, querida hermana.

—Adiós, hermano.

Aunque el encuentro la había perturbado, le dedicó una sonrisa tan amplia y tan falsa como la suya.

Cuando él alcanzó la puerta, ésta se abrió y entró Nicholas.

—Ah, el regreso del hijo pródigo —dijo con entusiasmo sir Lionel, que no parecía nada desconcertado—. Mi querido señor, me temo que ya me marcho. Que pase un buen día, señor Delaney.

Nicholas lo observó marcharse y cerró de un portazo.

—¿Qué estaba haciendo aquí? —preguntó con brusquedad.

Eleanor todavía se sentía algo agresiva por haber visto a su hermano y le criticó el tono de voz.

—No me gruñas a mí, por favor. Ha venido para decirme que se va a casar. Y no me gusta que les des órdenes a los criados para que me protejan, sin consultármelo antes. Soy perfectamente capaz de protegerme yo sola si así lo deseo.

—A mí no me lo parece —replicó. Eleanor se dio cuenta de que estaba muy, muy enfadado, aunque se controlaba perfectamente—. Te ha sacado de tus casillas —dijo con algo más de moderación—, y eso es razón suficiente para prohibirle la entrada en esta casa. ¿Por qué se han ignorado mis órdenes?

—No lo sé —le espetó Eleanor—. A lo mejor ha sobornado a alguien.

—¿Quién le ha dejado entrar?

Eleanor se quedó espantada.

—¡Por el amor de Dios, Nicholas! Estás montando un escándalo por nada. Puedo hablar con mi hermano sin sufrir una crisis. Y si me siento estresada, no sé por qué eso te molesta.

Él apenas la escuchó, porque caminó a grandes zancadas para tocar la campanilla. Hollygirt apareció.

—¿Señor?

—¿Quién ha dejado entrar a sir Lionel Chivenham?

Hollygirt palideció.

—El nuevo lacayo, señor.

—Despídelo.

—¡Nicholas!

Él ignoró la protesta de Eleanor.

—Ya me has oído, Hollygirt.

—Sí, señor. Pero si me permite hablar... Thomas es inexperto y no se sintió capaz de cerrarle la puerta en las narices a un baronet que, además, es el hermano de la señora. Llevó a cabo el procedimiento habitual dejándolo pasar y luego me avisó a mí.

Nicholas estaba desconcertado.

—Entonces, ¿por qué no le echaste tú?

Nicholas tembló, pero habló con firmeza.

—Cuando sir Lionel explicó que había venido por un asunto familiar urgente, pensé que la señora Delaney debería decidir.

Nicholas cerró los ojos un momento, exasperado.

—Por una vez, lo pasaré por alto, Hollygirt, aunque al menos tú deberías saber que mis instrucciones deben obedecerse con precisión. Dile a Thomas que tiene suerte de conservar su empleo y recuerda a todo el personal que deben cerrarle a sir Lionel la puerta en las narices.

La próxima persona que le permita atravesar el umbral con cualquier pretexto, dejará esta casa inmediatamente. Y, muy a mi pesar, eso te incluye a ti, Hollygirt. Puedes irte.

En cuanto el alterado mayordomo se hubo marchado, Eleanor habló con una furia que se equiparaba a la de su marido.

—¿Eso también me incluye a mí?

—No seas absurda.

Era la primera vez que le hablaba con tanta brusquedad y ella se sorprendió.

—¡Todo esto es ridículo y horrible! Me has avergonzado delante del personal. Yo seré quien decida a quién recibo y a quién no recibo en mi propia casa. ¡No admitiré que me den órdenes!

Descubrió que le temblaban las rodillas por la intensidad de sus emociones. Se sentó. Toda la rabia contenida durante semanas estalló de repente.

—¡Eres detestable!

—Así es como debe ser —dijo con calma, aunque mirándola con dureza—. Mis órdenes siguen en pie, Eleanor. Si decides eludirlas, conseguirás que algún criado pierda su trabajo.

Dicho aquello, se marchó y Eleanor se quedó sentada, con todos sus buenos propósitos destrozados. Era la primera vez que habían discutido de verdad. Marcaba un nuevo mínimo en su matrimonio. ¿Y para qué? Había hablado en un intento por reivindicar su derecho a ver a su hermano cuando quisiera, cuando en realidad no deseaba encontrarse con él nunca más. Debía de estar volviéndose loca.

Debió de haber sido un gesto de rebelión contra todos los opresores, o tal vez fuera debido al sentido de la justicia, pero al día siguiente Eleanor se sintió obligada a tomar cartas en el asunto sobre el compromiso de su hermano. Le hizo una visita a la señora Derry y a su única hija, Deborah.

Aunque se dijo que era lo más apropiado, sus motivos no se debían a la buena educación. Esperaba convencerse de que la chica era una arribista social amargada que sacaría provecho de la unión, una criatura descarada y malcriada dispuesta a pagar cualquier precio por un título. Pero ¡ay! No fue así.

La señora Derry era una mujer amable y sencilla que se mostró muy contenta por que la hermana de sir Lionel, una elegante dama, la visitara, una visita que, a sus ojos, quería decir que la alta sociedad aprobaba el matrimonio. Deborah era una muchacha bonita y dulce no demasiado inteligente, aunque inocente y pura. Lionel la destrozaría.

—Nunca nos imaginamos que nuestra polluela llegara tan lejos —dijo la señora Derry con cariño, mientras su hija se ruborizaba y jugueteaba con un elegante anillo de diamantes—. Aunque no son las cosas materiales lo que más nos importan, señora Delaney. El señor Lionel es tan amable con nuestro tesoro que creo que ella se enamoró de él al instante.

Deborah apoyó esa afirmación con una sonrisa y sonrojándose. A Eleanor se le encogió el corazón. ¿Qué iba a hacer?

Lo intentó primero con una ligera pega.

—Mi hermano puede ser amable, pero me veo obligada a decir que pierde los papeles cuando se enoja.

Las dos mujeres se rieron.

—Oh, todos los hombres son así —dijo la madre—. Le he dicho a Debbie que no debe cometer la necedad de esperar buenos modales todo el tiempo. Sin duda, ella también pateará y se tirará del pelo algunas veces.

—Pero, mamá —protestó la sonriente muchacha—, sabes que nunca me enfado. Por mucho que lo intente. —Se giró hacia Eleanor. Se le formaban hoyuelos en las mejillas al sonreír—. Es verdad. Me enfado, pero cuando estoy a punto de explotar, todo se desvanece.

Eleanor no pudo evitar reírse con la encantadora muchacha.

—Eres afortunada —dijo, pensando en su anterior encuentro—. Estoy segura de que te ahorras muchos disgustos. Muchas discusiones son innecesarias, y se hacen montañas de un grano de arena. Mi hermano también aborrece las peleas. Creo que nunca le he oído levantar la voz por la furia.

—¿Lo ve? —dijo la señora Derry con expresión satisfecha—. Encajan muy bien. Sabía que sería así. Debo decir, porque puedo ser sincera con usted, que el señor Derry al principio tuvo sus dudas. Supongo que los hombres creen que nadie es demasiado bueno para sus hijas. Temía que su hermano pudiera ser un poco alocado, pero ¿no lo son todos los jóvenes? Predispuesto a la bebida y al juego, pero ¿no es ésa la costumbre de los caballeros? Yo le dije: «Con una esposa en casa, pronto dejarán de gustarle esas aficiones de soltero». No soy tan tonta de creer que Debbie y él se quedarán sentados frente a la chimenea todas las noches hablando de los precios y de los vecinos, como hacemos nosotros. No, nuestra chiquilla se comportará como se espera de ella, e irá a fiestas. Y lo disfrutará hasta que lleguen los pequeños. De cualquier manera, cuando el señor Derry vio las ganas que tenía nuestro tesoro de convertirse en lady Chivenham, dejó de negarse.

Eleanor suspiró. Su visita impulsiva no sólo no le había calmado la conciencia, sino que además le había añadido otra carga que llevar sobre los hombros. Era consciente de que su deber era acudir al señor Derry e intentar hacerle ver la verdadera naturaleza de su futuro yerno. Solamente así podría salvar a Deborah de un matrimonio miserable.

No tenía ninguna esperanza de que su hermano se reformara. En cuanto la unión se llevara a cabo y la dote fuera de Lionel, Deborah se tiraría del pelo constantemente. Recibiría muy poca amabilidad, y ninguna en absoluto si decidía oponerse a él. Lo mejor a lo que podría aspirar sería a que la ignorara, y una joven tan dulce merecía mucho más.

De regreso a casa intentó decidir qué medidas tomar, pero recordó la amenaza de su hermano. Aunque no se le ocurría cómo él podría hacerle daño, sabía que Lionel nunca hacía amenazas infundadas. Su vida ya era suficientemente complicada, no necesitaba, además, sufrir la mezquindad de su hermano. A menos que, pensó con amargura, sus terribles acciones fueran revelarle la infidelidad de su marido.

Al final, decidió hacer algo que despreciaba. Le escribió al señor Derry una carta anónima a su trabajo.

Estimado señor:

En breve va a ofrecer a su hija en matrimonio a sir Lionel Chivenham. Este «caballero» es el hipócrita más cruel de Londres y está tan sumido en el libertinaje que ninguna buena influencia conseguirá reformarlo.

Si es posible, impida que su hija se case con él. Si decide no hacerlo, afiance bien su dinero de manera que tanto ella como usted tengan algún control en el futuro sobre la conducta de sir Chivenham.

Por favor, tenga por seguro que no escribo por celos o malicia, sino que me mueve el deseo de evitar la intensa infelicidad que le espera a su hija con esa unión.

Aprovechando una salida para hacer compras, dejó la carta en la oficina de recepción, esperando haberse quitado por lo menos un peso de encima.

Necesitaba un poco de alivio. Desde la discusión, Nicholas la había tratado con helada meticulosidad en las pocas ocasiones en que habían coincidido. Era mucho peor que su cortesía impersonal y se le estaba rompiendo el corazón. Según iban pasando los días y no sabía nada, volvió a sentirse inquieta por Deborah. Les hizo otra visita a los Derry.

Se mostraron tan afables como la vez anterior. En esa ocasión, el señor Derry, un hombre alto y serio de mirada inteligente, también estaba presente.

La señora Derry habló primero.

—Es muy amable por volver a visitarnos, señora Delaney. Su hermano se ha marchado hace menos de quince minutos. —Al oír aquello, sus esperanzas de que todo hubiera terminado se desvanecieron—. Se mostró muy complacido al saber que usted había venido. Confesó que no tienen una relación muy estrecha, pero habló muy bien de usted y parece tenerle mucho cariño.

—Créame —dijo Eleanor sonriendo—, yo también le tengo mucho cariño.

Entonces se tuvo que sentar y escuchar todos los planes para la boda, e incluso aconsejarlos en algunos puntos.

Por fin, pudo escapar. El señor Derry se prestó a acompañarla a su carruaje, pero antes de salir a la calle le preguntó si podían hablar en privado. Eleanor asintió con un sentimiento de desazón. Como había esperado, él sacó la carta y le pidió su opinión.

—Parece una misiva sincera —dijo ella con cautela.

El señor Derry no pensaba conformarse con eso.

—Vamos, vamos, señora Delaney. ¿Qué hay de cierto en esto? Usted conoce a su hermano. ¿Esta carta es veraz?

Eleanor suspiró y dijo:

—Sí, señor. Me temo que lo es.

—Dios mío. —Empezó a caminar de un lado a otro de la habitación—. Señora Delaney, ¿puede darme más detalles de su crueldad?

Eleanor se sentía incómoda.

—Señor Derry, mi hermano tiene muchos gastos y, desde su punto de vista, este matrimonio sería excelente. Usted me está pidiendo que eche a perder sus posibilidades. Además, como bien sabe, las personas difieren en sus gustos, incluso dentro de la misma familia. Nosotros nunca nos hemos llevado bien. De hecho, sentimos gran antipatía el uno por el otro, aunque para ser justa, debo decir que nunca le han faltado amigos. —Terminó aquel discurso disperso e inútil añadiendo—: Además, tengo miedo de él.

—¡Señora Delaney! ¿Cree que le haría daño si habla mal de él?

—Eso me dijo él mismo, señor Derry.

—Dios mío —repitió, y continuó caminando por la estancia—. Esta carta dice que es un hipócrita —ladró finalmente.

—Y lo es. Siempre se muestra jovial y amable, aunque esté haciendo las cosas más desagradables.

—También dice que está profundamente sumido en el libertinaje.

Eleanor dejó de resistirse.

—Señor Derry, debido a ciertas circunstancias, me vi obligada a vivir en casa de mi hermano durante un breve periodo de tiempo. Me fui de allí para casarme. A decir verdad, bien podría afirmarse que huí de allí. Era un lugar de orgías de borrachos, incluyendo todos los vicios que conozco y, sin duda, también muchos de los que no estoy al tanto. Se elegía a los sirvientes que estaban dispuestos a participar en esos deleites, no por las cualidades domésticas que pudieran tener. Yo sólo conseguí conservar mi virtud encerrándome en mi cuarto con llave.

Y, podría haber añadido, *al final no me sirvió de nada.*

Se levantó.

—Ya está, ésa es la verdad. Debe hacer lo que crea que es mejor, pero le pido que no le revele a mi hermano mi participación es este asunto.

El hombre, que parecía muy preocupado, le cogió la mano.

—Señora Delaney, lo único que puedo hacer es agradecerle su franqueza y asegurarle que seré discreto.

A pesar de que Eleanor se marchó un poco más calmada, no tenía muchas esperanzas de que su hermano no se diera cuenta de que ella había tenido algo que ver arruinándole los planes. Pensó brevemente en contarle toda la historia a Nicholas y pedirle ayuda, pero tal y como estaban las cosas entre ellos en ese momento, parecía imposible. Tendría que esperar para ver qué ocurría.

Cuando, tres días después, estaba dando su paseo matutino y vio que su hermano se dirigía hacia ella, supo de inmediato que habría problemas. Era algo inaudito que Lionel estuviera levantado tan temprano y, de hecho, cuando se acercó, sus ojos enrojecidos e hinchados confirmaron que apenas había dormido.

—¡Querida hermana, buenos días!

Como siempre, era todo afabilidad. Ella ignoró su amabilidad por completo.

—Hermano.

Lo saludó con una inclinación de cabeza y siguió caminando.

Él echó a andar a su lado.

—Tengo que darte una triste noticia, Nell. Mi compromiso con la señorita Derry ha, digamos, terminado. Después de que te hubieras tomado tantas molestias haciéndote amiga de la familia... Una generosidad inesperada por tu parte.

Eleanor esperaba no estar reflejando lo mucho que sus palabras la afectaban.

—¿Debo suponer que tu prometida descubrió tu verdadera naturaleza?

—¿Deborah? Jamás. No vería ni un muro delante de sus narices. No, ha sido el querido papá Derry quien se ha disgustado. Hizo algunas averiguaciones. Supongo que no hablaría contigo, ¿verdad, querida hermana?

Eleanor sospechó que Lionel sabía que había estado hablando en privado con el señor Derry, así que contestó:

—Sí, en realidad, sí que lo hizo, y te aseguro que la tentación de contarle la verdad casi fue demasiado grande.

—¿Casi? En el pasado, nunca resistías la tentación de contar cosas sobre mí.

Lo miró con resolución.

—Puedes creer lo que quieras. El señor Derry no sacó sus dudas de mí ni de nuestra charla en su estudio.

Tras un momento, él dijo:

—Casi te creo. Nunca has sabido mentir bien, Nell. Pero eso no cambia nada. Dependía de ese matrimonio y ahora debo buscar otros medios. Tendrás noticias mías.

Eleanor parpadeó.

—¿Esperas que yo te deje dinero?

—No, a menos que tu calderilla para gastos ascienda a miles. Pero me ayudarás indirectamente a hacer fortuna. *Au revoir, ma soeur.*

Conmocionada, lo observó alejarse, golpeando las flores con el bastón. No subestimaba a su hermano. Era realmente perverso. Necesitaba desesperadamente contarle a su marido lo que estaba pasando, dejar el asunto en sus capaces manos. No obstante, el mero hecho de pensar en acercarse a él en su actual estado de ánimo y hablarle de lo que había estado tratando con su hermano, la hacía temblar. Ya lo había visto enfadado una vez; aquello, seguramente, lo haría montar en cólera.

Capítulo 10

*L*a temporada de eventos de 1814 se alargó más de lo normal, avivada por las celebraciones de paz, pero a Eleanor cada vez le costaba más involucrarse en ellas con entusiasmo. El uno de agosto acudió con lord Arden a presenciar las celebraciones en Hyde Park, pero la multitud y el ruido fueron demasiado para sus nervios. Cuando la parodia de la batalla comenzó en la Serpentina, no pudo soportar las explosiones y pidió que la llevara a casa.

Por otro lado, el tiempo que pasaba en casa lo empleaba en meditar melancólicamente, en pensar en lo poco que su marido estaba allí, ya fuera durante el día o durante la noche.

Los planes que había puesto en marcha para evitar su compañía habían tenido demasiado éxito. Ahora buscaba cualquier oportunidad para restaurar algún tipo de entendimiento, pero parecía haber un abismo infranqueable entre ellos. Aunque en ocasiones ella había intentado atravesarlo, Nicholas era capaz de escapar de cualquier situación. Deseaba que Amy regresara para tener algo de compañía. Deseaba que Nicholas no pareciera exhausto. Deseaba que nada de aquello le importara.

Las grandes celebraciones por fin decayeron y se transformaron en actividades más tranquilas. Los pícaros parecían darse cuenta de su estado de ánimo e intentaban buscar ocupaciones que la tentaran. Ella se preguntaba qué pensarían del comportamiento que su amigo tenía hacia ella, pero nunca trataban ese tema.

Cuando perdió el interés en los eventos sociales, ellos idearon otros entretenimientos, como picnics y salidas al campo. Como de costumbre, lord Arden y lord Middlethorpe eran quienes la acompañaban con más frecuencia.

El primero siempre conseguía levantarle el ánimo con su buen humor y sus bromas, aunque a veces tenía la sensación de que el marqués no se tomaba la situación a la ligera y, como resultado, se estaba volviendo contra Nicholas. Eso la afligía, pero no podía decir nada que mejorara la situación.

Sus sentimientos hacia lord Middlethorpe eran más profundos. Sabía que, en otras circunstancias, podría haberse encariñado mucho con él, por eso tenía mucho cuidado de mantener su relación dentro de los límites. No necesitaba más complicaciones en su vida.

Y, debía confesarlo, a pesar del comportamiento de su marido, no se sentía indiferente hacia él. Cuando Nicholas pasaba lo que ella veía como su «tiempo impuesto» con ella, siempre en compañía, todavía podía hacer que le diera un vuelco el corazón con una sonrisa, con alguna ocurrencia o, simplemente, con los movimientos de su cuerpo. Eleanor sospechaba que, si de repente decidiera volver a mostrarse encantador con ella, caería en sus redes sin poner ningún reparo. Ese pensamiento debería espantarla, pero no era así. No debía de tener nada de orgullo.

Siempre estaba pendiente de Nicholas cuando se encontraba cerca. Si sabía que estaba en algún lugar de la casa, tenía que recurrir a toda su fuerza de voluntad para no ir a buscarlo, sólo por pasar un momento con él. Sin embargo, cuando estaban a solas se trataban con tanta frialdad que apenas merecía el esfuerzo.

Un día, mientras estaba echando un vistazo a las estanterías llenas de libros en la biblioteca, él entró. Ella se sobresaltó por la sorpresa y empezó a hablar para ocultar su desazón.

—Me temo que ya he leído todas mis novelas y estoy buscando lecturas entre materias más serias.

—Qué medida más extrema —dijo con su sonrisa impersonal—. Es evidente que se requiere otra visita a Hookham's.

Aferrándose a la posibilidad de disfrutar de su compañía, ella continuó la conversación.

—Creo que debería intentar leer algo más edificante. ¿Tienes algún libro que me puedas recomendar?

Nicholas sonrió con calidez y ella se dio cuenta, con un vuelco del corazón, de que esa sonrisa parecía auténtica por una vez.

—¿Edificante? —repitió—. Bueno, no creo que tengamos sermones. ¿Te valdrían unos ensayos filosóficos? —Pasó la mano por una estantería—. Aquí están. *Cartas sobre la conciencia.*

Ella lo cogió sin convicción, reprimiendo un comentario hiriente que se le acababa de ocurrir.

—¿Lo disfrutaré?

—No —contestó él sonriendo—. Me lo dio un amigo que ahora es catedrático en Oxford. Creo que lo hizo para fastidiarme.

Ella volvió a poner el libro en su sitio.

—Espero que no quieras fastidiarme a mí —dijo a la ligera, preguntándose por aquella simpatía tan repentina que le había puesto los nervios de punta. Escudriñó las estanterías—. *Aventuras en Portugal.* ¿Éste me gustará?

—Lo dudo. Es sorprendente cómo algunas personas pueden viajar a países excitantes y ver sólo los aspectos más prosaicos. Podrías probar con éste —siguió diciendo mientras sacaba otro volumen de las atestadas estanterías—. Es una alegre explicación de las vidas de los beduinos, las tribus nómadas del Norte de África. Nunca he estado allí, así que no puedo responder de su veracidad, pero es una buena historia. O, si no, tienes *Los viajes de Marco Polo.* Uno de los libros de viajes más interesantes, aunque se haya escrito hace muchos siglos.

Cuando Eleanor se disponía a salir con los dos volúmenes que le había dado, él dijo:

—Tengo entendido que te desmayaste un día, Eleanor. ¿Estás segura de que te encuentras bien?

Ella se dio la vuelta, emocionada por su preocupación.

—Me encuentro muy bien, gracias. ¿Quién te lo ha dicho? No era necesario. Fue sólo un ligero mareo.

—Creo que tengo derecho a saber si estás enferma, Eleanor. Jenny me lo dijo. Suelo preguntar cómo te encuentras.

Ella no lo sabía.

—Gracias. Sin embargo, no hay razón para preocuparse. Solamente debo asegurarme de evitar las multitudes, cosa que es bastante sencilla ahora que las muchedumbres se están dispersando en la ciudad.

—¿Te gustaría ir al campo?

Eleanor lo pensó.

—¿A Somerset?

—O podrías ir a Grattingley, si lo prefieres.

Lo miró con dureza, intentando descifrar su semblante impasible. ¿Por qué demonios pensaba que le gustaría ir allí? ¿Se estaba deshaciendo de ella?

—Preferiría Somerset, creo. ¿Vendrías tú conmigo?

—Yo te acompañaría, por supuesto. Pero tendría que regresar a Londres durante unos días más.

Era tentador pensar en tenerlo para ella sola durante un largo y lento viaje hacia la zona suroeste, y pensó que a Nicholas le haría bien. Sin embargo, que regresara durante Dios sabía cuánto tiempo era un precio muy alto.

—Me gustaría salir de la ciudad —contestó—. Pero me sentiría sola. No conozco a nadie en la casa de Somerset. Creo que esperaré hasta que puedas ir conmigo. —Estaba bastante satisfecha con el cortés reto que aquello representaba. No iba a librarse de ella tan fácilmente—. ¿Sería un lugar adecuado para tener al niño si nos quedamos allí?

—Solamente he visitado Redoaks dos veces. Me han dicho que la matrona de allí es excelente, pero eso lo decidirás tú cuando la conozcas. Quiero que tengas los mejores cuidados, querida.

Eleanor agradeció aquellas palabras con una amable sonrisa, pero sus pensamientos habían tomado otros derroteros. Decidió que aquélla era la mejor oportunidad que iba a tener de sacar un tema delicado.

—Me temo que esto va a parecer algo macabro, Nicholas, pero me he estado preguntando qué me ocurriría, a mí y al niño, si tú murieras.

La miró con atención.

—¿Temes encontrarte de nuevo en la pobreza? El niño y tú estaréis bien considerados en mi testamento, independientemente de mi hermano. Habrá una herencia suficiente para el bebé y tú tendrás tus propios ingresos. Ascenderá a unas seis mil libras al año. Kit será el administrador del niño, eso es todo. Debería haberte explicado todo esto antes. Lo siento.

Eleanor se sentía abrumada, tanto por la generosidad del acuerdo como por el hecho de que, evidentemente, había pensado en aquel asunto ella sola.

—Entonces, se me dejará a cargo de mi propia vida —dijo ella—. Tienes demasiada fe en mis capacidades para manejarla.

Él se acercó y le puso las manos en los hombros.

—Tengo mucha fe en ti, Eleanor.

Lo miró a la cara y vio que era sincero.

—Entonces, ¿por qué no confías en mí?

Ella sintió que Nicholas se retraía, aunque no se movió.

—Claro que lo hago.

Ya que había comenzado aquella confrontación, estaba decidida a insistir.

—No confías en mí lo suficiente para contarme qué es lo que te está desgastando tanto. Me evitas. Tal vez —continuó, reuniendo todo su valor— no confías en que no haga esto...

Se inclinó hacia delante y le rozó levemente los labios con los suyos. Sintió el paso del aire cuando su marido inhaló bruscamente. Él le apretó los hombros con más fuerza.

—Eleanor —dijo mientras seguía moviendo los labios sobre los de su esposa.

Ella no sabía si aquella palabra significaba una protesta o una súplica, pero le dio fuerzas. Nicholas no era indiferente a ella.

Dejó caer los libros al suelo y levantó las manos para tomar entre ellas su rostro exhausto, apartándose un poco para poderlo mirar. ¡Oh, qué dolor había en sus ojos!

Habló en voz baja.

—No sé lo que está pasando, querido. Lo único que comprendo es que no tengo nada. Dame un poco de ti, Nicholas.

Él se rindió.

Eleanor lo vio en sus ojos un momento antes de que apoyara la frente en la suya y la rodeara con sus brazos.

—Oh, Eleanor. No hagas esto ahora. No puedo resistirlo. Dame un poco más de tiempo.

Ella se movió para apoyar la cabeza en su hombro y lo abrazó con fuerza. La calidez de su cuerpo y el aroma especiado propio de su marido la envolvían. ¿Qué quería decir? Al principio, ella había hecho una búsqueda egoísta de su propia comodidad, pero ahora lo único que deseaba era la de él.

Después de unos momentos, como si estuviera luchando contra una gran fuerza, él se echó un poco hacia atrás.

—¿Puedes hacerlo, Eleanor? ¿Puedes aguantar un poco más?

—¿No puedes ser un poco amable conmigo, Nicholas? —le rogó sin entender nada, porque sólo veía la necesidad de su marido y la suya propia.

Él pareció cobrar fuerzas.

—Sí, por supuesto que puedo —contestó con una sonrisa sincera que no terminó de mitigar el dolor de su mirada—. ¿Por qué no salimos a dar un paseo en carruaje?

Y así, disfrutando del sol del verano, condujeron por las calles y alrededor de Hyde Park. El parque todavía contenía algunas de las edificaciones construidas para las grandes celebraciones y seguía abarrotado de puestos y barracas que ofrecían comida a quienes se paraban a mirarlos embobados.

No obstante, había zonas más tranquilas, y las encontraron. A esas alturas del año, se toparon con pocos miembros de la alta sociedad. Hablaron de política, de forma trivial, de las flores y del tiempo. Se rieron por las travesuras de los niños y de los animales. Admiraron las líneas puras de los nuevos edificios y los detalles barrocos de los antiguos. No hablaron de nada personal, pero por una vez él expuso sus habilidades sociales, su encanto y los tesoros de su mente ante ella como si fueran un regalo. Eleanor atesoró aquellas horas doradas en su corazón.

Cuando por fin él la acompañó al interior de la casa, lo miró durante unos instantes, desando hacer algo que le hiciera ver cuánto había recibido. El interludio también le había hecho bien a Nicholas. Ella no creía estarse engañando en eso.

Se contentó con un ligero beso en la mejilla y dejó que se marchara.

Nicholas condujo hasta la casa de lord Middlethorpe y se dejó caer gruñendo en una butaca.

—¡Francis, me voy a volver loco!

—No me sorprende. ¿Qué ha pasado ahora? —preguntó su amigo, poniéndole un brandy en la mano.

—Eleanor —contestó, y dio un largo trago—. Creo que se le está agotando la paciencia. Y no la culpo, aunque desearía que pudiera aguantar unos días más.

Lord Middlethorpe lo miró con preocupación. Al igual que Eleanor, se había dado cuenta del daño que todo aquello le estaba causando.

—Entonces, ¿terminará pronto?

—Todo está dispuesto, pero Thérèse sigue empeñada en llevarme con ella. No puedo ceder en ese punto o lo perderíamos todo... Apenas puedo soportar tocarla —añadió con un estremecimiento.

Lord Middlethorpe se acercó y le puso una mano tranquilizadora en el hombro.

—¿Es por Eleanor?

Nicholas suspiró.

—Por supuesto. Nunca antes me había ocurrido esto, Francis. No me interesa ninguna otra mujer. Incluso sueño con ella... Supongo que debe de ser amor, pero es un momento de lo más inoportuno para sentirlo.

Lord Middlethorpe se rió ante esa queja tan desesperada, aunque no se le ocurrió nada que decir.

—¿Sabes —dijo Nicholas— que pienso en ella constantemente? No puedo soportar permanecer en casa cuando ella está allí. La necesidad de buscar su compañía es abrumadora. A veces es ella la que me busca y lo único que puedo hacer es escapar...

—¿Has pensado en contárselo todo?

Nicholas dejó escapar una carcajada amarga.

—Querida Eleanor —parodió—, perdóname cuando salgo y le hago el amor apasionadamente a una mujer que odio de formas propias de las novelas y, a veces, asquerosas. No te importa, ¿verdad que no, querida? Después de todo, es por el bien del país.

Lord Middlethorpe se ruborizó al escucharlo. No le gustaba pensar en lo que Nicholas tenía que hacer cuando actuaba como el juguete de aquella mujer.

—Quizá resulte menos doloroso para ella si sabe que en realidad odias a Thérèse.

Nicholas hundió la cabeza entre las manos.

—No puedo, Francis. No puedo.

El reloj que había sobre la repisa de la chimenea marcaba el paso del tiempo y entonces Nicholas añadió, con la voz amortiguada por las manos:

—Cada vez que voy a ver a Thérèse me pregunto si seré capaz de cumplir con ella. Creo que tengo la esperanza de no conseguirlo, a pesar de esforzarme. —Dejó escapar una risa estrangulada—. Pero nunca es así. ¡Qué valentía frente al enemigo! ¿Crees que me darán una medalla?

Lord Middlethorpe apretó la mano. Era lo único que podía hacer.

—¿Sabes, Francis? —dijo Nicholas casi con ligereza. Levantó la cara, cansada y pálida; los ojos le brillaban, húmedos—. Se me ha ocurrido que sería un castigo adecuado si mi cacareada virilidad me abandonara cuando por fin sea libre para buscar la cama de Eleanor.

—No mereces ningún castigo, Nick —respondió lord Middlethorpe con firmeza—. No te atormentes. Estás sufriendo lo suficiente como para limpiar un montón de pecados. Y —añadió sonriendo levemente— ese sino no sería justo para Eleanor, ¿no crees?

Nicholas dejó escapar una risa temblorosa.

—No, supongo que no lo sería. ¿Desearías que no te hubiera metido nunca en esto, Francis?

—No, por supuesto que no. Aunque preferiría estar en el campo ahora. Podría desear que nunca te hubieras visto envuelto en esto, ni Eleanor, claro, pero no, para ser sincero, si el resultado hubiera sido otra guerra.

Nicholas inspiró profundamente.

—No. Ésa es la clave, ¿no es así? Gracias. Creo que me has dado la fuerza necesaria para soportar una o dos noches más. Y después, si Dios quiere, todo este asunto abominable habrá acabado.

—Si Dios quiere —se mostró de acuerdo lord Middlethorpe, y convenció a su amigo para que se tumbara y descansara un poco en su cama.

Dos días después, sir Lionel volvió a unirse a Eleanor en su paseo matinal. Ella pensó que tal vez debería variar la ruta o la hora para no ser tan predecible.

—Mi querida hermana. Una deliciosa imagen de felicidad.

—Mi querido hermano. Tú eres, sin embargo, la imagen de la intemperancia.

—Estoy ahogando mis penas, Nell —le respondió—. Pienso constantemente en la pobre Deborah.

—En su fortuna, querrás decir —dijo Eleanor secamente.

—En las dos, en las dos. Y ambas se han ido. Lo que me lleva al tema de mi propia fortuna.

Eleanor se abrazó a sí misma.

—Ya te he dicho que no te voy a dejar dinero. Mi marido no lo permitiría.

Él se rió.

—Qué marido tan estricto. Y qué esposa tan obediente. No obstante, ¿no desearía una esposa diligente proteger a su marido de sí mismo?

—¿Qué quieres decir?

Eleanor se sintió aliviada. Le iba a hablar de Madame Bellaire y a ofrecerle su ayuda para sacar a Nicholas de ese enredo. Pero haría el ridículo, y ella disfrutaría al verlo.

Lionel miró hacia atrás para asegurarse de que Jenny, que iba unos pasos rezagada, no los escuchara.

—Mi querida Eleanor —dijo en voz baja—, tu marido está metido hasta el cuello en una conspiración napoleónica. No, no, no te sorprendas tanto. Sé lo que digo. Yo, debido a mis pecados, también estoy involucrado. Madame Bellaire, de quien estoy seguro que has oído hablar, es una de las voces cantantes. Ella coordina las actividades en este país, pero la conspiración se ha extendido por todo el continente, por todo el mundo incluso. —Se fijó en la expresión perpleja e incrédula de su hermana—. No me crees. Pero lo harás si piensas en ello. Tu marido te ha estado descuidando, e incluso yo debo admitir que no es el típico hombre capaz de ser tan grosero por una mujer, sea quien sea. Pero ¿por un sueño, por un ideal?

Eleanor estaba atónita. Sin embargo, eso era una posible explicación a su situación. Al mismo tiempo, era ridículo.

—¿Quién querría que regresara Napoleón? —le preguntó.

—Mucha gente, por muchas razones, tanto egoístas como idealistas. Pero yo no. Estoy cansado de todo ese asunto y pienso delatar el complot. Lo haré sin involucrar a tu marido por diez mil libras.

Al oír esa cantidad, a Eleanor casi se le paró el corazón. Era una fortuna. Entonces recordó que era su hermano quien le estaba haciendo aquella propuesta. Tenía que haber un truco.

—Si le cuento a Nicholas lo que me acabas de decir —replicó, mirándolo—, impedirá que descubras nada.

Aquello no pareció perturbarlo.

—Puede ser, pero les he dejado algunos documentos a unos amigos. Además, creía que siempre habías sido muy patriota y que estabas en contra de Napoleón. ¿Y no te gustaría ver a tu marido libre de las redes de Madame Bellaire?

Eleanor ignoró con determinación la última parte de ese discurso y se concentró en el complot.

—Por supuesto que soy antinapoleónica. Sin embargo, no me puedo imaginar a Nicholas apoyando a ese monstruo, y no tengo diez mil libras.

Se hizo un breve silencio mientras él la evaluaba.

—Pero tienes un extraordinario collar de perlas.

Eleanor lo miró horrorizada.

—¿Quieres que robe las perlas?

—Estoy seguro de que tu marido pensará que valen menos que su vida.

Eleanor sabía que le daría las perlas, la casa, cualquier cosa para garantizar la seguridad de Nicholas, pero entonces recordó la constante perfidia de su hermano.

—No lo haré, Lionel. Creo que todo es un montón de tonterías. No voy a hablar más contigo.

Él sonrió con seguridad.

—Piensa en ello. Estaré aquí mañana a la misma hora. Si cambias de opinión, Nell, trae las perlas. Sólo aceptaré el pago por adelantado. Si no lo haces, ya puedes ir encargando ropa de luto.

Eleanor ahogó un grito ante aquella amenaza. Se quedó aturdida viendo a su hermano alejarse con paso tranquilo. Lo odiaba. La aterrorizaba. Sabía que estaría dispuesto a enviar a Nicholas al patíbulo por un puñado de monedas, y más aún por una fortuna.

Mientras regresaban a casa, era evidente que a Jenny le preocupaba su angustia.

—No tiene buen aspecto, señora. ¿No quiere sentarse a descansar?

—No. Debo ir a casa, Jenny. Es que hablar con mi hermano me altera. Siempre nos peleamos.

Aunque intentó hablar con ligereza, sabía que Jenny estaba preocupada y que sin duda le hablaría de aquello a su marido. ¿Qué ocurriría entonces? Después del alegre paseo que habían compartido, podía acudir a él y contarle los asuntos que tenía con su hermano, pero no hasta que le hubiera encontrado algún sentido a aquel último giro inesperado.

—Bueno, señora —dijo la doncella, que parecía estar en sintonía con los pensamientos de su ama—, si yo fuera usted, se lo contaría al señor. Él se ocuparía al instante de su hermano.

Eleanor miró a la muchacha.

—Jenny, estoy bien. Y no quiero que informes de esto al señor Delaney.

—Sí, señora —respondió la doncella enfurruñada.

Eleanor se preguntó si la obedecería.

Una vez en casa, se dirigió a sus aposentos para pensar, ajena a las actividades de la casa.

Nicholas estaba en el estudio con Tom Holloway, que había aparecido para informarle sobre el paseo matutino de Eleanor.

—¿Y bien? —preguntó Nicholas secamente.

—Sir Lionel se ha vuelto a encontrar con ella. Creo que han discutido, aunque él no parecía incómodo.

—¿Ella intentó librarse de él?

—No me lo pareció, Nick.

Nicholas suspiró.

—Entiendo. Bueno, espero que no cause muchos problemas antes de mañana. ¿Puedes ir a decirles a todos que nos reunamos en casa de Cavanagh esta noche a las nueve? Bien.

Cuando Ton Holloway se hubo marchado, Nicholas se quedó un momento mirando por la ventana, tamborileando ociosamente con un dedo en el alféizar. Después tocó la campanilla y mandó a buscar a Jenny.

Le dijo que se sentara.

—Jenny, sé que eres leal a mi esposa, pero debo preguntarte si sabes algo de lo que han hablado esta mañana su hermano y ella.

—No, señor. No pude oír nada. —Jenny mantenía la mirada baja.

—¿No escuchaste nada en absoluto?

La doncella se movió nerviosamente.

—Ella me pidió específicamente que no se lo contara, señor.

—Y yo digo que debes hacerlo, Jenny. La seguridad de mi esposa puede depender de ello.

Tras unos instantes, Jenny se rindió.

—Bueno, señor, de verdad que no oí mucho, pero la señora Delaney levantó la voz una o dos veces. Creo que dijo: «Esto es ridículo», y después algo sobre Bonaparte. Eso es todo, señor, pero está muy disgustada y está sentada arriba, en su habitación, como siempre que algo la disgusta. —Entonces la doncella reunió valor para añadir—: Y le pido disculpas, señor, pero no está bien que se altere tan a menudo, no en su estado. Por eso le dije que se lo contara, que usted se ocuparía de sir Lionel. Pero se puso furiosa y me ordenó que no le dijera nada. —Jenny pareció perder la confianza en sí misma—. Espero que la señora no me despida.

—Tonterías —contestó él distraídamente—. No debes contarle nada de esto. Bueno, puedes hacerlo si quieres, pero probablemente se disgustará aún más. Aunque te despida, y no puedo imaginarme a Eleanor haciendo algo tan injusto, te daré excelentes referencias. Ahora, vete.

Cuando la doncella se marchó, Nicholas se quedó de pie largo rato, aparentemente contemplando la vista, jugueteando ociosamente con un abrecartas de acero. Cuando por fin se movió, maldijo durante un buen rato y clavó el abrecartas en la pulida madera del escritorio. Salió de la habitación súbitamente.

Sir Lionel llegó a su casa y vio que tenía visita. Sus desabridos saludos a lord Deveril y a Madame Bellaire fueron un poco más forzados de lo normal.

—Qué placer tan inesperado —dijo, todo sonrisas.

—Inesperado, desde luego —replicó lord Deveril de manera poco agradable—. Tengo entendido que has visto otra vez a tu hermana, Lionel.

—Ah, bueno, la sangre tira mucho, ya sabes, aunque ese maldito marido que tiene no me deja ir a su casa.

—De hecho, te ha prohibido entrar —dijo lord Deveril.

—Sí, así es —afirmó sir Lionel con inquietud—. Algo inaceptable. Pero Eleanor y yo nos hemos visto y hemos tenido una pequeña charla sobre los viejos tiempos.

—Eso te favorece —dijo sir Lionel ominosamente—, y a nosotros. Tenemos otro trabajo para ti.

—¿El qué? —preguntó sir Lionel, incapaz de ocultar su temor—. ¿Queréis reuniros aquí otra vez?

—En absoluto —ronroneó Madame Bellaire—. Ahora mi pequeño establecimiento es tan famoso que cumple ese propósito a la perfección. No, me temo que mi encantador Nicholas puede estar perdiendo el entusiasmo por la causa. Puede que necesitemos un incentivo extra para mantenerlo a nuestro lado. ¿No cree usted que su mujer nos proporcionaría esa persuasión para que se portara bien?

Sir Lionel se rió, verdaderamente divertido.

—Por todos los santos, estáis cogiendo el rábano por las hojas. Para empezar, no podría convencer a Eleanor de que comiera aunque se estuviera muriendo de hambre y, además, no tiene ninguna influencia sobre su marido. Si alguien puede insuflarle entusiasmo —dijo con una mirada lasciva—, es usted, Madame, no Eleanor.

Madame sonrió.

—Estoy de acuerdo con usted en ese punto, sir Lionel. Pero es usted quien... ¿cómo lo ha dicho?, está cogiendo el rábano por las hojas. Me temo que necesitamos un poco más de persuasión implacable.

Sir Lionel palideció, como le ocurría siempre que pensaba en la violencia física.

—No lo haréis entrar en razón, si es eso lo que pretendéis.

—Por supuesto que no —dijo lord Deveril con desprecio—. Pero se opondría a que le pusiéramos las manos encima a su mujer, ¿no es así, zopenco? Sobre todo, teniendo en cuenta su estado. Un hombre no necesita ser un marido entregado para poner ahí el límite.

Sir Lionel parecía a punto de vomitar.

—Sir Lionel, sir Lionel —dijo Madame Bellaire de modo tranquilizador. No creerá realmente que vamos a hacerle daño, ¿no? Que yo, una mujer, consentiría tal cosa, ¿verdad? La amenaza será suficiente. No obstante, para que sea real, debemos tener a su esposa en nuestro poder.

—¿Qué tiene eso que ver conmigo? —preguntó sir Lionel con ansiedad.

—Tú —dijo lord Deveril— la vas a coger para nosotros.

—¿Cómo? —gritó, con los ojos saliéndosele de las órbitas—. ¿Cómo? Os aseguro que no confiaría en mí ni aunque yo fuera su última esperanza. ¡Es imposible!

Madame Thérèse se acercó a él dejando un rastro de perfume embriagador. Le puso una mano en el brazo.

—No se angustie tanto, *mon ami*. Sabemos que es complicado, pero ¿a quién más podemos acudir? Todos los sirvientes de esa casa son incorruptibles. Nunca sale sola. La vigilan constantemente. Además, raptarla en la calle sería demasiado arriesgado. Usted es nuestra única esperanza. Le hemos traído dos ayudantes. Todo lo que tiene que hacer es atraerla hasta aquí.

—Pero ¿cómo? —preguntó, pálido por el miedo.

La francesa desplegó todo su encanto.

—Seguro que se le ocurre algo, *mon cher*. ¿No puede ofrecerle algo y pedirle que venga a buscarlo? Un recuerdo, algo que aprecie de cuando era pequeña.

—Bueno, todas sus cosas están aquí, tal y como las dejó. Nunca ha expresado el deseo de recuperarlas.

—Excelente —ronroneó ella con aprobación—. Pídale que venga y que se lleve lo que desee conservar. Pero debe ser mañana.

—Puede que no la vea mañana —protestó.

—Se asegurará de verla —respondió Madame Bellaire suavemente—. Encontrará la manera de hacerlo. Y después —añadió en voz baja—, no interferiremos en sus pequeños planes.

—¿Mis planes? —graznó con los ojos muy abiertos. Dio un paso hacia la puerta.

—Claro. —Ella sonrió tan amplia y falsamente como él solía hacer—. Está un poco preocupado por el pobre Bonaparte, ¿no es así? ¿Cree que su gobierno pagaría una recompensa por recibir noticias de esta peligrosa conspiración? Bueno, nosotros también estamos preocupados, y haremos que todo acabe mañana. Pero debemos irnos con cierta seguridad. Por eso usted me trae a Eleanor, yo lo dispongo todo, nos marchamos y luego usted puede contarlo todo y recibir la recompensa. Habrá pocas cosas a las que pueda agarrarse su gobierno. Y también está esto. —Depositó una pesada bolsa sobre la mesa—. Mil guineas por las molestias causadas y por todos los servicios que nos ha prestado. ¿No le parece que es una magnífica paga por organizarle un ventajoso matrimonio a su hermana?

—Nunca comprendí eso —balbuceó con la mirada fija en la bolsa—. Pensé que tú ibas detrás de Eleanor, Deveril. ¿Lo planeasteis todo desde el principio?

—Una pequeña diversión —dijo Madame Bellaire con una sonrisa—. Lord Deveril habría disfrutado de su hermana durante algún tiempo, pero acepta los caprichos de la guerra. El objetivo, sin embargo, era el hermano. No teníamos previsto captar la atención de mi querido Nicholas con ese complot. Eso —añadió con una sonrisa felina— fue un placer inesperado. Ha sido enormemente divertido, pero ya es hora de darle uso. Va a ayudarnos, sir Lionel, ¿verdad? ¿Una última vez?

Él miró sus ojos, hermosos, risueños e implacables, y tragó saliva.

Asintió sin decir nada.

Esa tarde, la llegada de Amelia y Peter impidió que Eleanor pasara todo el día lidiando con su problema. Su amiga y lady Middlethorpe estaban pasando unos días en la ciudad.

—Santo cielo, Eleanor —dijo Amelia con entusiasmo—, creo que puedo ver al bebé. —Peter se atragantó—. Oh, supongo que no debería decir eso, pero es difícil no verlo. ¿Estás muy emocionada? Sé que yo lo estaría... lo estaré —añadió ruborizándose y dirigiéndole una mirada de placer a Peter, que también se había puesto un poco rojo.

—De verdad, las cosas que dices. Eleanor, ¿podrías soportar que te la dejara aquí una hora o dos?

—Por supuesto, estoy entusiasmada. Me encanta la compañía de Amy.

Él se puso serio.

—Sí, a todo el mundo le encanta. Es horrible. Nunca se puede hablar con ella. Cuando estemos casados, la encerraré.

Cuando se hubo marchado, Amy soltó una risita.

—¿No es encantador? Tengo que pellizcarme todos los días para creerme que es a mí a quien ama. Hay muchas chicas mucho más guapas que yo.

—Tú eres la prueba viviente de que lo que de verdad cuenta es la personalidad.

—¿No es sorprendente? Pero ¿te encuentras bien? Pareces un poco cansada.

—Oh, es por el calor —dijo Eleanor, y era cierto en parte—. Casi siempre me encuentro bien, pero para ser sincera, creo que el embarazo es bastante aburrido. Hay que esperar todo el rato.

—¿No está Nicholas en casa? —preguntó Amy con desinterés—. Los hombres son el colmo. Francis se ha quedado en la ciudad. No sé por qué, ya que todo el mundo está en el campo o en Brighton. Como mi madre y yo estamos aquí, pensamos que sería buena idea dar una cena esta noche, pero él dice que tiene un compromiso. ¡En julio! Mamá está muy disgustada y le dice que es un hijo ingrato. Es bastante injusto, porque suele ser un hermano estupendo... Bueno, ya sabes lo que quiero decir.

Eleanor se rió. Era maravilloso tener a Amy de vuelta.

—Claro que sí. Es todo bondad.

Amy suspiró, feliz.

—Soy la chica más afortunada del mundo. ¿Sabías que la duquesa de Arran está intentando atraparlo para su hija menor? Y es muy exigente. Mamá se siente muy orgullosa, aunque no sé si a Francis lo ha cautivado lady Anne. Me gusta, pero supongo que eso no significa nada.

—¿Es esa chica bonita y rubia con la cojera?

—Sí. Es muy dulce, y creo que se ajustaría a Francis mejor que alguien con un carácter tempestuoso. Lady Anne es un poco tímida por la cojera, pero estoy segura de que a Francis no le importaría si la quisiera.

—No, por supuesto que no —se mostró de acuerdo Eleanor—, y Francis sería un marido excelente para una chica tímida con tal problema. Es muy amable y considerado.

A Amy empezaron a brillarle los ojos.

—Muy bien, creo que intentaré emparejarlos sutilmente. ¿Sabes —dijo cambiando de repente de tema, como solía hacer— que hace poco conocí a tu hermano y que no me gustó nada?

—Eso no me sorprende. Tienes un gusto excelente.

—No hacía más que sonreír y rebosar buen humor hasta el punto de que me dieron ganas de vomitar. Empezó a hacerme todo tipo de preguntas sobre Francis y Nicholas y lo que hacían juntos. Me pareció muy extraño y, a la vez, de mala educación. Después empezó a hablar de lo preocupado que está por tu bienestar... —Se detuvo al ver la palidez de Eleanor—. ¡Oh, te he disgustado! Mi espantosa lengua otra vez...

—No, no es nada —le aseguró Eleanor rápidamente—. Es que no me gusta pensar que mi hermano te esté molestando de esa manera.

—Oh, bueno —dijo Amy—, en todas las familias hay una oveja negra. ¿Te he hablado alguna vez de mi tío Jamie?

Eleanor logró recobrar la compostura y escuchar un animado relato sobre el réprobo de la familia Haile. Sin embargo, en el fondo de su mente se estaba enfrentando a otro problema. ¿Estaría lord Middlethorpe involucrado de alguna manera en aquella locura e incluso podría Amy, tal dulce e inocente, terminar también enredada en ella? ¿Cuáles serían las consecuencias? La traición era un tema que podía atraerlos a todos.

Como resultado de aquellos pensamientos, en cuanto Amy se marchó, tomó una decisión drástica. Acompañada por Jenny, se dirigió a casa de lord Middlethorpe. Era bastante inapropiado, pero sabía que podía confiar en la discreción de Jenny. Sólo esperaba que nadie la viera.

El mayordomo de Francis se mostró sorprendido al verla, pero ella no le dio tiempo a oponerse y entró.

—Por favor, dile a lord Middlethorpe que ha venido la señora Delaney a verlo.

Sin embargo, Francis había oído su voz y acudió a ella.

—Por el amor de Dios, Eleanor, no deberías estar aquí. ¿Ocurre algo?

Ella esperó hasta que estuvieron a solas, tras dejar a Jenny sentada nerviosamente en el vestíbulo.

—Francis, tengo que hacerte algunas preguntas. Pero debes prometerme que no le dirás nada a Nicholas de esta visita ni de lo que vamos a hablar.

Si antes había parecido algo inquieto, ahora estaba verdaderamente preocupado.

—Eleanor, sabes que normalmente no hablo de ti con Nicholas, pero si me estás pidiendo que haga esa promesa, es porque debes de saber que se lo contaré.

Eleanor se negó a sentirse intimidada.

—Sí, ya lo sé. Aunque necesito tu ayuda, no te la pediré si no me das tu palabra.

—Si necesitas ayuda, Nicholas es el hombre a quien deberías acudir, no a mí. Él no te defraudará.

—Tal vez no —respondió—. Eso ya lo decidiré. Debo tomar ciertas decisiones y necesito más información. Puede que deba contárselo todo a Nicholas, pero tal y como están las cosas ahora, no puedo.

Se hizo un tenso silencio.

—Esto es una especie de chantaje —dijo él enfadado.

—¿De verdad? Qué desagradable —replicó ella—. Pero todos nos estamos viendo obligados a tomar medidas bastante desagradables, ¿no te parece?

Francis la miró sorprendido.

—¿Debo entender que sabes algo de lo que está ocurriendo?

—Antes, debes prometérmelo —insistió.

Se hizo un silencio aún más implacable que en realidad reflejaba una batalla de voluntades. Al final, él se rindió y le dio su palabra.

—Aunque, probablemente, debería contarle a Nicholas lo que acabas de decir y dejar que se encargue de ello —suspiró.

Eleanor escogió sus palabras cuidadosamente. Si Francis no sabía nada, no quería revelarle la traición.

—Me han hecho saber que Nicholas está involucrado con Madame Bellaire no sólo amorosamente, sino también en ciertas cuestiones de importancia internacional.

Observó su reacción y vio que estaba conmocionado.

—¿Cómo has sabido de esa mujer? —le preguntó él airadamente.

—De verdad, Francis, todo Londres lo sabe, y ése es el menor de nuestros problemas.

Según lo decía, Eleanor se dio cuenta de que era verdad. Hasta el momento no estaba demasiado preocupada porque su marido estuviera apegado a otra mujer, pero ahora ese hecho hacía peligrar su vida.

—Muy bien —admitió lord Middlethorpe con inquietud—. Lo que dices es cierto. Pero ¿cómo lo has descubierto? Es de vital importancia que lo sepa y se lo cuente a Nicholas.

—Pero me has dado tu palabra —le recordó.

Él gruñó.

—¡Eleanor! Si sabes lo que está en juego, entonces sabes que es extremadamente importante. No es el momento de tener caprichos infantiles.

—Eso es injusto, Francis —protestó con dureza—. Sería muy fácil posponer mis responsabilidades, pero no lo voy a hacer. Dame los detalles y yo tomaré una decisión. Pero —añadió con desesperación— no consigo entender por qué Nicholas ha cometido la locura de involucrarse. ¿Tú también lo estás?

—No, no. Yo no —le aseguró—. Al menos, no directamente. Nicholas dijo que era demasiado arriesgado en mi caso, ya que mi madre y mis hermanas dependen de mí.

—¿Acaso no dependo yo de Nicholas? —no pudo evitar preguntar.

Él le puso una mano sobre las suyas, reconfortándola.

—Él se metió en el asunto antes de que os casarais, Eleanor. Y sabe que siempre podrías recurrir a su hermano.

Eleanor dejó ese tema, que no la llevaba a ninguna parte.

—Así que es verdad. —Frunció el ceño—. Francis, ¿me estás diciendo que apruebas lo que Nicholas hace?

—Decir que lo apruebo sería decir demasiado —contestó—. Pero entiendo sus motivos, sí. Y también admiro su resolución.

Eleanor suspiró y negó con la cabeza. Nunca entendería a los hombres.

—Y yo que pensaba que os conocía a los dos. Creo que ambos estáis locos, pero Nicholas es mi marido y supongo que mi deber es apoyarlo, por muy insensato que sea el asunto. —Se levantó y se puso los guantes—. Debo irme. Puedes decirle, si lo deseas, que mi hermano planea algo contra él. Por supuesto, lo mejor sería que entrara en razón y dejara todo este asunto antes de que sea demasiado tarde; si no, debería vigilar a Lionel con atención. Bajo ninguna circunstancia le digas nada a Nicholas. Tengo tu palabra.

Era consciente de que, cuando lo dejó, estaba terriblemente preocupado. Le parecía justo que el mundo compartiera su ansiedad.

Extrañamente, Eleanor sentía que aquella nueva y pesada carga la aliviaba de las otras preocupaciones que la habían estado angustiando. El hecho de que su marido fuera un soñador, que persiguiera un ideal en vez de otros intereses más normales parecía, en muchos sentidos, un cambio para mejor. Por lo menos, no era sólo un libertino lujurioso. No obstante, la necesidad de tomar la decisión correcta era abrumadora, y no podía recurrir a él en busca de consejo.

Pensando en todo aquello, se sintió muy desconcertada al saber que Nicholas estaba en casa cuando llegó y que deseaba verla en su estudio lo más pronto posible. ¿Le habría dicho algo Francis? Imposible, era demasiado pronto.

Lo encontró sentado a su escritorio, ante un montón de papeles. Apenas la miró y tal vez fuera una bendición, porque Eleanor no habría sabido cómo manejar un momento de ternura en ese instante.

—Se me acaba de ocurrir, Eleanor —dijo con desinterés—, que te podría resultar conveniente tener tu propia llave de la caja fuerte. Puede que necesites las joyas en alguna ocasión en que yo no esté. —Le dio una llave—. Cuídala bien, querida.

Aquello era tan inesperado, y le venía tan bien a su problema de coger las perlas, que se sintió confusa.

—¿Por qué...? Yo no... Sabes que casi nunca llevo joyas... Gracias. —Recobró la compostura—. No pretendía pedírtela, Nicholas. Las perlas deben de ser muy valiosas. Debo confesar que tengo miedo de perderlas.

Él la miró ligeramente sorprendido.

—Por supuesto que lo son. Y, lo que es más importante, sería muy difícil reemplazarlas. Pero están hechas para que alguien las lleve. Se dice que las perlas pierden brillo si se dejan en el estuche demasiado tiempo. —Se encogió de hombros con indiferencia—. Si se pierden, se han perdido. No sería ninguna tragedia.

Esas palabras le dieron otra perspectiva al asunto. ¿Qué eran unas perlas comparadas con la vida de un hombre?

—Ya me dejas más tranquila —dijo ella—. Intentaré llevarlas más a menudo.

Dudó. Le gustaría decir algo que aportara calidez al momento, pero Nicholas había vuelto a sus papeles y le pareció que lo único que podía hacer era dejarlo en paz.

Él debió de volver a salir de casa, porque Eleanor cenó sola, lo que le permitió pensar con calma. Decidió que le daría las perlas a su hermano. Era un precio insignificante por la vida de su marido.

La otra alternativa era contárselo todo a Nicholas. Él informaría a sus colegas conspiradores y éstos matarían a Lionel. Si de verdad su hermano les había dejado a sus amigos pruebas escritas, entonces lo perderían todo. Sin embargo, aunque no lo hubiera hecho, Eleanor se resistía a firmar la sentencia de muerte de su hermano, sobre todo para salvar una causa que le parecía despreciable.

Apartó su cena a medio comer y se enfureció con Nicholas por haberlos enredado en aquel embrollo.

Capítulo 11

Al día siguiente, Eleanor salió a pasear, como de costumbre, acompañada de Jenny. Cuando su hermano se acercó a ella, le tendió la bolsita que contenía las perlas. Él echó un vistazo al interior y sonrió ampliamente con satisfacción.

—¡Muy sensata! De hecho, me haces ser generoso, Nell. Me temo que los sucesos que se avecinan me obligan a salir de Londres precipitadamente, así que he vendido la casa. Todavía hay algunas pertenencias tuyas allí. Si quieres, puedes ir y elegir lo que más te guste. Creo que también está el costurero de nuestra madre.

—Sí, me gustaría —contestó Eleanor, realmente complacida—. Serías muy amable si me lo enviaras.

Él pareció pensar en el asunto.

—Podría, por supuesto, pero creo que en el desván hay más cosas que tal vez quieras conservar. ¿Por qué no vienes y echas un vistazo?

—No tengo ganas de volver a entrar en tu casa, hermano.

—¿Cómo y por qué iba yo a hacerte daño, Eleanor? No solías ser tan cobarde. Trae algún acompañante, trae un lacayo. Querrás que alguien se lleve todo lo que escojas. Avísame antes de que vayas a venir y yo me esfumaré. Pero no te demores, o será demasiado tarde.

Y dicho aquello, se marchó, devanándose los sesos para encontrar la manera de atraparla si no mordía el anzuelo. Pero al menos, si tenía que huir de quienes habían sido sus amigos, tenía algo con lo que mantener a los lobos a raya.

Eleanor estaba comiendo y pensando en aquella decisión menor cuando Nicholas entró en la habitación. Hacía tanto tiempo que no comía en casa, al menos, que ella supiera, que no le habían puesto cubierto. Se levantó para tocar la campanilla, pero él la detuvo.

—No, no llames. Solamente quería hablar contigo.

—Oh.

Sintió un estremecimiento de ansiedad. ¿La habría traicionado Francis? ¿Sabía Nicholas lo que había hecho?

—He terminado —le dijo—. ¿Vamos al estudio?

Cuando se sentó en una de las enormes y cómodas butacas, volvió a darse cuenta de lo agotado que parecía Nicholas. Su aspecto dorado había perdido el brillo por las largas noches de disipación e insuficiente ejercicio.

Así se lo dijo.

—Nicholas, tienes un aspecto terrible.

—¿De verdad? —preguntó distraídamente—. Bueno, en realidad estoy deseando pasar una buena temporada en el campo para descansar. —Se giró hacia ella y, cuando la miró, lo hizo con agudeza—. Eleanor, sé que has estado viendo a tu hermano. ¿Puedes contarme qué asuntos estás tratando con él?

Sorprendentemente, no había ninguna presión en la pregunta, ninguna amenaza. Sólo era una petición y, aun así, la hizo sentir tanto pánico que no pudo ocultarlo.

—No he sido yo quien ha elegido verlo. Me habló de su boda. La chica la ha anulado y él pensó que podría haber sido por mi culpa.

—¿Lo fue?

Se sintió aliviada por tener un tema seguro del que hablar.

—Sí. La culpa fue suya, por comportarse como un sapo, pero yo se lo conté a los Derry. No podía permitir que se casara con una joven inocente.

—Estoy de acuerdo. Aunque no creo que se muestre bien dispuesto hacia ti.

—No. Pero eso no es nada nuevo. Ya ha pensado en una nueva

estrategia —añadió perezosamente, jugueteando con una pluma que había en el escritorio—. Otra forma de hacer dinero. Incluso habla de irse al extranjero.

—¿Sabes qué planes son ésos?

—No.

Eleanor recordó que Lionel le había dicho que nunca había sabido mentir. Esa vez debía resultar convincente. Levantó la vista y lo miró a los ojos con una sonrisa que esperaba que pareciera sincera.

Vio, por su expresión, que no lo había engañado.

Tras un largo silencio, Nicholas suspiró.

—Lo siento, Eleanor. Nos hemos distanciado mucho, ¿verdad? Hace poco me acusaste de no confiar en ti. Me temo que es al revés. Reconozco que es culpa mía. Siempre te has comportado de manera irreprochable y te estoy muy agradecido por ello.

Algo en su voz hizo que tuviera miedo... por él, no por ella.

—«Irreprochable» suena muy frío, Nicholas. Demasiado parecido a «inalcanzable», tal vez. ¿Es esto una despedida?

Él levantó la mirada rápidamente con los ojos muy abiertos.

—¡No! Por el amor de Dios, Eleanor, no pienses eso. Sólo quería que supieras que te valoro. En cuanto a lo de «inalcanzable» —se acercó y le cogió las manos—, evidentemente, no lo eres —añadió con dureza—: Ya debes de saber lo de Madame Bellaire.

—Sí.

—Fui un necio al pensar que podría ocultártelo. —Le soltó de repente las manos y se dio la vuelta—. Entonces, ya sabes por qué no podía acudir a ti con manifestaciones de amor.

A ella no se le ocurría qué decir. Su corazón gritaba: *Habría agradecido que fingieras.*

Dándole la espalda, Nicholas volvió a hablar con voz tensa:

—Eleanor, si esa aventura terminara y yo acudiera a ti, ¿me aceptarías e intentarías que nuestra vida en común funcionara?

Oh, cariño, ¿tienes que preguntarlo?

—Pero... No, eso es injusto. —Fue hacia la ventana y se apoyó en el borde, observando los árboles que, en pleno verano, ya tenían todo su follaje, y a los pájaros revoloteando de rama en rama—. Dime, Eleanor, si pudieras dar marcha atrás en el tiempo, ¿preferirías que no hubiera ocurrido nada de esto?

—No —respondió ella con firmeza, mirando su espalda—. Mi vida era tan desagradable que cualquier cambio habría sido para mejor. Nicholas, ¿qué estás intentando decirme?

Él se rió y se dio la vuelta.

—Quién sabe. Lo siento, querida. Debe de ser el cansancio. Parece que siempre acudo a ti cuando necesito dormir. —Atravesó la habitación y le tomó las manos para hacer que se levantara—. No te disgusta que te bese, ¿verdad? Es que ya ni siquiera lo sé.

Eleanor se ruborizó y negó con la cabeza. ¿Por qué de repente había desaparecido su indiferencia? ¿Y qué debería hacer ella? Se le ocurrió que tal vez él sabía lo que había hecho y que estaba intentando seducirla para que apoyara sus locos planes.

Lo miró a los ojos.

—Me has besado tan pocas veces... —comentó con frialdad.

No le pareció que su tono duro lo hubiera consternado, sólo vio en su rostro auténtico regocijo.

—¿Estás sacando las uñas? Es una reprimenda bien merecida. Pero eres muy besable. —Le rozó suavemente los labios con los suyos.

Cuando su cuerpo y su ánimo respondieron a ese coqueteo, Eleanor se sintió inquieta.

—¿Estás borracho?

—¿Tengo que estar borracho para desearte? —dijo con una sonrisa torcida—. Tal vez, en realidad, esté un poco aturdido.

De repente la atrajo hacía sí y la besó con más fuerza, moviendo sobre su boca sus labios suaves y cálidos. Eleanor sintió una mano en su cabello, manteniéndola en esa postura, y no intentó escapar. No podría. Instintivamente, se abrió a él y la lengua de Nicholas hizo magia, generando destellos de excitación que le recorrieron el cuerpo. Entonces él deslizó los labios hasta su cuello.

—Eleanor, querida —murmuró—. Todo esto es un lío.

Ella se apartó, desconcertada.

—¿Qué?

Nicholas le sonrió con su mirada de color jerez.

—Es un lío. Pero no te preocupes. Pronto se acabará.

—¡Pero estás en peligro!

—No, por supuesto que no —respondió, sorprendido. Estaba sonriendo y levantó la mano para acariciarle la mejilla con suavidad.

A ella le daba vueltas todo por la confusión, la pasión y el miedo.

—Quiero ayudarte.

Lo abrazó con más fuerza instintivamente.

—No puedes hacer nada. —Recorrió con el pulgar la comisura de su boca—. Sonríe para mí, querida. Es un asunto sórdido y bastante enmarañado, pero todo está a punto de desvelarse. Lo único que puedes hacer para ayudar es comportarte como has estado haciendo hasta ahora, con calma y valentía.

La soltó con suavidad y sacudió la cabeza sin dejar de sonreír.

—Siento mucho todo esto. Lo único que quería era verte y dedicarte unas palabras de alabanza para mantenerte animada. Debo de estar más cansado de lo que pensaba. He estado manteniéndome alejado de ti para evitar una escena como ésta... —La besó en la punta de la nariz—. Por favor, no te preocupes. No es necesario.

Eleanor se arrojó a sus brazos con ferocidad.

—No puedo evitarlo.

El deseo de contárselo todo era abrumador. La conspiración estaba a punto de derrumbarse alrededor de su marido. Sin embargo, si Lionel cumplía su palabra, por lo menos Nicholas estaría a salvo.

—Por favor, descansa un poco, Nicholas —le dijo—. Me aseguraré de que no te molesten.

Él negó con la cabeza.

—No, todavía debo hacer algunas cosas, y después Miles me prestará su cama durante una o dos horas. Esta tarde tengo que estar allí de todas formas.

Dicho aquello y, tras darle un último beso, se marchó y Eleanor se quedó perpleja. Estaba confiando en que Lionel consiguiera llevar a cabo su traición sin involucrar a Nicholas, aunque no tenía ni idea de cómo pretendía hacerlo ni si era posible. Nunca había sido sensato confiar en Lionel.

No obstante, la otra posibilidad seguía siendo la misma: firmar la sentencia de muerte de su hermano. Aunque Nicholas le hechizara el cuerpo y le cautivara el alma, ese camino era funesto.

Había dicho que todo estaba a punto de aclararse. ¿Qué significaba? ¿Estaba volviendo Napoleón de Elba para aterrorizar otra vez a Europa? Dejó escapar un pequeño gemido. Ella no era capaz de resolverlo y no podía acudir a nadie, no había nadie en quien pudiera confiar. Estaba a punto de ocurrir algo trascendental y lo único que podía hacer era quedarse mirando, impotente.

Todavía estaba aturdida cuando Amy la visitó, e hizo todo lo posible por ocultar su ansiedad.

—Santo cielo, Amy. No me digas que ya te has cansado de la compañía de Peter.

—Eso nunca —contestó con una risita—, pero tiene que hacer unas cuantas cosas de hombres, así que pensé que podría venir y pasar el tiempo contigo, si no tienes otros compromisos.

—Por supuesto que no. Estoy muy tranquila estos días. De hecho, estamos planeando salir de la ciudad dentro de uno o dos días.

Si Nicholas conservaba la vida y la libertad, susurró para sí.

—Son buenas noticias. Necesitas el aire del campo, Eleanor, en tu estado.

Eleanor llevó a Amy al piso de arriba para enseñarle las habitaciones del bebé redecoradas, agradeciendo la distracción. Aunque esperaba tener y criar a su hijo en el campo, se había impuesto esa tarea.

Después se sentaron y juntas trabajaron en diminutas prendas para el bebé y charlaron de unos cuantos temas.

Amy lamentó que Eleanor probablemente no pudiera asistir a su boda en septiembre, y Eleanor confirmó que un viaje tan largo no sería aconsejable, pero que Nicholas sí que podría ir.

—Nicholas —resopló Amy—. Estoy bastante enfadada con él.

—¿Por qué?

—¿Por qué? —Amy explotó—. ¡Por lo mal que te está tratando! Oh, por favor, no pongas esa cara, Eleanor. No quiero alterarte, pero no puedo seguir fingiendo que todo va bien entre vosotros dos. Aunque Peter se enfadaría muchísimo si supiera que te lo he dicho, odio la falsedad. Estoy de tu parte, Eleanor, y eso mismo le he dicho a Nicholas.

—¿Le has dicho eso a Nicholas? —repitió Eleanor débilmente.

—Sí, cuando me lo encontré en Bond Street. Empezó a hacerme todo tipo de cumplidos tontos. Normalmente no me importaría, porque coquetea divinamente, pero le dije que, si se sentía así de animado, debería coquetear contigo. Pareció quedarse bastante asombrado, y así debería ser. ¿Te ha molestado?

Eleanor negó con la cabeza.

—No. Supongo que pensé que te entristecerías al darte cuenta de que las cosas no van bien entre nosotros.

—Siempre me ocurre lo mismo —afirmó Amy—. Simplemente porque tengo un carácter alegre la gente cree que no puedo soportar los disgustos. En realidad, es lo contrario. Siempre me siento feliz gracias a que mantengo el buen humor ante los contratiempos. —Se interrumpió con una risita—. Cielos, parezco el tipo de persona que sonreiría ante un lecho de muerte, ¿no es así?

Eleanor se unió a sus risas.

—Bueno, ¿y por qué no hacerlo en algunos casos? La tristeza en los funerales puede ser abrumadora y, en ocasiones, inapropiada, sobre todo para un cristiano que se supone que va a un lugar mejor.

—Es cierto —dijo Amy con cierta reserva—. Pero no creo que estuviera muy animada en el funeral de Peter, o en el de Francis.

—No, por supuesto que no —contestó, estremeciéndose. Aquello se acercaba peligrosamente a la realidad—. Pero eso sería sentir pena por nuestras propias pérdidas. Y tendríamos la sensación de que se ha desperdiciado una vida. Siempre es triste ver morir a gente joven.

Amy se incorporó de repente.

—Qué conversación más macabra. Y eso que he venido a animarte. Mi madre está muy preocupada por mis damas de honor, ya sabes —dijo, cambiando drásticamente de tema—. La hermana de Peter es una auténtica pelirroja zanahoria, y no se nos ocurre qué color podría sentarle bien, a ella y a mis hermanas. Supongo que tendrá que ser el azul, pero a May le desagrada muchísimo el azul. Yo intento no meterme en la discusión y estoy pensando en fugarme.

Eleanor siguió el tema, agradecida por el cambio.

—Me haces pensar que me salvé de todas esas cosas habiendo tenido una boda tranquila.

—Una boda en París. Qué romántico.

—Sí —dijo Eleanor, recordando una iglesia sombría de Newhaven y a un clérigo con malas pulgas—. Pero a veces echo de menos los azahares y las damas de honor.

Amy sonrió.

—Supongo que a mí me pasaría lo mismo. Es algo que esperamos hacer sólo una vez en la vida, así que imagino que deberíamos hacerlo lo mejor posible. Sin embargo, mientras me vaya a casar con Peter, no me importa. ¿Sabes que lo echo de menos cuando estamos separados? Incluso ahora me pregunto dónde está. ¿No es ridículo? ¿Tú no...? —Se interrumpió, avergonzada—. No, lo siento.

—¿Si yo no pienso en Nicholas? —dijo Eleanor con calma—. A veces. Pero no compartimos una gran pasión.

Entonces pensó en sus últimos encuentros y se preguntó si estaría mintiendo. ¿Estaría su marido pensando en ella en ese momento? Casi prefería que estuviera durmiendo.

—De todas formas —añadió prosaicamente—, no tengo que preguntarme dónde está. Se encuentra en casa de Miles Cavanagh.

—Oh, entonces era él a quien he visto cerca de allí mientras venía para acá. Pensé que era Nicholas, pero no tenía buen aspecto. Si el otro día me pareció que estaba demacrado, hoy lo he visto mucho peor.

—Sí, lo sé —respondió Eleanor, y alisó un diminuto babero de algodón—. Ambos necesitamos un descanso.

De repente relacionó el campo con la oferta de su hermano. Si quería llevarse algo de su casa, tenía que hacerlo pronto. Le explicó a Amy la situación.

—La búsqueda de un tesoro —dijo—. ¡Qué divertido!

—Bueno, no creo que haya ningún tesoro —respondió Eleanor—. Lionel ya habrá vendido todo lo que tuviera algún valor monetario. Sin embargo, es posible que queden algunas baratijas de valor sentimental. Si Thomas y tú me acompañáis para protegerme, no me pondré nerviosa.

Así pues, tras tomar un almuerzo ligero, se pusieron en marcha.

Aquella tarde había mucha gente en la sencilla residencia de Miles Cavanagh. Todos los miembros de la Compañía estaban allí, sentados alrededor de la mesa y pasándose el decantador de brandy. En una esquina, tres hombres de clase social más baja hablaban entre ellos. Uno era Tom Holloway. Lord Melcham estaba sentado solo en una butaca, tomando un vasito de jerez.

Nicholas ocupaba la cabecera de la mesa. Llevaba una indumentaria muy elegante; evidentemente, estaba preparado para pasar otra noche en la ciudad. Se dirigió a sus amigos.

—Todo está dispuesto de la mejor manera posible. No creo que tengamos problemas, pero, si los hay, le ruego a Dios que podáis sacarme de ellos. Lord Melcham, ¿esperará aquí a tener noticias?

—Si no es inconveniente, señor Delaney, señor Cavanagh —contestó el caballero—. Debo confesar que estoy ansioso por ver los frutos de tantos meses de trabajo.

—Seguro que no está más impaciente que yo —contestó Nicholas secamente. Se calló cuando Peter Lavering irrumpió en la habitación.

—¡Delaney, gracias a Dios que te he encontrado! ¡Amy y Eleanor han desaparecido!

Se hizo un pesado silencio seguido por un alboroto que Nicholas acalló.

—Peter, siéntate y cuéntanos qué ha ocurrido.

El joven ignoró la primera petición y comenzó a caminar nerviosamente arriba y abajo.

—Fui a recoger a Amy a tu casa. Pasó el día con Eleanor, pero se la esperaba de vuelta, así que, cuando fui a casa de lady Middlethorpe, me pidió que fuera a buscarla. Tu personal parecía desconcertado porque creían que las dos habían ido a casa de lady Middlethorpe por la tarde. También se habían llevado a un lacayo, porque de camino iban a parar a recoger algo en la antigua casa de Eleanor.

—Deben de haberse llevado el carruaje —dijo Nicholas.

Habló con calma, aunque la mirada que intercambió con Francis fue de preocupación. Francis se dio cuenta, gracias a la luz de las velas, de que su rostro se había alterado; estaba mucho más demacrado y sus ojos parecían negros.

—Sí —dijo Peter con impaciencia—, pero el carruaje regresó con algunas piezas de mobiliario poco después de que se marcharan. Fui a casa de Chivenham, pero me dijeron que Amy y tu mujer se habían ido a casa de lady Middlethorpe con el lacayo. —Miró a Nicholas, que parecía impasible, y estalló—. ¡Supongo que tu indiferencia por el bienestar de tu mujer es asunto tuyo, pero yo no permitiré que nadie le toque a Amy ni un cabello!

De inmediato pareció avergonzarse por aquel arranque de furia, aunque nadie pareció darse cuenta. Todos estaban mirando a Nicholas, que se había tapado la cara con los dedos tensos y estaba blasfemando largo y tendido en varios idiomas.

De repente se puso en pie y le dio un puñetazo a la mesa, que tembló.

—¡Ésta es la gota que colma el vaso! ¡Lord Melcham, no me cabe duda de que sabe lo que tiene que hacer con sus malditos planes! —Ignoró las protestas del caballero—. Amigos —añadió entrecortadamente y con frialdad—, nuestra prioridad es rescatar a las damas ilesas. No tengo ninguna duda de que las retienen prisioneras para obligarme a hacer lo que quieren. No es necesario que os diga que me voy a comportar de manera intachable. Tendrán todo lo que quieran. Sin embargo, debemos estar preparados para cualquier eventualidad.

Se dirigió a los tres hombres que estaban sentados en el rincón.

—Shako, ve a husmear por los alrededores de la casa de Chivenham, a ver lo que puedes descubrir. Es posible que sigan allí. Tim, corre a mi casa y diles que envíen aquí cualquier mensaje o noticia nueva que les llegue. Peter y Francis... —Suspiró al mirarlos—. Lo siento mucho. Me gustaría que os quedarais aquí y que estéis preparados para organizar una huida si es necesario. Pero no corráis riesgos. Creo que no están en peligro mientras yo me comporte. Un ataque imprudente podría desencadenar el desastre.

Paseó la mirada por los rostros estupefactos que lo rodeaban.

—Me gustaría que el resto de vosotros vinierais conmigo, tal y como estaba planeado. Lord Melcham, ¿se queda?

—Señor —contestó con severidad—, no puedo permitir que tire todo por la borda de esta manera.

—No puede detenerme —respondió Nicholas fríamente—. ¿Espera que sacrifique a mi mujer y a mi amiga?

—Admito que se encuentra en una disyuntiva, señor Delaney. ¿No puede usted ver la mía? Ninguna vida es lo suficientemente importante. Si usted nos falla, puede que mueran miles de personas.

—Eso, si me perdona, es su problema. Lo que más me preocupa es mi mujer. He sacrificado su felicidad por esta causa, pero no permitiré que muera.

Lord Melcham se levantó, lo miró indignado y salió de la habitación sin decir ni una palabra más.

Peter rompió el silencio, furioso.

—¿Quién demonios era ése? ¡Quería que nos desembarazáramos de Amy y de Eleanor!

Lord Middlethorpe le puso una mano en el hombro para tranquilizarlo.

—Olvídate de él.

Miró a Nicholas, que parecía perdido en desagradables pensamientos.

Fue Lucien de Vaux quien se acercó para agarrar con fuerza uno de los brazos de Nicholas.

—Si vamos a hacer algo, viejo amigo, será mejor que nos vayamos. ¿Estás seguro —le preguntó jovialmente— de que no puedo convencerte para que me dejes probar suerte con la querida Madame? El hecho de que seas irremplazable es un duro golpe para mi orgullo.

Nicholas pareció volver a la realidad con un sobresalto.

—Por favor —dijo con desolación—, inténtalo. Aunque, a estas alturas, apenas importa... —Miró a Francis y a Peter—. Ya sabéis que jamás habría arriesgado la vida de Amy.

—Por supuesto que lo sé —respondió Francis.

Fue Peter quien estalló.

—¿Y qué pasa con tu mujer? ¡Por Dios, eres un maldito canalla!

—Peter, tranquilízate —le pidió lord Middlethorpe—. No sabes lo que estás diciendo.

Pero Nicholas dijo:

—Tiene razón, Francis. Todo esto se nos ha ido de las manos y yo debería haberlo zanjado hace mucho tiempo. Fue culpa de mi arrogancia, por pensar que estaba haciendo algo importante. Ahora ya no parece nada importante.

Se acercó a un espejo, se colocó el elegante pañuelo amarillo de cuello y se alisó la chaqueta.

Se dio la vuelta.

—Cuida de ella, Francis, si me ocurriera algo.

Dicho aquello, salió de la estancia con sus compañeros y los dos hombres se quedaron solos.

Lord Middlethorpe le pasó a Peter un vaso de brandy.

—Bébete esto. Ahora nos toca esperar, y ésa es siempre la parte más difícil.

—¿Adónde han ido todos?

—A casa de Madame Bellaire.

Peter lo miró fijamente.

—¿Ha ido a un maldito burdel?

—Estamos prácticamente seguros de que Madame Bellaire ha sido la causante del secuestro.

—Debe de ser un amante increíble —se burló—, si esa mujer llega a tales extremos para conservarlo.

Lord Middlethorpe suspiró.

—Creo que será mejor que te cuente lo que está pasando. —Le resumió rápidamente la conspiración y el papel que Nicholas había jugado para destruirla—. Todo parecía bastante sencillo, aunque un poco desagradable. Por alguna razón, no ha funcionado como esperábamos.

Peter todavía no había perdonado a Nicholas Delaney.

—¿Sus habilidades amatorias no estuvieron a la altura?

Al oírlo, lord Middlethorpe sacudió la cabeza.

—No parece que Madame Bellaire se queje, pero ha estado muy reacia a traicionar a los demás conspiradores. Nunca ha pecado de imprudente. Quería que se le garantizara su seguridad y también dinero para huir y comenzar una nueva vida en Virginia. También quería asegurarse de que Nicholas la acompañaría.

Tomó un largo sorbo de su propio vaso.

—Lo único que se me ocurre es que los otros conspiradores hayan descubierto que están en peligro. Sin duda están utilizando a Eleanor como rehén para evitar que Nicholas entregue los documentos cuando los consiga. Sir Lionel ha sido, sin duda, un títere, porque ha estado involucrado en el complot durante algún tiempo.

—Pero ¿por qué Amy? —preguntó el señor Lavering, apurando su segundo vaso de brandy.

—Una desafortunada coincidencia, diría yo. No podría haber sido más inoportuna. Esta noche era el momento fijado por Madame Bellaire para darle a Nicholas toda la información y para que él la hiciera desaparecer sin peligro. Iba a ser el fin.

—Pero si la mujer va a traicionar a los conspiradores, ¿por qué no matarla?

—Buena pregunta. —Lord Middlethorpe frunció el ceño—. Puede ser que tenga información de la que ellos carecen. Parece que ella es la coordinadora. Pero es extraño.

—Entonces, ¿por qué no matar a Delaney?

—Madame Bellaire está enamorada. Tal vez teman que los traicione por despecho.

—No tiene ningún sentido —replicó Peter—. ¿Qué ganan reteniendo a Eleanor?

—Bueno, aunque Madame Bellaire le dé a Nicholas los documentos, él no podrá usarlos. Tal vez le pidan que se los devuelva a cambio de la libertad de Eleanor y de Amy. O tal vez, más sutilmente, le hagan confesar que durante todos estos meses ha estado engañando a Thérèse y que en realidad está enamorado de su esposa. Eso terminaría con el encaprichamiento de Madame.

—Y lo matarán.

Lord Middlethorpe lo miró con horror.

—Entonces, no tendrán ninguna razón para no matarlo. Y esa mujer probablemente disfrutaría haciéndolo. Nick sospecha todo eso, por eso me ha pedido que cuide de Eleanor.

Eleanor y Amy estaban sacando el mayor partido posible de la pequeña y lúgubre habitación en la que las mantenían prisioneras. Cuando habían llegado a casa de sir Lionel, éste las había recibido con su efusividad habitual. Eleanor se había arrepentido de no haber enviado a alguien para avisarle de su llegada para que pudiera ausentarse, tal y como le había prometido.

De hecho, en esa ocasión el cálido saludo de su hermano había sido sincero. Nunca se había alegrado tanto de ver a alguien en toda su vida, aunque Eleanor hubiera aparecido con una amiga y con un lacayo. Él había cumplido; ahora les tocaba a los compinches de Madame Bellaire encargarse de los detalles.

Las acompañó alegremente al polvoriento desván. Eleanor se aseguró de que el joven y fuerte lacayo estuviera siempre cerca de ella. La casa la hacía estremecerse por los malos recuerdos.

Sin embargo, en el desván encontró numerosos objetos que le encantaron, incluyendo el costurero de su madre. Había incluso un baúl con ropa de bebé que había sido suya. Thomas hizo tres viajes al carruaje. Al principio se había puesto nerviosa al verlo marchar, pero admitió que no podía andar subiendo y bajando detrás de él.

No regresó del tercer viaje. En lugar de él apareció un joven con una pistola en la mano.

—Por favor, sean sensatas, señoras —les dijo educadamente—. Las estamos secuestrando.

Las dos se habían quedado con la boca abierta.

—Bien. Me alegro de que sean razonables.

Otro hombre entró en la habitación.

—¿Y el lacayo? —preguntó el primero.

—Ya nos hemos ocupado de él, y hemos enviado el carruaje de vuelta a casa.

—Excelente. Y ahora, señoras, les aseguro que no tienen nada que temer si se comportan con sensatez.

Eleanor exclamó de pronto:

—¡Usted es el hombre que me siguió!

El joven inclinó la cabeza. Seguía pareciendo un dependiente.

—Tuve ese placer, pero, desafortunadamente, su marido lo descubrió y tomó medidas al respecto. Ha estado bien protegida, señora Delaney, aunque no lo suficiente.

—Pero ¿qué quieren? —preguntó Amy, desconcertada.

—Solamente mantenerlas a salvo hasta que ciertos asuntos se lleven a cabo sin complicaciones.

—No lo entiendo —gimió Amy.

Enseguida Eleanor rodeó con un brazo a la asustada joven.

—Iré con ustedes —dijo—, pero dejen que la señorita Haile se vaya. Ella no tiene nada que ver en esto.

Se estaba preguntando quién sería el responsable de aquel secuestro. ¿Los conspiradores? Pero era Lionel quien hablaba de traicionarlos, y una simple amenaza a Amy y a ella no lo detendría.

—Me temo que eso es imposible —respondió el joven—. No queremos que alguien dé la alarma demasiado pronto. Átales las manos, Jim, pero no muy fuerte. Después de todo, son damas. Me temo, señora Delaney, que la única alternativa a llevarnos a su amiga con nosotros es atarla fuertemente y dejarla encerrada en esta casa. Así que será mejor que venga con nosotros.

—No te preocupes por mí, Eleanor —dijo Amy con valentía. Y añadió dirigiéndose al hombre—: Debe saber que la señora Delaney está en estado. Cualquier conmoción podría ser peligrosa.

—Soy consciente de ello, señorita Haile. Si ambas cooperan, no habrá problemas. Las llevarán a una casa en un cómodo carruaje y se quedarán en una habitación. Una habitación sencilla, pero con todo lo necesario. Se les dará comida y todo lo que pidan, siempre que sea razonable. Esta noche, si todo sale bien, se las liberará cerca de Lauriston Street. Como ven, no hay nada que temer.

Eleanor no lo había estado escuchando y apenas fue consciente de que le ataban las manos por delante. Seguía analizando la situación. Aquello sólo podía significar que Nicholas pretendía revelar la conspiración. Había recuperado el buen juicio. Eso era lo que había querido decir cuando le dijo que todo iba a desvelarse. Pero ¿qué haría ahora que ella estaba en peligro?

El joven volvió a hablar.

—¿Están bien atadas? Ahora, señoras, Jim irá en cabeza y yo las seguiré con la pistola. Les advierto que la usaré si causan algún problema. Si les disparo en la pierna, no podrán escapar, y ahora esta casa está vacía. Nadie oiría el disparo.

Lo único que podían hacer era obedecer. Bajaron las escaleras torpemente, levantándose las faldas con las manos atadas. Hubo un momento en que Eleanor tropezó y el hombre llamado Jim se giró y le tendió una mano con gesto impersonal pero que ella agradeció.

Salieron de la casa por la parte de atrás y se metieron en un carruaje que tenía cortinas en las ventanas. Los dos hombres se sentaron frente a ellas, con las pistolas preparadas. Eleanor pensó que una dama ingeniosa encontraría la manera de salir de aquel apuro, pero no se le ocurría nada. En cualquier caso, no fueron muy lejos. Eleanor calculó que habrían recorrido un kilómetro y medio.

Cuando salieron del vehículo, estaban en una tranquila callejuela. Las hicieron entrar en una gran casa en la que se oía música, como si estuvieran celebrando algún tipo de entretenimiento musical. No obstante, si así era, no vieron a nadie mientras subían unas sencillas escaleras por la parte trasera hasta la zona superior de la casa, donde las instalaron en una de las habitaciones de los sirvientes en el desván. Eleanor miró su reloj y vio que eran las cuatro de la tarde. Jim las desató a las dos y después las dejaron allí, encerradas.

Se pusieron a explorar. Había una pequeña ventana de gablete abierta que dejaba entrar el aire, pero tenía sólidos barrotes. Iba a dar a un callejón, así que tenían pocas posibilidades de llamar la atención. La puerta era compacta y no habían dejado la llave en la cerradura. Ni siquiera podían intentar echarla abajo a empujones.

Tampoco consiguieron nada de utilidad tras rebuscar en sus bolsos, ni siquiera un par de tijeras.

—Es inútil —dijo Amy indignada—. En las novelas, la heroína siempre tiene algo más que un pañuelo y unas tarjetas de visita.

—Prometo no volver a salir nunca de casa —dijo Eleanor— sin, al menos, una navaja.

El único mobiliario que había en la habitación era una cama estrecha, una sencilla mesa y dos sillas duras, y todo estaba firmemente atornillado al suelo de madera.

—Esto ya lo han usado antes como prisión —comentó Amy mientras se sentaban en las sillas a esperar.

Eleanor se mostró de acuerdo. Temía que se encontraran en el local de Madame Bellaire; había oído que algunas pobres chicas no entraban en los burdeles por propia voluntad. Tal vez usaran aquella habitación para retenerlas hasta que se rindieran. Se preguntó, temblorosa, qué las aguardaba. Estaba preocupada por Amy, que se había visto envuelta en todo aquello sin merecerlo. Estaba preocupada por el bebé, que se movía levemente en su vientre. Si la golpeaban, podría sufrir un aborto.

Cuando oyeron unas pisadas y la llave giró en la cerradura, se levantó rápidamente, preparada para defenderse.

Sin embargo, era, para su asombro, una doncella uniformada con una bandeja de té y pasteles. Jim estaba en la puerta, pistola en mano, y las observaba con atención mientras la mujer de mediana edad dejaba la bandeja en la mesa. La doncella se marchó, indiferente a su suerte, y entonces Jim les hizo una ligera reverencia y dijo:

—Disfruten del té, señoras.

Se marchó y oyeron que volvía a cerrar con llave.

Sin poder contenerse, Amy se rió ante aquella incongruencia.

—¿Le sirvo el té, señora Delaney?

—¿No es extraordinario? —dijo Eleanor, dándole un mordisco a un excelente pastelito de ciruela, medio esperando que estuviera envenenado.

Recordó la bebida que le habían dado la noche que la habían violado, que le había dejado un sabor extraño en la boca. Aquella comida parecía perfectamente normal.

—Y es una vajilla muy bonita —añadió—. Diría que es Minton.

—Pero no hay cubertería —apuntó Amy—. Si queremos echarle azúcar al té, no sé cómo lo vamos a hacer.

En el fondo, Eleanor se sentía aliviada por el desarrollo de los acontecimientos. No podía imaginarse que aquel té tan decoroso fuera el preludio de la brutalidad y el asesinato.

—Me pregunto dónde estamos —dijo Amy—. Eleanor, tú no parecías tan sorprendida como yo por todo esto. ¿Qué está ocurriendo?

Había estado temiendo aquella pregunta. No podía contarle a Amy las insensateces de Nicholas. Todavía había una posibilidad de que salieran de aquello sin incidentes.

—No lo sé exactamente, Amy —respondió finalmente—. Nicholas está metido en algo y creo que, cuanto menos sepas, mejor. Me temo que tú estás aquí por casualidad, pero creo que quieren mantenerme como rehén para que él haga lo que desean.

—¿Crees que nos dejarán marchar? —preguntó Amy, intentando ocultar su ansiedad.

—Sí, por supuesto —le respondió, con más seguridad de la que realmente sentía—. No quieren hacernos daño y, si desapareciéramos, se armaría un escándalo.

—Sí —contestó Amy, animándose—. Seguro que Peter ya es presa del pánico. El único problema es que probablemente hará algo estúpido —añadió, haciendo el primer comentario desdeñoso sobre su héroe.

—Afortunadamente, no puede hacer nada. Terminará buscando a Nicholas, y éste se ocupará de todo. —Eleanor rezó para tener razón, y añadió con tono alegre—: Toma otro trozo de pastel, Amy.

Capítulo 12

Cuando los caballeros llegaron a casa de Madame Bellaire, los recibieron alegremente, como correspondía a unos antiguos clientes. Primero fueron al comedor, donde siempre había dispuesto un excelente bufé. De inmediato se vieron rodeados por hermosas jóvenes luciendo espléndidos vestidos. Sólo se diferenciaban de las debutantes de Almack's por sus impresionantes atractivos. Sin embargo, era evidente que, aunque revoloteaban atentamente alrededor de aquellos apuestos jóvenes, ninguna se acercaba a Nicholas de manera que no fuera casual. Sabían que era propiedad de su patrona.

Enseguida apareció la dama en cuestión, gloriosamente ataviada con seda de color rubí y con el cabello oscuro recogido en lo alto de la cabeza. Le tendió las manos.

—Mi queridísimo Nicky.

Nicholas le besó las dos hermosas manos y los labios, suaves y carnosos.

—*Chérie*. Estás más deslumbrante que nunca.

Ella le dedicó aquella sonrisa lenta y seductora que era su mejor arma. Prometía todas las maravillas del mundo sensual. Con un dedo le recorrió un lado de la cara y los labios.

—Y esta noche es una noche especial, *mon amour*. Ven, tenemos que… hablar.

Cuando se dirigía a su tocador privado, abierto sólo para los más privilegiados, el marqués se adelantó y le cogió una mano, llevándosela a los labios. Thérèse se detuvo e, intrigada, esbozó una leve sonrisa.

—¿Lord Arden?

—Estoy desesperado —le dijo, dedicándole una mirada de adoración—. ¿Qué tiene Nicholas Delaney que Lucien de Vaux no pueda mejorar?

La mujer no intentó liberar la mano; de hecho, se acercó aún más.

—Una pregunta interesante, señor marqués. Tal vez debería pensarlo. —Le recorrió lentamente el cuerpo con la mirada y después se giró para mirarlos a ambos—. No puedo negar que contáis con la ventaja de la belleza convencional. Cabello dorado, ojos de color zafiro, una altura considerable y espalda ancha. Y, por supuesto, en rango y en riquezas no hay comparación. ¿Sois tan generoso como mi Nicholas?

Fijó la vista en el enorme alfiler de diamantes que lucía en el pañuelo de cuello y sonrió.

De inmediato, el marqués se dispuso a quitárselo, pero Nicholas lo detuvo.

—Debo protestar —dijo a la ligera—. Si quieres diamantes, corazón, debes pedírmelos a mí.

Thérèse suspiró y miró al marqués con tristeza.

—¡*Hélas!* Es tan posesivo...

Lord Arden terminó de quitarse el alfiler y se lo tendió.

—¿Y vos sois... «poseída»?

Ella cogió el alfiler y lo levantó a la luz para que las caras de los diamantes destellaran.

—Admirable —suspiró con evidente avaricia y volvió a mirar a los dos hombres—. Hay un aspecto en el que nadie ha superado a mi querido Nicky.

Volvió a recorrer el cuerpo del marqués con la mirada y se detuvo en los genitales. Lord Arden se sorprendió al darse cuenta de que se ruborizaba. De que se sentía sucio.

Le dirigió una mirada a Nicholas con la que quería expresar entendimiento y conmiseración. Y tal vez también fuera una llamada, porque éste rodeó la cintura de la mujer con un brazo y la urgió a seguir su camino.

Ella miró hacia atrás y se encogió de hombros de manera triste y concupiscente a la vez. Cuando el marqués se dio cuenta de que se había llevado sus diamantes, sólo pudo pensar que había pagado un bajo precio por escapar.

Una vez en su precioso tocador, que tenía las paredes cubiertas de espejo y de satén de color marfil y donde las velas perfumadas cargaban el aire, Thérèse se dejó caer en una butaca y levantó los brazos.

Nicholas acudió con premura a ella para besarla apasionadamente.

—Ah, Nicholas —murmuró mientras él le besaba el hombro desnudo y la redondez de la parte superior de los pechos—. ¿Por qué significas tanto para mí?

—¿Cómo puede comprender un hombre sencillo la mente de una mujer? —respondió con voz ronca, y deslizó hacia arriba las manos, hasta cubrirle los pechos—. Lo único que puedo hacer es sentirme agradecido.

—Y así debe ser —contestó ella.

Nicholas sintió un dolor punzante en la ingle y se apartó con brusquedad. Ella le había pinchado con el alfiler de diamantes. La miró fijamente.

—Mira lo que he conseguido para ti —dijo Thérèse, haciendo girar el alfiler ante sus ojos.

Él alargó una mano.

—Deberías dejar que se lo devolviera.

—¿Por qué?

—Porque no le vas a dar nada a cambio.

—¿Ah, no?

—No.

Nicholas estaba jugando a un juego peligroso, porque su relación siempre pendía de un hilo. Sin embargo, ella esperaría que se mostrara posesivo.

Thérèse suspiró de forma encantadora y le prendió el alfiler en la solapa.

—Toma, te lo doy. Tú verás lo que haces con él. Ahora —añadió, deshaciéndole el pañuelo y abriéndole la camisa—, ¿qué me vas a dar a cambio de esa joya?

Él le apartó las manos y hundió las suyas bajo las faldas, ya que conocía sus preferencias. Le gustaba la brusquedad. Levantó las capas de satén, seda y encaje para dejar al descubierto la desnudez que ya conocía y los tatuajes indecentes que tenía en la cara interna de los muslos. Le separó las piernas.

—¿Cómo puedo sentirme obligado a darte algo cuando es un placer hacerlo? —contestó, esperando parecer deseoso en lugar de asqueado.

Ella se recostó, entreabrió los labios y entornó los ojos.

—Pero pareces enfadado. Me excitas cuando estás enfadado. ¿Es por tu amigo? Sólo estaba bromeando, cariño. Es un niño.

Nicholas estaba arrodillado entre sus piernas.

—Es mayor que yo.

—Es un niño —repitió ella—. Por eso te opusiste, ¿no es así?

Estaba en terreno peligroso.

—No —contestó Nicholas, y comenzó a pasarle el dedo por los muslos como a ella le gustaba.

—Claro que sí —dijo ella haciendo un mohín.

De repente, Thérèse dejó el tono juguetón y se levantó de la butaca para colocarse la ropa. Otro de sus trucos favoritos aunque, en esa ocasión, él lo agradeció.

—Pero esperemos un poco, que eres un impaciente —le dijo con picardía—. Esta noche es para los negocios, no para el placer. —Le pasó una larga uña por el pecho desnudo, marcándolo, y después la cruzó para trazar una te—. Por lo menos, no todavía. Tengo lo que quieres —añadió con suavidad.

Él le cogió la mano que lo atormentaba y se la llevó a los labios.

—Tú siempre tienes lo que quiero, reina mía.

Thérèse dejó escapar una risa gutural.

—Eres muy travieso, querido. Ya sabes lo que quiero decir.

—¿Las listas?

La miró y forzó una sonrisa, como si los papeles no le importaran.

—Sí, Nicky, las listas. —Se apartó de él y sacó un abultado sobre de un cajón—. Ingleses, franceses, alemanes, austríacos, italianos e incluso americanos. Todos los cabecillas. Con pruebas de su implicación. Te sorprendería saber a cuánta gente le favorecería que regresara Napoleón, que continuara la guerra.

Él lo cogió y se lo metió en el bolsillo, suprimiendo un suspiro de alivio. Entonces sí que se permitió hablar con seriedad.

—Gracias, Thérèse. Esto es lo mejor. Y ahora, deja que te lleve a un lugar seguro. Estás en peligro.

—¡Como si no lo supiera! —replicó, y dejó entrever el pánico que sentía. Era la primera vez que él le había visto mostrar esa emoción—. Sin embargo, me sigo preguntando si de verdad puedo confiar en ti. ¿Cuidarás de mí?

—¿No confías en mí, mi amor?

La abrazó y la besó con ternura.

Ella se relajó entre sus brazos, pero después se apartó ligeramente.

—Eres el único para mí —dijo trágicamente—. No he tenido una vida fácil y he aprendido a no confiar. Estás casado y tu mujer espera un hijo tuyo. Tienes razones para abandonarme en cuanto haya hecho lo que quieres.

Él le dejó una lluvia de besos en el cuello.

—¿Abandonarte? ¡Sería como abandonar mi corazón! Ya sabes, Thérèse, que tengo un deber hacia mi mujer. Estás de acuerdo en eso. Pero tú eres mi alegría y mi placer. Lo eres todo para mí. Estás siendo una tonta, emperatriz de mi alma.

Oh, Dios, ¿cuántas más cosas podría inventarse?

—No, no lo soy, Nicky —contestó, liberándose de su abrazo—. Estoy siendo muy sensata, cuando lo único que deseo es hacer el amor contigo para siempre. —Lo miró apreciativamente—. Eres, con diferencia, el mejor amante que he tenido. Tienes... *l'âme d'amour*, el alma del amor.

Abrió los labios ávidamente y Nicholas supo que estaba hambrienta de sexo. Thérèse lo usaba como un arma, pero ésta también la usaba a ella. Uno nunca podía estar seguro de cuál era la emoción que predominaba en un determinado momento, pero ahora, él pensó que era el deseo lo que la dominaba.

No podría hacerlo. ¿No podía marcharse ya? Tenía las listas. Sin embargo, sabía que no conseguiría salir de la casa, y además tenía que pensar en Eleanor y en Amy.

Cuando se inclinó hacia él, Nicholas se armó de valor para seguir con aquella representación un poco más.

—Te vas a enfadar mucho conmigo —le susurró Thérèse con tono aniñado mientras le deslizaba las manos desde los hombros hacia abajo. A pesar de todo, él sintió una respuesta física ante sus hábiles caricias.

Con la destreza de un carterista, le quitó el sobre y lo volvió a meter en el cajón. Él reprimió un movimiento violento y se limitó a enarcar las cejas.

—Hasta más tarde —dijo ella con una sonrisa—. Tengo aquí a tu esposa.

Él reprimió una respuesta radical y se encontró con su mirada, dejando que la calidez se enfriara un poco. Agradeció aquel descanso de tener que fingir amor.

—Me lo estaba preguntando —dijo, simulando indiferencia—. No puedo imaginarme qué tienes en mente. No es propio de ti mostrarte tan celosa.

—Oh, no estoy celosa —respondió con una sonrisa desdeñosa—. ¿Cómo iba a estarlo? Ella es tan vulgar... y está hinchada por el embarazo. También está esa amiga suya. Eso ha sido algo inesperado. —Se rió al ver su expresión—. No te pongas tan serio, *chéri*. Las dos están sanas y salvas. Les he dado de cenar y un juego de cartas para que se entretengan.

Nicholas dio unos cuantos pasos alrededor de la habitación, aliviado, al fin y al cabo, ella no tenía por qué mentirle, e intentando descubrir desesperadamente qué esperaba de él en esa situación. Lo más probable, es que se sintiera incómodo por lo que había hecho. Estaba seguro de ello.

—No puedo aprobar esa decisión —dijo con dureza—. Eleanor no debería alterarse en su estado. ¿Qué pretendes?

La francesa le dedicó una mirada infeliz con sus enormes ojos. Él se maravilló por la habilidad que tenía de cambiar de una emoción a otra, todo con aparente sinceridad.

—No estoy segura de ti, Nicky —protestó—. Ya te cansaste de mí una vez. Tengo que saber que te importo más que ella.

—¿Y cómo propones que te lo demuestre? —le preguntó—. ¿No te parece suficiente que haya pasado contigo todos los momentos que tenía libres en los últimos meses?

A Thérèse le temblaron los labios y se llevó a ellos una elegante mano.

—No soy razonable, pero ¿no les ocurre eso a todas las mujeres? Me estás pidiendo que me arriesgue mucho, Nicky, y todo por amor. Me estás pidiendo que abandone a todos mis amigos, mi forma de ganarme la vida... Tengo miedo. Si vuelves a dejarme, no podré soportarlo. Seguramente moriré.

Su representación era tan convincente que él empezó a sentirse culpable.

Thérèse se aferró a él y su perfume almizclado lo envolvió como una ola.

—Si veo cómo le dices a tu esposa que es a mí a quien amas —dijo con lágrimas en los ojos—, si te veo decirle que te vas a ir conmigo para siempre, si veo cómo destruyes cualquier resto de amabilidad que ella aún sienta por ti, entonces puede que te crea.

Su aroma, picante y erótico, le daba náuseas, y necesitó toda su fuerza de voluntad para no apartarla.

Sentía un potente deseo de golpearla. ¿Qué clase de locura era aquélla? Consiguió mantener el tono calmado con mucha dificultad.

—Me parece que esto no es razonable, Thérèse. ¿Qué pasa si no accedo a ello?

—Entonces, la conspiración seguirá adelante —respondió—. Si no te tengo, no tengo alternativa. Y —añadió con tristeza— tu mujer y tú tendréis que morir, Nicky. Supongo que su amiguita también.

A Nicholas le latía el corazón aceleradamente.

—¿Y si accedo a tus antojos quedarán libres?

—Por supuesto. —Le acarició la cara—. ¿Soy una mujer mezquina, Nicky? Sabes que odio la violencia. Si se desvela el complot y ya nos hemos ido, no habrá ningún peligro para ellas. En cuanto sepa que tu esposa te odia, ni tu hijo ni ella estarán en peligro. Y tú —dijo en voz baja— me pertenecerás para siempre.

Sus palabras lo dejaron helado. Que Dios lo ayudara si Thérèse le pedía que le hiciera el amor esa noche. No lo conseguiría ni aunque ella desplegara todas sus habilidades amatorias.

—No te enfades conmigo, querido.

Él decidió correr el riesgo y la apartó. Se acercó a la chimenea, intentando ganar algo de tiempo para pensar. Podría dominarla y llevarse los documentos, aunque ella era rápida como una serpiente y siempre llevaba un pequeño puñal encima. ¿Qué conseguiría con eso? Siempre había un guardia en la puerta del vestidor, y Eleanor seguiría en sus manos.

Podría llevarse a Thérèse como rehén, pero eso sería todavía más difícil. También supondría el final de su supuesta gran pasión. Si había algún descuido, todos podrían morir.

No. En el fondo, lo más seguro era aceptar sus locos planes. Lo que por supuesto significaría que heriría a Eleanor de nuevo y que desaparecería cualquier posibilidad de felicidad marital. Aun así, creía que podría arreglar las cosas con su mujer cuando pudiera explicárselo todo. Sólo unas cuantas horas más.

Se giró, sin aparentar cariño en esa ocasión. Solamente esperaba que ella no lo tocara.

—Repíteme lo que quieres que haga.

—Ve a verla. Dile que es a mí a quien amas. —Se acercó, como si fuera la viva imagen de la dulzura. Era una actriz increíble—. De todas formas, así es mucho mejor, Nicky. Así ella podrá comenzar una nueva vida con otra persona. Podemos simular tu muerte y sería una viuda rica. Pero antes debes liberarla de ti, porque sé lo mucho que afectas a las mujeres. No creas que esa mujer tan simple y aburrida es inmune a ti. Son las peores; e incluso ellas tienen su orgullo. Dile que te vas a ir conmigo y que no volverás. Enfádate con ella, y así ella también lo hará contigo.

Dio una palmada, como si de repente se le hubiera ocurrido algo.

—Finge que crees que vino a verme por propia voluntad, para insultarme por haberme ganado tu cariño. Muéstrate indignado por su comportamiento. Te odiará y quedará libre. Entonces sabré que me amas a mí, sólo a mí.

Nicholas sacó a la luz parte de sus verdaderos sentimientos.

—Si hay algo que pueda matar mi amor por ti, Thérèse, es esta locura. Te adoro, pero respeto a mi mujer.

Sus ojos parecieron encenderse.

—Entonces, ¡no me respetas!

—No de la misma manera, Thérèse, no.

—¡No me amas! —chilló, y le arrojó una figurita de porcelana, que se estrelló en la pared, cerca de su cabeza.

Dios, había ido demasiado lejos. Nicholas se armó de valor para hacer un último esfuerzo y la atrajo hacia sí, abrazándola con fuerza.

—¡Desearía no hacerlo! —replicó—. Pero Thérèse, me estás pidiendo que me comporte deshonrosamente. Ninguna mujer debería hacer eso.

—¿Qué me importa el honor? —gritó—. Estoy dispuesta a sacrificarlo todo por ti. ¿No puedes hacer tú esa cosita por mí?

Él suspiró y la besó.

—¿Y después podrá irse a casa sana y salva?

Ella volvía a ser dócil de nuevo. Le besó las manos con tierna veneración.

—Te doy mi palabra, mi niño dorado.

Podía llamarlo como quisiera. Ella era quien estaba al mando y ambos lo sabían.

—Muy bien —dijo Nicholas—. Llévame ante mi esposa.

Lo guió por las escaleras traseras hasta una puerta cerrada, junto a la que había un hombre con una pistola.

—Está aquí. Por cierto —añadió como si no tuviera importancia—, hay una mirilla. Lo veré y lo oiré todo.

La observó mientras se marchaba. La rabia lo invadía, pero podía controlarla. Él siempre lo controlaba todo. O, por lo menos, eso había creído.

—Abre la puerta —le ordenó bruscamente al guardia, y le dieron ganas de darle un puñetazo en la cara.

Entró en la habitación.

¡Amy! Por Dios, ¿tenía que llevar a cabo esa farsa delante de ella?

Las dos mujeres se pusieron en pie de un salto, dando gritos de alegría cuando entró, pero él las interrumpió rápidamente.

—¿Qué estabas pensando cuando viniste aquí? —le gritó a Eleanor—. Y, además, has traído a Amy.

Las dos palidecieron.

—¿Qué quieres decir? —contestó Eleanor.

—Pensaba que, al menos, tenías buena educación —le espetó. Si podía evitar que hablaran, tal vez lo conseguiría—. ¡Viniste aquí llena de acusaciones, donde no vendría ninguna mujer decente, y le montaste una escena a mi amante! Ni siquiera tendrías que estar enterada de nada. Si no estuvieras encinta, te golpearía.

Eleanor se quedó callada, mirándolo fijamente, pero Amy dio un salto hacia delante.

—Nicholas, ¿estás loco? ¡Nos han traído aquí a la fuerza!

La apartó de un empujón.

—¡No apoyes sus argucias!

Cuando Amy se apartó horrorizada, él retomó el ataque a su mujer.

—Ya que has sido tan insensata de venir aquí —dijo fríamente, sosteniendo la mirada de sus enormes ojos azules—, mereces saber la verdad. Esta noche me iré con Madame Bellaire, la mujer a la que siempre he amado. Sabes que nunca me habría casado contigo si mi hermano no me hubiera obligado, amenazándome con dejarme en la miseria. Tienes mi palabra. No dejaré que el mocoso ni tú os muráis de hambre. Da gracias por eso.

Ante aquella confesión, Eleanor sintió que la rabia bullía en su interior, y se alegró. Mató el dolor por un momento.

—No quiero nada de ti —afirmó con voz estrangulada—. ¡Eres despreciable! —Buscó las palabras adecuadas para expresar sus sentimientos y le espetó—: ¡Oh, vete a revolcarte con tu puta de mediana edad!

Y se giró hacia la pared, llorando.

Él se inclinó hacia delante para que no se le viera el brillo de los ojos. ¡Ojalá hubiera visto la cara de Thérèse ante aquel golpe maestro!

—¡Es mucho mejor que una tonta chiquilla malcriada que siempre requiere mi atención y no deja de montar escenas! —le dijo.

Cuando Amy comenzó a protestar, se giró hacia ella.

—¡Cállate!

Miró a su alrededor con desesperación, con la esperanza de parecer que se había quedado sin palabras por la ira e intentando asegurarse de que había dicho lo suficiente para satisfacer a la observadora. Decidió que era bastante. Ahora vería si podía salvar la situación con su querida, valiente y maravillosa esposa.

—Ya he tenido bastante —dijo con frialdad—. Os voy a enviar a casa. —Se giró hacia Eleanor y le puso las manos alrededor del cuello. La mirada azul de su mujer chocó con sus ojos castaños—. Si alguna vez volvemos a vernos, señora, serás más controlada y discreta. ¿Me entiendes? Controlada y discreta.

A Eleanor pareció helársele la expresión y tragó saliva.

—Sí, entiendo —susurró sin dejar de mirarlo.

—Recuérdalo —dijo él, y salió de la habitación a grandes zancadas.

Amy corrió hacia Eleanor y ésta la abrazó, temblorosa.

—¿Cómo ha podido hacerlo? —dijo la joven con voz estrangulada.

—Porque es despreciable —contestó Eleanor fríamente—. No me hables de él.

Momentos después apareció su captor y las acompañó por las escaleras hasta el mismo carruaje con cortinas.

—¿De verdad nos van a llevar a casa? —susurró Amy en cuanto estuvieron dentro—. ¿Así de simple?

—Seguro que sí. Nicholas nunca permitiría que nos hicieran daño. Por lo menos, a ti.

—¡Oh, Eleanor! —Estaba tan desilusionada que comenzó a llorar—. ¿Cómo ha podido hacerlo?

—No hablemos de eso —respondió sin derramar ni una sola lágrima.

El carruaje se detuvo y su guardián las ayudó a bajar.

—Ya está, señoras, a sólo unas cuantas calles de casa. Ya les dije que no tenían nada que temer. ¡Buenas noches!

Eleanor se quedó mirando el carruaje mientras desaparecía y después se encaminó a paso rápido hacia Lauriston Street, negándose a responder las preguntas de Amy. Hollygirt casi se desmayó cuando les abrió la puerta.

—¡Señora Delaney! Gracias a Dios. Y señorita Haile. ¡Alabado sea el cielo!

Enseguida apareció también la señora Hollygirt, junto con el resto del personal.

Jenny comenzó a parlotear, aliviada, hasta que Eleanor tuvo que hacerla callar.

—Hollygirt, quiero té —dijo con brusquedad—. Dulce y con un buen chorro de brandy. Envía un mensaje a lord Middlethorpe inmediatamente.

—Sí, señora —contestó el mayordomo, evidentemente aliviado por tenerla al mando—. Pero íbamos a avisar al señor Cavanagh.

—Entonces, hacedlo también. ¿Quién sabe que habíamos desaparecido?

—El señor Lavering dio la alarma, señora. Pero no sé a quién se lo dijo.

Enseguida les sirvieron el té y Eleanor obligó a Amy a beber un poco, aunque no le gustaba. Ella misma lo encontró muy reconfortante.

Mientras bebía y hacía una mueca, Amy la miraba ansiosamente.

—Eleanor, ¿estás bien?

—Estoy pensando. Ojalá Peter estuviera aquí. Me pregunto si está esperando en casa de Cavanagh. ¡Tengo que saber qué está pasando! —añadió con exasperación.

Tras unos minutos de silencio, Amy le preguntó en voz baja:

—Eleanor, ¿suele ser Nicholas tan horrible contigo?

—No. —La miró. Sabía que la fe de su amiga en la humanidad había sufrido un duro golpe. Todavía no podía ayudarla—. Por favor, Amy, no puedo hablar de esto ahora. Primero tengo que saber qué ha estado ocurriendo. ¿No te das cuenta? Si Nicholas sabía que nos habían secuestrado, no podía pensar que habíamos ido allí por propia voluntad.

—Entonces, ¿por qué lo dijo?

—No lo sé. Pero no pienses tan mal de él todavía, Amy. Podría haber sido la única manera de sacarnos de allí sanas y salvas. Aunque aún no lo entiendo. ¿Por qué hacernos rehenes para dejarnos marchar enseguida? Ojalá tuviera más información. —De repente, Eleanor se dio cuenta de que había otro problema—. Amy, debemos inventarnos una historia para contarle a tu madre y a cualquier otra persona que haya oído que hemos desaparecido. No creo que se hayan enterado de la verdad.

—¿Qué historia? —preguntó Amy con reserva.

—Una vez, un experto en el tema me dijo que me mantuviera siempre lo más cerca posible de la verdad —contestó Eleanor sonriendo—. Veamos... No quiero involucrar a mi hermano, aunque le sacaré los ojos si lo vuelvo a ver. Nos fuimos de su casa. ¿Y Thomas? Cielos, me había olvidado del pobre hombre.

Tocó la campanilla y le preguntó a Hollygirt.

—Estaba a punto de venir a verla, señora. Acaba de llegar. Lo habían dejado inconsciente y se despertó atado. Lo abandonaron no lejos de aquí y se las apañó para soltarse y regresar a casa. Pero está en una situación lamentable, señora Delaney.

—Iré a verlo yo. Amy, ¿puedo dejarte sola unos momentos?

—Oh, sí, Eleanor. Ve a ver a ese pobre hombre.

Thomas aún estaba atontado y se encontraba sentado a la mesa de la cocina. Tenía unos feos verdugones alrededor de las muñecas. Cuando intentó levantarse, Eleanor le hizo señas con la mano para que permaneciera sentado. De repente, se dio cuenta de lo bien que las habían tratado los mismos rufianes que habían hecho aquello.

—¿Qué ha ocurrido, Thomas?

Él gimió.

—Lo siento mucho, señora Delaney. Me cogieron como a un tonto. ¡Me golpearon por detrás! No me lo esperaba.

—¿Y por qué habrías de hacerlo? —Eleanor lo tranquilizó—. Como ves, estamos bien. Tú te has llevado la peor parte. ¿Qué te ha pasado en las muñecas?

—Bueno, señora, cuando me amarraron, ataron la cuerda de manera que fuera capaz de romperla, pero me costó trabajo. No es nada, señora.

Tenían un aspecto terrible y Thomas hizo un gesto de dolor cuando la señora Cooke aplicó con toques ligeros un paño a la carne hinchada.

—Tienes que descansar —dijo Eleanor—, pero antes debo hablar contigo un momento. A solas.

Cuando todos los sirvientes se hubieron marchado, le preguntó:

—¿Le has contado a alguien dónde te atacaron?

Él frunció el ceño, pensativo.

—No creo haberlo hecho, señora Delaney. Hasta hace unos minutos no he sido capaz de decir nada con sentido.

—Preferiría que nadie supiera que nos secuestraron cuando estábamos en casa de mi hermano. Es bastante embarazoso.

—Sí, señora, comprendo. ¿Qué debo decir entonces?

—Creo que deberíamos decir que nos atacaron mientras nos dirigíamos a casa de lady Middlethorpe. ¿Esa teoría se sostendrá?

Él asintió.

—Por allí cerca hay un sendero. Podría haber ocurrido allí.

—Excelente. Eres inteligente, Thomas. Allí te dejaron sin sentido y no supiste nada más. Ahora, descansa un poco y no te preocupes. Has hecho todo lo que has podido.

Le contó a Amy la historia.

—Oh, Chestnut Walk. Sí, podría haber ocurrido allí. Nunca me ha gustado ese camino, es oscuro y está mojado.

—Bueno, pues hoy yo insistí en pasear por allí y nos raptaron..., nos vendaron los ojos, y no sé adónde nos llevaron.

—¿Y cómo escapamos? ¿Cómo vas a explicar eso sin mencionar...?

A Eleanor se le encogió el corazón al darse cuenta de que su amiga ni siquiera podía mencionar el nombre de Nicholas.

—Salimos por una ventana. Estábamos en la planta baja y los raptores eran un poco descuidados. Corrimos hasta que llegamos a algunas calles conocidas. Estábamos demasiado angustiadas como para darnos cuenta de dónde nos retuvieron.

Al oír que alguien llegaba, ambas se pusieron en pie.

—Por fin —dijo Eleanor mientras Peter y lord Middlethorpe entraban en la habitación.

El primero corrió hacia Amy, que se lanzó a sus brazos y se echó a llorar. Lord Middlethorpe agarró las manos de Eleanor de forma más contenida, aunque reconfortante.

—¿Estás bien?

—Perfectamente. Amy está un poco descompuesta, eso es todo.

Él sonrió levemente.

—¿Y tú no?

—Todavía no. Tenemos muchas cosas que hacer, Francis, y debo saber. ¿Nicholas sabía que nos habían secuestrado?

—Sí. Peter vino y nos lo contó. Estábamos preparados para hacer cualquier cosa que fuera necesaria para garantizar vuestra seguridad. ¿Os secuestró sir Lionel?

—No, Madame Bellaire.

Lord Middlethorpe se quedó atónito y en ese momento, Peter y Amy, abrazados, se unieron a la conversación.

—Pero ¿por qué iba a hacer algo así? —preguntó Peter—. Esa mujer tenía todo lo que quería.

Eleanor no tuvo tiempo de contestar, porque llegó alguien más. Miró hacia la puerta esperanzada, pero no fue Nicholas quien entró, sino lady Middlethorpe, que inmediatamente abrazó a su hija.

Instantes después miró a su hijo con reproche.

—Francis, podrías haber venido para apoyarme con esta experiencia tan traumática.

—Estaba intentando encontrar a Amy, madre. No podía estar en dos sitios a la vez. Por lo menos, las dos están bien.

—¡Gracias a Dios! ¿Qué ha ocurrido?

Eleanor le contó su historia. Añadió algunos detalles realistas y se ganó unas extrañas miradas de los caballeros. No obstante, no la contradijeron. Lady Middlethorpe se preguntó largamente por las razones de todo aquello y después se llevó a Amy, que estaba reacia, a casa. Insinuó que su hijo por lo menos podría acompañarlas, pero él se negó.

En cuanto se hubieron ido, Francis le pidió a Eleanor una explicación por la historia que había contado.

—Bueno, no quiero que se sepa que mi hermano ha tenido algo que ver con esto, y tampoco creo que sea sensato que se sepa que Nicholas está involucrado. Siento mucho haber mentido a tu madre, Francis, pero creo que es lo mejor.

—Sí, tienes razón —respondió, mirándola intensamente—. No se me había ocurrido. Te estás comportando de forma extraordinaria, Eleanor.

Ella levantó la barbilla.

—Supongo que preferirías que me desmayara, que llorara y que dejara todos los asuntos en las capaces manos de los hombres. Fuiste tú quien nos puso en el aprieto en primer lugar. Ahora, quiero saber exactamente qué ha estado ocurriendo.

Él parecía estar incómodo.

—¿Quieres decir además de lo que os ha pasado a Amy y a ti?

—Quiero decir todo. ¿Qué puede importar ahora? Supongo que las cosas ya han llegado a su punto culminante.

Francis suspiró, rindiéndose, y le hizo un resumen de la trama.

—Esta noche Nicholas iba a conseguir los nombres de los conspiradores y, después, a llevarse a Madame Bellaire. Ella pensaba que iban a huir juntos a América, pero él sólo pretendía asegurarse de que salía sin problemas del país y de que tenía dinero de sobra para cubrir sus necesidades.

—Pobre mujer —dijo Eleanor.

—Es una traidora y una puta —protestó Peter, y luego se disculpó por su lenguaje.

Pero Eleanor no se dio cuenta. Estaba intentando asimilar todo lo que le había contado lord Middlethorpe.

—¿Quieres decir que Nicholas no era parte de la conspiración? ¡Oh, qué tonta he sido!

—¿Parte de ella? ¿No creerás que...? Oh, Dios mío.

—Pensé que estaba involucrado. ¡Las perlas! —exclamó con horror.

¿Qué diría Nicholas? Oh, ¿qué importaba?

—Entonces, fue allí como habían acordado y luego, ¿qué? Por supuesto, Madame Bellaire quería pruebas de que era a ella a quien amaba. ¡Estaba escuchando y observando!

Los caballeros la miraban atónitos. A ella le brillaban los ojos y se echó a reír.

—Eleanor, ¿estás bien?

—¡Lo he resuelto! —exclamó, feliz—. Estábamos en casa de Madame Bellaire, como sospechaba. Nicholas entró en la habitación y montó un terrible escándalo. No era nada propio de él. Fue muy grosero, gritó y me reprendió. ¡Lo odié! —dijo sonriendo al recordarlo—. Y se lo dije. Pero entonces dijo algo extraño. Me acusó de molestarlo siempre y de montarle escenas. Era todo mentira, y me pareció muy raro. Entonces intentó estrangularme.

—¿Qué? —exclamaron los dos hombres al unísono.

—No era real, aunque creo que Amy pensó que sí. Me rodeaba el cuello con las manos, pero sin apretar, y me estaba haciendo cosquillas en la espalda. Entonces supe que todo era una actuación. Ahora me doy cuenta de que debía de haber una mirilla y Madame Bellaire debía de estar observando. Nicholas la estaba convenciendo de que no sentía nada por mí y era completamente suyo. Supongo que una mujer celosa no es demasiado sensata.

—Pero insultarte de esa manera... —protestó Peter.

Se giró hacia él rápidamente.

—Probablemente había que elegir entre verme humillada o muerta. Dudo que Madame fuera benévola con su rival si él se negaba. Me preocupa lo que hará si se da cuenta de que está siendo engañada.

—¿Qué puede hacer? —dijo lord Middlethorpe—. Para entonces, la suerte estará echada y lo único que deseará será salir del país cuanto antes. —Miró su reloj de bolsillo—. Son más de las once. Deberíamos tener noticias pronto. Eleanor, deberías irte a la cama y descansar.

—¿Crees que podría dormir? —le preguntó—. De hecho, estoy hambrienta. ¿Queréis que pida algo para vosotros?

Así que se sentaron a comer sándwiches, mirando el reloj y esperando noticias. Alguien más llegó y todos se giraron hacia la puerta, expectantes, pero sólo era el marqués.

—Luce, ¿qué está ocurriendo? —preguntó lord Middlethorpe.

—No estoy seguro. Eleanor, ¿estás bien?

—Sí —contestó con impaciencia—. ¿Dónde está Nicholas?

—Sigue en casa de Madame Bellaire. Solamente pudo hablar conmigo brevemente. Me dijo que viniera y que te ofreciera sus disculpas. No dijo por qué.

—No tiene importancia. ¿Por qué sigue allí?

—No sabría decirte. Íbamos a pasar una noche de diversión, fingiendo que nos lo pasábamos bien. Bueno, seré sincero contigo —admitió con una sonrisa—, no es difícil... Bueno, Nicholas bajó, me dio un sobre y me dijo que todos íbamos a irnos. Me pidió que viniera aquí para hablar contigo y con los demás y que le llevara el paquete a Melcham. Después de todo, tiene las listas —dijo alegremente—, y pensé que ya había terminado todo. ¿Escapasteis?

—No —contestó Eleanor, pensando en lo que acababa de escuchar—. Nos liberaron. Parece que Madame Bellaire me secuestró porque no confiaba en Nicholas. Supongo que ahora él la está sacando del país, como estaba planeado. ¿Cuándo volverá a casa?

—Mañana, si todo sale según lo previsto —dijo Lucien frunciendo el ceño—. Pero yo no me quedaría en compañía de esa mujer ni un momento más de lo necesario.

—Supongo que es una cuestión de honor —dijo Eleanor.

—Algunas situaciones... —empezó a decir él, pero no acabó la frase—. Sin embargo, lo que no entiendo es...

—Francis te lo contará —lo interrumpió ella, sintiendo que se había quitado un peso de encima—. Estoy cansada. Como todo parece estar en orden, creo que me iré a acostar. Buenas noches, caballeros, y gracias.

Al día siguiente Nicholas estaría en casa, libre de enredos. Podrían ir a Somerset. Ella engordaría a medida que avanzara el embarazo y él recuperaría su belleza dorada. Por fin serían felices. En cuanto posó la cabeza en la almohada, se quedó dormida, exhausta pero satisfecha.

Nicholas estaba sentado en una elegante butaca en el vestidor de Thérèse, sorbiendo un excelente oporto. La francesa estaba sentada cerca de él; era la viva imagen de la seducción. Había tres hombres vigilándolo y apuntándolo a la cabeza con pistolas.

Nicholas habló, aunque no sin dificultad, con tono ligeramente divertido. No se estaba divirtiendo en absoluto, a pesar de que había visto marchar a Eleanor y a Amy y estaba razonablemente seguro de que se encontraban a salvo.

—Thérèse, ¿de verdad esperas que me crea que todo esto ha sido un treta muy elaborada para vengarte de mí? No habría mayor infierno que ése, pero es ridículo.

Thérèse curvó los labios en una sensual sonrisa.

—Era uno de los propósitos, *mon ami*.

—No me convences, Thérèse —replicó con clama—. Sé que la conspiración es real. Hay por lo menos cuatro gobiernos implicados.

—Por supuesto que es real —ronroneó—. Como todos los hombres, subestimas a las mujeres, Nicky. Me esperaba más de ti. Soy capaz de llevar más de un caballo a la vez. Sin embargo —añadió con picardía—, no es del todo correcto decir que la conspiración es real. Existe, sí, pero es... ¿cómo decirlo? Un fraude.

Nicholas no mostró ninguna reacción. Siguió bebiendo el vino.

—¿Vas a explicarme eso?

—Por supuesto —dijo con placer—. Soy lo suficientemente vanidosa para tener la esperanza de que por lo menos tú aprecies mi inteligencia. La caída de nuestro amigo Napoleón Bonaparte no me convenía. Tenía una selecta clientela formada por sus oficiales más íntimos y sus consejeros y un lucrativo negocio que consistía en... llamémoslo «influir» en ellos. Esperaba que él aceptara el acuerdo de Châtillon. ¿Quién no? El poder de Francia se habría visto mermado, pero —se encogió de hombros— hay que adaptarse. En lugar de eso, decidió seguir con la guerra y la destrucción. —Chasqueó la lengua, desdeñando al que había sido emperador—. Está loco. Pensé que yo tendría problemas para establecerme de nuevo con los Borbones y se me ocurrió desarrollar mis talentos en el Nuevo Mundo. Pero necesitaba dinero.

Como lo haría una buena anfitriona, le rellenó el vaso del decantador sin dejar de mirarlo a los ojos. Él hizo una breve inclinación de cabeza para agradecérselo. Lo peor de todo era que todavía no estaba seguro de lo que Thérèse sentía por él. Ya no era necesario fingir ser un amante entregado, pero tal vez tuviera que actuar un poco más para salir de allí con vida. Y la vida, teniendo en cuenta que Eleanor lo estaba esperando, era muy dulce.

—Uno de los caballeros que conocía en París —continuó ella— estaba trabajando en la restauración del emperador incluso antes de que se secara la tinta del discurso de abdicación de Napoleón. Mi pobre Gaston creía que la gente se cansaría pronto de Luis el Gordo y pediría que regresara el emperador. No cuesta nada —dijo encogiéndose de hombros expresivamente— alentar los sueños, por muy insensatos que sean. No obstante, cuando me di cuenta de cuántas personas compartían esa opinión, ya fueran patriotas o aquellos que temían perder con el regreso de la monarquía, vi mi oportunidad.

Se levantó y comenzó a pasear por la habitación. Su vestido desprendía oleadas de un perfume agobiante.

—¡Ah, la codicia es maravillosa, Nicky! A los hombres se les puede controlar con la avaricia. En Italia, Alemania, España e incluso en Inglaterra hay hombres que temen perder riquezas con el fin de Napoleón, o de la guerra. Así que, astutamente y a escondidas, he hecho que formen una sociedad secreta. —Lo miró por encima del hombro con una sonrisa felina—. A los hombres les encanta pertenecer a sociedades secretas, ¿no es verdad, Nicky? Les gusta jugar a los espías...

Nicholas se sintió como si lo hubieran golpeado. Dios, cuando por fin estuviera libre para pensar en lo necio que había sido...

Thérèse se rió y dejó de caminar para acariciarle la mejilla con conmiseración. Él se estremeció.

—Ni qué decir tiene —murmuró— que todos han pagado, y a cambio han recibido cifras y secretos, contraseñas y símbolos. Yo siempre le doy a la gente el valor de su dinero.

Él se estaba esforzando por permanecer tranquilo, pero tal vez dejó entrever algo de rabia porque, riéndose, ella se apartó.

—Todos contribuyeron generosamente para trazar el plan maestro

—dijo ella—, y todas las contribuciones vinieron a parar a mí. En este momento ascienden a cientos de miles de libras, y creo que es hora de salir de escena. Ya ves, Nicky, tienes a tu disposición los nombres de todos los líderes, al igual que tu estúpido cuñado es libre de revelar la conspiración a cambio de una recompensa. Cuantos más problemas les causéis, menos me buscarán a mí.

Nicholas se mantuvo indiferente, aunque sabía que sus ojos decían otra cosa. Le costaba respirar con normalidad.

—Y también has tenido la satisfacción de ver cómo me ganaba la antipatía de mi mujer, Thérèse. —Levantó su vaso—. Te felicito.

—No sólo eso, *mon cher* —le dijo, y lo miró con frialdad—. He disfrutado jugando contigo... como un gato juega con un ratón. —Se tomó un momento para saborear esas palabras y continuó—: Puede que me hayas negado tu verdadero cariño, Nicholas Delaney, pero me has negado pocas cosas más, ¿no es cierto? Y ahora, con mi golpe de gracia, he destruido tu matrimonio. —Era como ver cómo caía una capa tras otra. Thérèse ya no era cariñosa, ni divertida, ni hermosa—. Ya me dejaste una vez con el corazón roto —le espetó—. ¡Eres el único hombre que ha conseguido hacerlo! —Se inclinó hacia delante—. Ahora tú también rogarás que te den amor y te verás rechazado. ¡Esa fue la promesa que me hice cuando me abandonaste!

—No seas melodramática, Thérèse —replicó secamente—. Teníamos una buena aventura: un joven y una puta. ¿Esperabas que me casara contigo?

Thérèse le dio una bofetada con todas sus fuerzas. El golpe hizo que Nicholas echara hacia atrás la cabeza, y le agarró la muñeca antes de que pudiera abofetearlo de nuevo. De inmediato sintió una fría pistola en la sien, aunque no la soltó.

—Creo que una sola bofetada es suficiente por ese insulto. Así que de verdad te importaba. —Abrió los dedos lentamente para que ella pudiera mover el brazo—. Lo siento. No quiero hacerles daño a mis amantes.

Los ojos de Thérèse brillaron con amargura.

—¿Por qué? ¿Por qué eres el único hombre que no está a mis pies? ¡Tú, el único a quien he amado!

—Lo dudo. —Levantó un dedo y apartó levemente la boca del arma de su rostro—. Yo he sido el único al que no has dominado, e imaginaste que estabas enamorada. Si así es como amas, entonces, ¿cómo odias?

Ella había recuperado la compostura, aunque aún tenía los ojos encendidos.

—Amor, odio... —Se encogió de hombros—. Hay poca diferencia, como verás. —Se volvió a inclinar hacia él, aunque no tan cerca como para que pudiera agarrarla—. ¿Recuerdas a tu mujer diciéndote que te odiaba? Recuérdalo, Nicky. Recuérdalo muy bien. Beberás del cáliz de la amargura. Lo único que siento es que no podré verlo.

Él enarcó una ceja.

—Te anticipo que te vas a sentir decepcionada si esperas informes de tales escenas. Eleanor no tiene una naturaleza combativa.

Aquello pareció divertir a Thérèse.

—¿Es fría? Pobre Nicholas. Y con tus talentos... Pero ¿qué puedes esperar? Violada por un hermano, abandonada por el otro... Siento hacerte sufrir, aunque ella debe de sufrir aún más.

Nicholas no pudo evitar tensarse.

—¿Cómo sabes eso? —Enseguida se respondió a sí mismo—. Por supuesto, sir Lionel.

Thérèse sonreía con total satisfacción.

—Claro que no. Yo lo organicé todo, querido. ¿No soy lista?

Lo señaló con un dedo acabado en una larga uña.

—Fue una de las flechas lanzadas al aire. Dio en el blanco. Estaba buscando la manera de hacerte chantaje a través de los gustos antinaturales de tu hermano. Después de todo, estabas involucrado en el asunto de Richard Anstable, y no sabía cuánto tiempo te llevaría recorrer el camino hasta mí. —Le rellenó el vaso vacío—. Bebe, Nicky. No creo que puedas beber algo de tanta calidad en mucho tiempo.

Nicholas decidió que aquello era una mala señal.

—Si tu hermano cumplía con las expectativas —continuó la francesa—, pretendía darle a Eleanor como recompensa a mi amigo Deveril. Le molestó un poco que ella escapara. Yo, sin embargo, estaba encantada cuando descubrimos que iba a casarse contigo. Encantada e intrigada... ¿Es frígida después de esa experiencia? ¿Se encoge de asco ante ti? Tal vez ya habrías sido suficientemente castigado, un hombre de tales apetitos y talentos, sin que yo interviniera.

Nicholas tomó un sorbo de vino. Ella se lo arrebató.

—¿Y bien? ¿No vamos a oír los secretos de tu lecho matrimonial? Sé que no lo has buscado mucho, y estoy segura de que incluso te dejé con pocas capacidades cuando estabas en casa.

Los guardias sonrieron. Ella se rió y vació el vaso de un solo trago. Después se lamió los labios de color rubí.

Nicholas sonrió burlonamente.

—¿Dudabas que pudiera satisfacer a cualquier mujer, en cualquier momento?

Ella apretó los labios, pero un momento después recuperó la compostura.

—Por supuesto que no lo dudo, Nicky. Incluso me sentí tentada de mantenerte conmigo por diversión. Sin embargo —suspiró—, sería muy aburrido tener alrededor a hombres armados.

—No lo sería por los guardias —apuntó él, provocando una risa ahogada—. ¿Tenemos que continuar con esto, Thérèse? ¿Qué piensas hacer exactamente conmigo?

Había odio en los ojos de la mujer y Nicholas se tensó, temiendo lo que pudiera pasar.

—Ah, Nicky. Tienes demasiada seguridad. Sé que puedes recuperar hábilmente los favores de una mujer, sin importar lo mal que la hayas tratado. ¿Todo en tu vida sale de acuerdo a tus deseos, con una sutil sonrisa allí y una caricia diestra allá? Qué aburrido debe de ser. Tenemos que cambiar eso.

Nicholas supo que se acercaba lo que ella llamaba el golpe de gracia y sólo pudo rezar para que no fuera demasiado fuerte.

—Creo que tendrás que desaparecer —dijo ella—. ¿Cuánto tiempo crees que necesitará tu mujer para asimilar que es viuda? ¿Y cuánto tiempo crees que necesitará alguno de tus amigos para consolarla? Tal vez el apuesto marqués de Arden. Puede que ese hombre sea capaz de borrar tu recuerdo de la mente de tu esposa, y de su cuerpo.

A pesar de que era inútil, Nicholas se resistió cuando los guardias se abalanzaron sobre él, lo ataron y lo amordazaron.

Capítulo 13

*E*leanor pasó el siguiente día esperando que Nicholas regresara. Francis y Lucien la visitaron por separado y juntos seis veces para preguntar, a pesar de que sabían que ella les enviaría un mensaje inmediatamente. Tras la tercera visita, y porque tenía un compromiso urgente en alguna parte, Lucien envió a uno de los lacayos de su padre, magníficamente ataviado con librea, para que se quedara a esperar y lo informara de inmediato. El joven, alto y apuesto, creó cierto revuelo en la casa.

Por mucho que intentaba permanecer tranquila, Eleanor se ponía más frenética según transcurría el día. No podía comer, apenas podía quedarse sentada. El bebé ya se movía mucho en su interior y también parecía estar afectado, dándole constantemente patadas y golpes. Cada vez que sonaba la campanilla o que oía pisadas en el recibidor, se ponía en pie de un salto, preparada para recibir noticias o con la esperanza de ver aparecer a Nicholas.

Cuando casi era la hora de la cena, Francis la visitó de nuevo. Al ver su rostro inquisitivo y temeroso, Eleanor se echó a llorar en sus brazos.

—Ya debería estar aquí, Francis —lloriqueó—. Francis, ¿y si está muerto?

Él le dio unas palmaditas en la espalda.

—Tranquila, Eleanor. Nicholas siempre ha sido afortunado. Estará bien.

—La suerte se le puede terminar —dijo, apartándose de él y enjugándose las lágrimas con un pañuelo.

—No hay razón para que sea así —respondió Francis, obligándose a parecer alegre—. Sólo se está retrasando un poco.

¿Dónde? ¿Y quién lo hace retrasarse?

Eleanor recobró la compostura y se sentó.

—¿Alguien ha ido a casa de esa mujer?

—Sí. Leigh y Miles se pasaron por allí. Madame Bellaire y todo su séquito se fueron apresuradamente por la noche. Y ha montado un buen escándalo, porque se negó a pagar los sueldos.

—¿Y Nicholas?

Él se encogió de hombros.

—Creen que se marchó con la francesa.

—Eso ya nos lo esperábamos —dijo Eleanor, sorprendida al ver a Francis tan preocupado—. Ése era el plan.

Él dudó y luego le explicó:

—Pero nadie lo vio marchar. Leigh y Miles registraron toda la casa y no está allí.

Eleanor sintió un escalofrío. Estaba hablando del cuerpo de Nicholas.

—¿Qué más podemos hacer? —preguntó con voz ronca.

—El plan de Nick era meter a Madame en un barco con destino a Bristol. En realidad, no creemos que la haya acompañado hasta allí después de todo esto, pero Stephen y Charles han ido allí a investigar. Tenemos a gente controlando los muelles de Londres. También estamos haciendo averiguaciones en todas las carreteras que salen de la ciudad. Sin duda, se trata sólo de un retraso. Deberíamos saber algo muy pronto.

Se quedó a cenar y la obligó a comer un poco. Eleanor se dijo que un día de retraso no era nada, sobre todo si Nicholas había ido a Bristol. Y, sin duda, no habría tenido oportunidad de enviarle un mensaje.

No durmió bien, porque esperaba que regresara durante la noche.

A la mañana siguiente, temprano, Lucien fue a verla para decirle que parecía que el grupo de Madame Bellaire había partido hacia Bristol, según estaba previsto, y que seguramente Nicholas volvería ese mismo día, o al siguiente a mucho tardar. Francis había ido a hablar con un funcionario del gobierno que estaba enterado del asunto, porque tenía a su propia gente vigilando y tal vez pudiera darle más detalles.

—Así que no tiene sentido que te quedes aquí esperando, Eleanor —le dijo alegremente—. Insisto en que vengas conmigo a dar un paseo en carruaje. Incluso he traído la calesa de mi madre. Después de hacer tal sacrificio, no puedes negármelo.

Eso consiguió hacerla sonreír.

—Pero ¿y si...?

—¿Si Nicholas aparece? Mi hombre está aquí y nos encontrará rápido, porque solamente daremos una vuelta alrededor de Green Park. Y, además —añadió con ojos brillantes—, ¿no le estaría bien merecido tener que esperar un poco?

Eleanor ahogó un grito y se mordió los labios para no decir que estaba de acuerdo. Si Nicholas estaba a salvo, y seguro que lo estaba, debía compensarla de alguna manera.

—Pediré que me traigan el sombrero y el chal.

—Buena chica.

A lord Middlethorpe lo acompañaron hasta el despacho de lord Melcham.

—Espero que las listas sean lo que esperaba, señor.

—Sí, por supuesto —contestó el hombre de más edad, frotándose las manos—. Excelente. ¡Un gran trabajo! Ya les he enviado detalles a los otros gobiernos implicados. Ya hemos desbaratado ese maldito plan. Me gustaría darle las gracias al señor Delaney en persona por haber cambiado de opinión. Entiendo que la desaparición de su mujer no tenía nada que ver con todo esto y que ahora está a salvo, ¿no es así?

—Ésa es la historia que se ha dado a conocer, señor —dijo Francis—. No es cierto. Nicholas no cambió de opinión. Se aseguró de que su mujer y mi hermana salieran de allí sanas y salvas, y no tengo ni idea de cómo consiguió también las listas. Suponemos que el secuestro fue un recurso desesperado de una mujer celosa.

Lord Melcham sacudió la cabeza.

—Eso le dará una lección para que se mantenga apartado de tales mujeres —dijo con desaprobación, olvidando aparentemente las razones que Nicholas había tenido para comportarse de esa manera.

Lord Middlethorpe reprimió su deseo de darle un puñetazo.

—Nicholas ha desaparecido, señor —replicó severamente—. Sus amigos estamos muy preocupados.

—¿Desaparecido? —preguntó lord Melcham sin comprender—. ¿Cree que ha ocurrido algo inesperado? Pero acabo de recibir información de que Madame Bellaire salió apresuradamente hacia Bristol y anoche cogió un barco con destino a Canadá, como estaba previsto.

—¿Iba Nicholas con ella?

Lord Melcham sacó un documento.

—No he tenido tiempo de leer todo el informe —murmuró mientras lo leía por encima—. ¡Ah! La acompañaba un grupo de hombres, y uno en particular era un apuesto caballero de cabello rubio, y a mi hombre le dijeron que era el señor Delaney. Pero en lugar de bajar del barco para informar a mi contacto, como estaba planeado, se quedó a bordo cuando el barco zarpó. Yo diría —dijo, levantando la mirada— que su amigo cambió de idea. —Le guiñó un ojo—. Es una mujer fascinante y él todavía es joven, y fácil de influir.

Lord Middlethorpe nunca se había sentido tan agresivo en toda su vida, pero cualquier acción contra un hombre lo suficientemente mayor como para poder ser su padre iba en contra de su educación.

Apretó los puños y se limitó a decir con frialdad:

—Que tenga un buen día, lord Melcham.

Y salió hecho una furia de la habitación.

¿Qué demonios le iba a decir a Eleanor?

¿Nicholas se había marchado por propia voluntad o no? Se había visto obligado a presenciar cómo su amigo hacía el papel de amante con Madame Bellaire de manera muy convincente, y ahora empezaba a tener dudas. ¿Podía un hombre actuar tan bien? Estaba seguro de que no. ¿Existía todavía alguna atracción entre ellos, oculta tras la aversión?

Pero ¿qué demonios le iba a decir a Eleanor?

Llegó a Lauriston Street justo cuando Eleanor se estaba quitando el sombrero, tras haber salido a dar un paseo en carruaje con el marqués. Lucien se acababa de ir, lo que tal vez era mejor, porque tendía a juzgar a Nicholas injustamente. Eleanor sonreía; el aire fresco le había devuelto el color a sus mejillas.

—Francis, ¿hay noticias? —Solamente necesitó un momento para que su sonrisa se desvaneciera—. Cuéntamelo, por favor. Prefiero saberlo.

Él inspiró profundamente.

—Según un informe, Nicholas embarcó con Madame Bellaire hacia Virginia anoche.

Ella abrió mucho los ojos.

—¿Se ha ido?

—Eso dicen. Estoy esperando a ver lo que cuentan Charles y Stephen antes de creérmelo.

Eleanor se sentó, pálida como una estatua de cera.

—¿Crees que la ama? —le preguntó.

—No —respondió, con toda la seguridad que pudo imprimir a su voz—. Eleanor, a él siempre le ha costado mucho fingir que amaba a Madame Bellaire. Me hablaba de ello. No puedo creer que eso haya cambiado.

Eleanor estaba retorciendo una prenda de lino entre las manos. Al principio, Francis había pensado que era un pañuelo, pero se dio cuenta, con el corazón encogido, de que se trataba de una servilleta con una vieja mancha de sangre. No sabía qué decir para no empeorar las cosas.

De repente, ella pareció animarse.

—Me siento mejor —dijo, para asombro de Francis—. Había temido que estuviera muerto. No creo que lo mantuvieran con vida sólo para arrojarlo al océano.

—Supongo que no —contestó, aunque no estaba tan seguro. Le pareció que esa repentina recuperación de Eleanor era extraña y bastante preocupante.

Se fue a su casa e insistió en que su madre permitiera que Amy volviera a visitar a Eleanor.

—¡A mi niña la secuestraron de esa casa! —exclamó su madre—. Siempre supe que tu amistad con Nicholas Delaney sólo nos acarrearía disgustos. Amy estará mucho más segura alejada de allí.

—Te aseguro que ahora no corre ningún peligro, madre, y Eleanor necesita una amiga.

Al final le dio permiso a regañadientes, y Amy se sorprendió mucho al ver los ánimos que tenía Eleanor. Sin embargo, pronto quedó claro que aquello no tenía sentido.

Eleanor ocupaba su tiempo con tonterías. Su mente saltaba de un tema a otro y, aunque se sentaba a comer, se alimentaba mal. Amy sospechaba que no dormía. Hollygirt le dijo que, cuando no había invitados, se quedaba sentada en el estudio mirando al vacío. El mayordomo quería saber si tenía que llamar a lord Stainbridge, que estaba en Grattingley, aunque Eleanor se había negado.

Amy se lo contó a Francis, que decidió tomar medidas desesperadas. Llamó a su tía Arabella.

Así fue como, dos semanas después de la desaparición de Nicholas, una mujer alta y delgada de mediana edad irrumpió sin ser anunciada en el estudio de Lauriston Street.

—Buenos días. Soy Arabella Hurstman. Soy bastante detestable porque siempre insisto en salirme con la mía. Mis sobrinos y sobrinas me temen, por eso están intentando alejarme de ellos haciéndome venir aquí. ¿Puedo quedarme?

Eleanor miraba muda a la mujer desaliñada.

—¿Quedarse aquí?

—Yo no diría eso —dijo la señorita Hurstman con brusquedad—. ¿Quién quiere estar en Londres en agosto? Deberíamos ir al campo. —Empezó a pasearse por la estancia, echando un vistazo a las estanterías—. Una buena selección de libros. —Sacó uno—. Villon. ¿Lees francés antiguo, querida?

—Sólo con dificultad —dijo, contestando automáticamente—. Esos libros eran de mi marido.

—Un hombre inteligente y sagaz —dijo la mujer—, y no creo que haya que hablar en pasado. ¿Qué diría al verte así, poniendo en peligro al niño? No quiero ni pensarlo. ¿Qué fue lo último que te dijo?

Esa horrible mujer hizo que a Eleanor le brillaran los ojos de rabia.

—Me resulta difícil recordarlo —replicó—. En ese momento, me estaba estrangulando.

—Entonces, es mejor que te hayas librado de él, niña.

Eleanor la miró con furia, pero la mujer le mantuvo la mirada. Fue Eleanor quien terminó apartándola. Contuvo las lágrimas y rememoró aquella escena. La había revivido muchas veces en su mente intentando hacerla encajar con los hechos, intentando tergiversarlos para hacerlos encajar con la escena.

—Controlada y discreta —dijo al fin.

La señorita Hurstman se quedó mirándola fijamente.

—¿Qué se supone que significa eso? ¿Te estaba estrangulando y diciéndote que fueras controlada y discreta? ¿Ni siquiera se despidió?

Eleanor se puso en pie bruscamente.

—¡Salga de mi casa, señora!

—No hay por qué gritar —contestó la mujer, sin ninguna intención de moverse—. Soy Arabella, la tía de lord Middlethorpe, por cierto. Controlada y discreta, ¿eh? Pues no estás haciendo lo que te dijo, ¿verdad? Estás hecha un desastre y, si no tienes cuidado, perderás al niño. En el estado tan avanzado en el que te encuentras, sería tan difícil como haber terminado la gestación. Yo diría que todavía te queda un poco más.

Le había tocado la fibra sensible. Eleanor era consciente de que no estaba haciendo lo mejor para su bebé.

—Sin embargo, puede ser un inconveniente —meditó en voz alta la señorita Hurstman— cuando quieras volver a casarte. Si eres viuda, quiero decir. Tal vez deberías perderlo después de todo.

—¡Es una vieja horrible! —jadeó Eleanor—. ¡Váyase! ¡Fuera! ¡Quiero este niño!

Se puso las manos instintivamente sobre el abultado vientre.

La señorita Hurstman se mantuvo indiferente ante esa explosión de rabia.

—Entonces, será mejor que cambies de hábitos.

Se dirigió a paso vivo hacia la campanilla y llamó a Hollygirt. Cuando el mayordomo entró, dos voces le hablaron a la vez. La de Eleanor, ordenándole que hiciera salir a la mujer, y la de la señorita Hurstman, que le pidió una comida ligera y nutritiva.

Hollygirt decidió obedecer a la segunda.

La señorita Hurstman observó la expresión furiosa de Eleanor con una sonrisa.

—Me odias, ¿verdad? Eso está bien. Por lo menos, es algo. —Cogió otro libro de una de las estanterías y se rió entre dientes—. ¿Sabes leer italiano?

—No —respondió Eleanor de mal humor.

—Eso pensaba, o tu marido no habría dejado esto al alcance de la mano. Es bastante indecente.

—Me dejaba leer lo que quisiera —replicó Eleanor con orgullo.

—Es un cambio estimulante. Me encontré con él una o dos veces y me pareció un joven muy sensato. No me temía, y me ganaba al ajedrez.

—¡No hable de él en pasado!

—Tú lo has hecho —señaló la señorita Hurstman—. En mi caso, es bastante legítimo. Hace más de dos años que no lo veo. Espero que, cuando nos encontremos de nuevo, no haya perdido su talento. Me encantaría echar una buena partida.

—Probablemente, esté muerto —dijo Eleanor tercamente.

—¡Decídete, niña! No puedo soportar la indecisión. Nadie ha encontrado su cuerpo, ¿no es así? Supongo que esa mujer lo ha secuestrado. Quizás, era demasiado bueno en la cama para su propio bien.

Se rió maliciosamente.

Eleanor sintió que se ruborizaba. ¿Qué clase de mujer era aquélla?

—Pero seguramente ella no podría...

—¿No podría qué? ¿Secuestrarlo? Nada más fácil. ¿Obligarlo a acostarse con ella? Sería algo bastante embarazoso. Pero ¿y si ha hecho un trato con él? Ciertamente, no podría hacerlo una vieja solterona como yo. No obstante, sé que, si regresa y te encuentra en tu lecho de muerte, no importa por lo que haya pasado, se va a sentir feliz, ¿verdad? El muy idiota probablemente se pegará un tiro.

Eleanor estaba horrorizada ante esa profecía más que probable.

—Piensa en ello, necia —dijo la señorita Hurstman secamente—. No sé cómo iba vuestro matrimonio, pero él se sentía mal por cómo te estaba tratando. ¡No me extraña! Además, admites que vuestro último encuentro no fue agradable. Si vuelve y ve que el niño y tú no tenéis una salud perfecta y sois infelices, se culpará. Los hombres hacen cosas muy estúpidas en tales situaciones.

Durante días, Eleanor había conseguido evitar pensar en cosas prácticas, pero esa irritante mujer la estaba obligando a usar de nuevo el cerebro. En realidad, no sabía cómo se sentía respecto a Nicholas excepto que, contra toda lógica, todavía lo amaba.

—Bueno, sí que me ha tratado mal —confesó al fin—. Y esa última escena fue horrible. ¡Si aparece sonriendo alegremente y como si nada hubiera ocurrido, sin duda yo misma le dispararé!

Al pensar en tal cosa, no pudo evitar sonreír. En ese momento,

Hollygirt anunció que la comida estaba servida en la sala de desayunos.

—Excelente —dijo la señorita Hurstman—. Estoy muerta de hambre. ¿Y bien, señora Delaney?

Llevada por una voluntad que de momento era más fuerte que la suya propia, Eleanor precedió a la mujer hasta la sala de desayunos y se sentó a la mesa. Sin embargo, no tenía nada de apetito.

La señora Hurstman le sirvió un poco de flan.

—Una comida extraña, pero en tu estado... Come, niña. Cuando hayas recuperado las fuerzas, nos iremos al campo.

Mecánicamente, Eleanor tomó una cucharada.

—Es usted una mujer odiosa y dominante —dijo sin rabia.

La señorita Hurstman sonrió.

—Es cierto, querida. Tienes toda la razón.

Así fue como Eleanor volvió a la vida, y al final no pudo evitar que le gustara su nueva compañera. La señorita Hurstman era una dama caprichosa y pertinaz, aunque también era inteligente e ingeniosa y podía hablar de muchos temas. No se parecía a ninguna mujer que hubiera conocido antes.

—Soy una oveja negra, Eleanor —le dijo la señorita Hurstman un día—. Nunca sería una dama correcta. Por lo menos, ahora todos lo aceptan. Voy a donde quiero y hago lo que me place. Avergüenzo a mi familia, pero son amables y no huyen de mí exactamente. Algunas veces, como ahora, les parezco útil. Aunque tengo que decir que Francis siempre ha sido el mejor. Lo achaco a la influencia de tu extraordinario marido. Si hubiera nacido niña, sería como yo. Me gusta pensar que, si yo hubiera nacido niño, sería como él. Tiene en cuenta cada situación por lo que realmente es, no por lo que otros están haciendo, o por lo que ha ocurrido antes.

—¿Eso crees que hace? —preguntó Eleanor, que siempre estaba dispuesta a hablar de Nicholas.

—No sé —respondió la señorita Hurstman con brusquedad, porque nunca la animaba en ese tema—. Sólo hablaba conmigo misma.

Dos semanas después, Eleanor había recuperado las fuerzas, aunque seguían sin tener noticias. El mes de septiembre ya estaba muy avanzado y la mayoría de los miembros de la Compañía de los pícaros se había visto obligada a desplazarse a sus propiedades del campo o a atender sus negocios. Antes de irse a Priory, Francis la visitó. Estaba demasiado animado y esa alegría no resultaba convincente.

No obstante, Eleanor se negaba a dar ningún paso que implicara que Nicholas estaba muerto. Ni siquiera se había puesto en contacto con lord Stainbridge. Había suficiente dinero en la caja fuerte para cubrir los gastos durante algún tiempo, y la generosa asignación de la que ella disfrutaba seguía engordando su cuenta en el banco Forbes. Todavía no veía la necesidad de acceder al otro dinero de su marido.

Debía admitir que no tenía mucho sentido permanecer en la ciudad. A primeros de octubre las dos damas se dirigieron a la propiedad de Somerset.

Dos días después de haber salido de Londres, la diligencia de Eleanor entró en el camino que llevaba a la encantadora casa victoriana de estilo Reina Ana llamada Redoaks. Eleanor dejó escapar un suspiro de satisfacción y sonrió a Arabella Hurstman. Sintió instintivamente que aquélla era su casa. Aunque Nicholas no regresara, mantendría aquel lugar para su hijo.

Se puso a la tarea de convertirlo en su hogar. Jenny y Thomas las habían acompañado, y la casa contaba con el personal básico. Entre los lugareños encontraron fácilmente gente para completar la plantilla. A pesar de que Nicholas había adquirido la propiedad recientemente, estaba muy bien cuidada y se encontraba en buen estado. Había también una granja que les proporcionaría comida.

Eleanor se emocionó al enterarse de que su marido había dado órdenes, poco después de que se casaran, de que los cuidadores estuvieran preparados para cuando ellos llegaran en verano, y había hecho preguntas sobre las capacidades de la comadrona del lugar.

Aun así, había muchas cosas que hacer, porque la casa se había comprado en bloque a la muerte de un viejo caballero y llevaba varios años sin el cuidado de una mujer. Eleanor estaba encantada, porque el trabajo le impedía pensar.

La señorita Hurstman y ella comprobaron generaciones de ropa blanca, desecharon varias piezas y se quedaron con un montón para remendar durante las tardes. Revisaron un buen cúmulo de porcelana y de curiosidades y en el mobiliario separaron mentalmente la paja del trigo. No tenían prisa ni mucho dinero, pero con el tiempo, se desharían de algunas piezas para comprar nuevas.

También había que ocuparse de la organización de la casa. Dispusieron que se hicieran mermeladas y conservas y supervisaron el almacenamiento de las verduras de invierno. Las enormes y antiguas chimeneas estaban hechas para funcionar con troncos, así que tendrían que hacer un pedido en Yeoville.

No tenían necesidad de un mayordomo, por lo que Eleanor examinó las bodegas de Redoaks. El antiguo propietario debía de haber sido un gran enófilo, porque la colección era inmensa y parecía excelente. Y estaba intacta, lo que decía mucho a favor de la honestidad del personal.

Se le saltaron las lágrimas cuando encontró media docena de botellas de un oporto seco, como el que le gustaba a Nicholas. De repente, se vio acunando una botella polvorienta y la volvió a dejar en su sitio indignada, tanto por añorarlo tanto como por haber alterado su contenido, que ahora tardaría meses en volverse a asentar.

Sin embargo, se preguntó con tristeza mientras subía las escaleras, ¿quién iba a estar esperándolo durante meses, o tal vez años? Volvió a las tareas prácticas. El trabajo duro era más seguro.

Cuando no se sentía hacendosa, a veces se sentaba a tomar el sol otoñal o daba largos paseos por los senderos del campo y observaba el trabajo de otros, ya fueran los lugareños echando heno en el campo o las trabajadoras ardillas, siempre con la boca llena de nueces. Se sentía en armonía con el sencillo ciclo de la supervivencia.

Gracias al trabajo duro y a comer bien, el embarazo se estaba desarrollando adecuadamente. Tenía la piel dorada por el sol y un reguero de pecas en la nariz, lo que no la preocupaba en absoluto. Llevaba vestidos amplios y cómodos que habrían horrorizado a Madame Augustine y se sujetaba el cabello con un sencillo lazo. No ahondaba mucho en su mente, pero sabía que allí había una mentira, la mentira de que Nicholas se encontraba lejos por una buena razón y que algún día regresaría a casa.

La comadrona fue a visitarla. La señora Stongelly era una mujer agradable y sagaz con una sonrisa alegre y un buen repertorio de historias sobre el folclore local. Le hizo muchas preguntas y la examinó brevemente.

—Lo conseguirá —le dijo—. Todo está como debe estar. No se preocupe por nada, querida. He traído al mundo más bebés de lo que puedo recordar, y mientras la madre tenga buena salud y no tome ninguno de esos brebajes que se supone que ayudan, pero que nunca lo hacen, todo sale bien. Aun así, no puedo ofrecer garantías. Dios a veces quiere llevarse a algunos angelitos a Su cielo. Eso está en Sus manos.

Se movió afanosamente por la casa, dando consejos sobre los preparativos para el bebé.

—¿Dónde está su marido, querida? Lo vi hace dos años. Un buen muchacho.

—Ha tenido que irse de viaje. Asuntos del gobierno. Espero que regrese a tiempo para el parto.

Las palabras le salieron fácilmente. A Eleanor le resultaba más tranquilizador cada vez que lo decía. A la mujer del clérigo, a la mujer del terrateniente y a lady Morgrove, la figura local. A veces, ella misma se lo creía y se encontraba esperando que su marido apareciera en cualquier momento. Y cada vez que Thomas regresaba de la oficina de correos con las cartas, buscaba una con su peculiar caligrafía.

Al mismo tiempo, según iban pasando las semanas, tenía que reconocer que había más probabilidades de que Nicholas estuviera muerto. Él no la dejaría en aquel abismo de incertidumbre, no podría hacerlo, no si existía alguna manera de comunicarse con ella.

Una misiva de lord Stainbridge la sacó de aquella fantasía agridulce. Estaba furioso porque nadie le hubiera contado que su hermano había desaparecido. Se quejaba de que ella se hubiera ido de la ciudad sin informarlo. Le reprochaba que no hubiera ido a Grattingley y le ordenaba que regresara a Londres para el parto, para el que contrataría al partero más distinguido.

Sonrió ante esos despotriques tan familiares, aunque se sentía culpable por no haber pensado en sus sentimientos. El pobre hombre estaba en su derecho de quejarse. Entonces se le ocurrió una idea.

—Arabella —dijo, porque su compañera y ella ya se tuteaban—, ¿es verdad esa idea de que los gemelos tienen una proximidad tan especial que saben cuándo el otro sufre algún daño?

La señorita Hurstman levantó la mirada rápidamente, captando sus intenciones.

—Creo que sí, en muchos casos. ¿Esa carta es de lord Stainbridge?

—Sí —contestó Eleanor emocionada—. ¿Por qué nunca pensé en preguntarle? Dice que no tenía ni idea de que algo iba mal hasta que fue a la ciudad, a Lauriston Street. —Sentía que la alegría crecía dentro de ella como la luz del sol—. ¿Soy una tonta al pensar que esto me da esperanzas?

La señorita Hurstman apretó los labios.

—No —decretó—. Pero, para ser sincera, primero me aseguraría de que suelen tener sentimientos solidarios antes de seguir con la idea. Después de todo, si tu marido se ha ido a Canadá o a Virginia, ¿esos sentimientos funcionarían estando tan lejos?

—Escribiré inmediatamente a lord Stainbridge para preguntárselo.

—Pídele que venga —contestó la señorita Hurstman—. Si le escribes, no te contestará correctamente. La gente nunca lo hace.

Tras dudarlo unos instantes, Eleanor accedió a hacerlo.

Una semana después, el carruaje de lord Stainbridge, el mismo que la había llevado a Newhaven y de allí de nuevo a Londres, apareció traqueteando por el camino.

Para entonces, el conde ya estaba enterado de toda la historia y su furia se había desvanecido. Ahora estaba ansioso, compasivo y orgulloso de que Nicholas hubiera hecho algo importante: el propio regente le había ofrecido sus felicitaciones y le había preguntado discretamente por el paradero del héroe, aunque también indignado por cómo lo había hecho. Se quejó largamente ante Eleanor y, como ella lo había invitado, sintió que debía soportarlo.

Por fin, sin embargo, consiguió hacerle la pregunta.

—Sí, claro —dijo él—, experimentamos esas cosas. La primera vez ocurrió cuando fuimos al colegio. Antes, casi nunca habíamos estado separados, y nuestro padre insistió en que asistiéramos a colegios diferentes. Yo fui a Eton y, Nicky, a Harrow. Cuando, estando allí, él tuvo una fiebre y cayó muy enfermo, yo me sentí terriblemente mal. No enfermo físicamente, pero sí mentalmente.

—¿Y cuando está en el extranjero? —le preguntó Eleanor con ansiedad.

Él cayó en la cuenta de a dónde quería llegar.

—Te estás preguntando si yo sabría que ha muerto —dijo, palideciendo—. Sí. Sí, de verdad creo que lo sabría. En una ocasión le dispararon en Massachusetts y casi murió por la fiebre que le produjo la herida. Yo sabía que se encontraba muy mal, pero no dónde estaba ni por qué se sentía así. —Eleanor era incapaz de hacer la pregunta, pero él la contestó de todas formas—. No creo que esté muerto, Eleanor. Es imposible que yo no sienta nada. Es cierto que, mientras sucedía todo esto, yo notaba algo. Estaba… trastornado, es la palabra adecuada. Confieso que podría haber sido un malestar normal y corriente. Estoy seguro de que eso no significa nada importante.

Se sintió tremendamente aliviada. No obstante, apenas tuvo tiempo de saborear ese sentimiento, porque hubo otro que la abrumó.

—¿Y no siente que le pase nada malo en absoluto? —insistió.

Absolutamente ajeno a su furia, contestó:

—Nada de lo que sea consciente.

Eleanor se vio obligada a enfrentarse a la idea de que Nicholas no había sido asesinado, secuestrado ni herido, sino que se había marchado alegremente con su amada a disfrutar de una vida de aventuras en las Américas.

Lord Stainbridge se quedó unos días e intentó convencerla para que regresara a casa con él, pero al final se rindió y se fue contrariado. Eleanor se sintió aliviada al verlo marchar. Le había resultado muy difícil morderse la lengua, sobre todo porque el conde le aseguraba constantemente que Nicholas gozaba de una salud excelente.

Aun así, pensó mientras despedía al carruaje, prefería que Nicholas estuviera vivo y con su amante que en el fondo del océano. No obstante, si alguna vez lo volvía a ver, ¡lo haría pedazos!

Escribió a Francis y le contó la opinión de lord Stainbridge. Enseguida lo tuvo en la puerta, deseando hablar del tema y convencerse de que, en realidad, había esperanzas. Comprendía la ambivalencia de Eleanor y pasaron algún tiempo, sin resultado, intentando hacer encajar los hechos con la imagen de Nicholas que deseaban conservar. Al final, decidieron de mutuo acuerdo dejar el tema y disfrutar del tiempo otoñal. Cuando se marchó, Eleanor le dio su regalo de bodas para Amy y a su debido tiempo recibió las gracias y una larga carta describiéndole con todo lujo de detalles lo que parecía haber sido un día perfecto.

Se obligó a aceptar el hecho de que su marido era una persona errante, tanto física como emocionalmente. Se recordaba que todavía tenía mucho por lo que darle las gracias, y era injusto culparlo tan duramente por perseguir el modo de vida que, obviamente, prefería. Ella poseía una casa preciosa, gozaba de una cómoda independencia y había un niño creciendo en su interior. Disfrutaría de lo que tenía.

Cuando las primeras escarchas cubrieron las ventanas y ella engordó todavía más, su vida pasó a ser una eterna espera. Esperaba al niño y, a pesar de todo, esperaba a Nicholas. Sabía que, aunque Madame Bellaire lo hubiera hechizado de nuevo, se pondría en contacto con ella. Estaba convencida de que, algún día, querría ver al bebé.

La señorita Hurstman y ella pasaron un tranquilo día de Navidad bajando a la iglesia del pueblo una mañana fresca y soleada e intercambiando alegres felicitaciones con toda la comunidad. A pesar del avanzado embarazo de Eleanor, habían recibido muchas invitaciones y, por eso precisamente, los corteses rechazos eran perfectamente comprensibles.

El primer día del nuevo año, Eleanor se despertó al sentir un cambio en su cuerpo, un cambio bastante confuso. Enseguida, concentrándose mucho, sintió que el abdomen se le endurecía. Llamaron de inmediato a la comadrona, que escuchó indulgentemente la emocionada descripción de Eleanor y le dijo que hiciera su vida normal, que caminara todo lo que pudiera y que comiera constantemente.

—Me sorprendería que el niño naciera antes de la medianoche, señora Delaney. No deje que la excitación la agote antes de tiempo. Hágame llamar si me necesita y volveré para quedarme por la noche.

Ocurrió como la mujer había dicho. El día transcurrió como otro cualquiera. Eleanor incluso tuvo tiempo de pasear por el jardín y de cortar unas rosas tardías para decorar su habitación. Para dar a su hijo la bienvenida.

Cuando la comadrona regresó, estaba tumbada en la cama, pero enseguida la hizo levantarse.

—Esté de pie y camine todo lo que pueda, querida. Así es más fácil. Si le duele, dígamelo y veré lo que puedo hacer, pero no tenga miedo de gritar. Eso la ayudará a sacar al bebé, ya lo verá.

Fue como si, gradualmente, una ola la envolviera, sintió dolor y presión y tuvo que aguantarlo, porque si luchaba contra él, seguramente la rompería. Aferró las manos de la comadrona y vio seguridad en sus ojos, pero gimió y gruñó y se encontró susurrando el nombre de Nicholas entre gimoteos.

Daría cualquier cosa por tenerlo allí, con ella. Podría confiar en él. Miró hacia abajo y se rió.

Por lo menos, tenía a Arabella Hurstman, aunque por una vez la dama parecía descompuesta, casi histérica. Sin embargo, terminó tranquilizándose y se sentó para leer en voz alta a Wordsworth:

La Tierra, de placeres suyos llena el regazo,
Siente afán de su propia especie natural,
Y aun con algo del ánimo
De una Madre, con digna pretensión, familiar
Ama, hace cuanto puede para lograr que a su Hijo
Adoptivo, el Hombre, se le olviden
Las glorias que ya había conocido,
*Y el palacio imperial de donde vino.**

Tras acabar el delgado volumen, siguió desesperadamente con los poemas de sir Walter Scott:

Delante de sus ojos yacía tendido el mago,
Como si acabara de morir la víspera.
Su barba blanca, rizada en bucles de plata,
*Parecía que contara más de setenta inviernos...***

Una parte de la mente de Eleanor deambulaba por los antiguos castillos con el héroe de Sir Walter. Entonces, la violenta potencia de

---

* Canto VI de *Insinuaciones de inmortalidad por recuerdos de la temprana niñez*. Cf. *Poetas románticos ingleses: Wordsworth, Coleridge, Byron, Shelley, Keats*. Traducción de José María Valverde y Leopoldo Panero, Barcelona, 2013.

** Canto Segundo, fragmento XIX, de *Canto del último trovador*, Cf. *Poema en seis cantos*. Traducción de D. L. Liferrer, Barcelona, 1843.

una contracción la hizo jadear y volver de golpe a la realidad. La señorita Hurstman dejó de leer y se levantó, apretando el libro contra el pecho.

—¡Bien, querida! —la animó la señora Stongelly—. Siga así. Descanse cuando pueda. No hay ninguna prisa en el primer parto, ninguna en absoluto...

El murmullo tranquilizador de la comadrona era la música de la vida, porque Eleanor se sentía abrumada. Empujaba con todo su cuerpo y luego descansaba, empujaba y descansaba. ¿Alguna vez había tenido otra vida que no fuera aquel torbellino de fuerzas?

—¿Todavía no ha nacido? —jadeó, derrumbándose sin fuerzas en un momento de calma.

—No, querida. —La comadrona se rió y le dio un sorbo de vino—. Sabrá muy bien cuándo nace. Ahora, póngase de lado, querida, y enganche una pierna sobre mi hombro, así...

Eleanor siguió todas sus instrucciones y, ciertamente, supo cuándo nació el bebé. Lo sintió sobresalir entre sus piernas. Lo sintió salir, primero la cabeza, despacio y grande, muy grande, y después el resto del cuerpo con una rapidez resbaladiza y agradable.

Todas las oleadas dolorosas desaparecieron y se encontró en una playa tranquila...

Un llanto.

Miró hacia abajo y vio al bebé en la cama. El oscuro cordón todavía iba del cuerpo del bebé hasta el interior del suyo propio. La criatura la miró con unos ojos enormes, oscuros y sorprendidos. Eleanor alargó los brazos con avidez; ya no se sentía cansada.

—Mi bebé —dijo—. Mi bebé...

—Es una preciosa niña, ¿lo ve? —le dijo la señora Stongelly sonriendo ampliamente mientras envolvía a la pequeña en una manta—. Ahora póngase con cuidado de espaldas... —Le dio a la niña.

Eleanor miró a su hija a los ojos.

—Oh, hola, preciosa. —Aquello hacía que incluso la horrible noche que había pasado en casa de su hermano mereciera la pena—.

No habrá ninguna pelea por la heredera Delaney, cariño —le murmuró al bebé—. Somos listas, ¿verdad?

La señorita Hurstman intercambió una mirada con la comadrona, que sonreía con indulgencia.

—Siempre es igual, señora.

Cuando cortó el cordón, la señora Stongelly se llevó a la niña un momento y se la dio a la señorita Hurstman. Ésta enseguida se encontró susurrándole todo tipo de tonterías a la pequeña, que la miraba con los ojos muy abiertos.

Incluso le devolvió la niña a su madre un poco de mala gana.

—Es una niña muy dulce —dijo, abrazándola—. Y lo has hecho muy bien, Eleanor.

—Sí que lo ha hecho —afirmó la comadrona—. Con frecuencia, las mujeres me causan problemas. Luchan contra ello. No, lo ha hecho muy bien, señora. La niña está muy sana. Manténgala calentita y aliméntela usted misma. Tiene muchas posibilidades de criarse muy bien.

Cogió a la niña de los brazos de la señora Hurstman y le enseñó a Eleanor cómo ponérsela al pecho. El bebé comenzó a mamar de inmediato.

—¡Ah, qué dulce! —exclamó la comadrona con satisfacción—. Ya lo ha aprendido. Manténgala cerca de usted, dele calor y aliméntela cada vez que ella se lo pida. Descanse todo lo que pueda y beba mucho.

Dicho aquello, se sentó en una butaca junto al fuego y pareció cabecear.

La señorita Hurstman se sentó en el borde de la cama y observó a la niña mamar.

—Nunca antes había visto esto, Eleanor —dijo con una ternura inusual en ella—. Gracias.

Eleanor le sonrió.

—Me alegro de que estuvieras aquí y de que me obligaras a volver a la vida. Y pensar que podría haberle hecho daño a esta preciosidad... —Acarició con cuidado la suave cabecita dorada de la niña—. Desearía...

—Que tu marido estuviera aquí. Debería haber estado aquí contigo, ¿verdad? Y no por ahí fuera, en una pelea de gallos, esperando acontecimientos.

Eleanor no contestó. El cansancio se estaba apoderando de ella y no se sentía capaz de pensar en Nicholas.

Vio que la boquita de la niña se había deslizado húmedamente de su pecho y que su hija estaba dormida. Dejó que la señorita Hurstman dejara el pequeño bulto en la cuna y la comadrona le hizo un reconocimiento exhaustivo. Después se tumbó y cayó en un sueño profundo y reparador.

Capítulo 14

Cuando se despertó, estaba en un mundo diferente, o eso le pareció. Ya no estaba embarazada; era madre. La espera había terminado y tenía un objetivo para el resto de su vida. Al instante, pensó en Nicholas. ¿Lo volvería a ver? Se sentía como si pudiera pensar en él con claridad por primera vez.

Habían pasado casi cinco meses. Confiaba en el instinto de lord Stainbridge y no creía que su marido estuviera muerto. Sin embargo, eso no explicaba por qué ni siquiera había intentado ponerse en contacto con ella.

Sólo podía pensar que se había encaprichado de otra tarea y que había vuelto a decidir que su familia podía esperar mientras salvaba al mundo. Tal vez las razones que tenía eran tan quijotescas que había decidido que era mejor que ella lo creyera muerto. ¿Pensaría que iba a casarse otra vez?

No, no lo haría. Resolvió, por el bien de su cordura, que desde ese mismo momento se comportaría como si fuera viuda. Ni siquiera podía evocar su rostro con claridad y allí, donde nunca habían estado juntos, no había nada que le recordara a él. Deseó tener un retrato, aunque sospechaba que estaba mejor sin él.

Cuando la señorita Hurstman entró con la bandeja del desayuno, se alegró mucho de ver el buen ánimo de su joven amiga.

—Durante un instante temí que fueras como esas mentecatas que se apartan del mundo cuando han cumplido con su obligación de parir. ¿Cómo la vas a llamar? Hay que llamarla de alguna manera.

Eleanor echó a un lado el impulso que tuvo de llamar a su hija Niccola y le dijo:

—Arabel.

La señorita Hurstman enrojeció.

—Eso es extraordinariamente amable por tu parte, y tienes que dejar que sea su madrina. Me aseguraré de que crezca con ánimos.

—Creo que eso sería maravilloso. Vas a quedarte, ¿verdad?

La señorita Hurstman se ruborizó aún más, si eso era posible, y apareció un brillo de humedad en las arrugas que le rodeaban los ojos.

—Sí, si puedes aguantarme. Pero pondré al día mi casita de campo, en caso de que no me necesites más.

Quería decir en caso de que Nicholas regresara, y ambas lo sabían. Eleanor se limitó a sonreír con tristeza.

—Además —se apresuró a añadir la mujer—, en algún momento querrás recuperar tu vida en sociedad, y yo no puedo soportar ese circo.

Era, claramente, una orden.

—Sí, señora —dijo Eleanor sumisamente.

La señorita Hurstman la miró con severidad.

—Hmm. Veo que eres una descarada, ahora que vuelves a ser tú misma. ¿Le has enseñado esa faceta a tu marido?

Eleanor sintió nostalgia.

—Apenas lo recuerdo. Tuvimos muy poco tiempo y había muchas cosas que me inquietaban. —Se rió entre dientes—. Si lo hubiera hecho, probablemente él me habría golpeado.

La señorita Hurstman se tensó.

—Si hiciera esa estupidez, tendrías que imponerte —afirmó.

—Por supuesto que sí —dijo Nicholas desde el marco de la puerta, donde estaba apoyado.

Sus labios estaban curvados en una sonrisa que le daba calidez a su mirada, pero también tenía un aire vigilante.

No se acercó.

Eleanor se sentía como si se fuera a desmayar. No podía hablar.

La señorita Hurstman la miró con preocupación y abrió la boca para decirle algo al réprobo que por fin había regresado. Sin embargo, se lo pensó mejor y salió de la estancia, empujando a Nicholas al interior y cerrando después la puerta.

Él sonrió al ver esa maniobra, pero enseguida se puso serio y miró a su esposa y a la niña con aire de gravedad.

—¿Eleanor?

Ella tragó saliva. Tenía heladas las cuerdas vocales. Nicholas estaba igual o, al menos, igual que cuando lo había conocido. Otra vez bronceado. Cansado, tal vez.

Le tendió una mano.

Nicholas se acercó y se la tomó. Su piel cálida y un poco áspera tocó la suya y la convenció de que era real. Él se sentó en el borde de la cama y esperó a que Eleanor hablara. Pasó la mirada de ella al bultito que había en la cuna.

—Es una niña —dijo ella por fin con voz ronca. Le pareció que lo que había dicho era insuficiente.

—Sí, lo sé. Los sirvientes me han felicitado. Gracias por inventarte una historia que me protegiera.

Eleanor bajó la mirada y observó sus manos unidas. La de Nicholas era firme y morena y, la suya, más suave y pálida. Recordó que en una ocasión pensó que su marido era alguien en quien podría confiar.

—Tenía que decir algo —murmuró.

Nicholas empezó a hacerle círculos hipnóticos con el pulgar en la piel.

—Lo siento si te he conmocionado al venir así. Evidentemente, el personal esperaba que subiera las escaleras corriendo para verte. Si les hubiera pedido que me anunciaran, habría provocado algunos comentarios. —El pulgar hizo tres círculos más—. Si quieres que me vaya, solamente tienes que decirlo.

Ella levantó la mirada.

—No. Ésta es tu casa.

—Es tu casa, y sólo tuya si así lo quieres. Mi casa está donde estés tú, si permites que así sea.

A Eleanor le parecía que estaban hablando con mucha más lentitud de lo normal, con largos intervalos, pero no podía alterar el ritmo, al igual que no había podido alterarlo durante el parto. Tal vez, simplemente, tendría que pasar también por ello.

—Somos una familia —le dijo con suavidad—. Pero...

—Pero tengo que explicarte muchas cosas —terminó él la frase con una sonrisa—. Eres generosa, como siempre. —La observó con curiosidad—. ¿No tienes tentaciones de darme un puñetazo?

Ella le devolvió la sonrisa.

—Ya sabes que yo no soy así. ¿A los hombres os gusta coger a los bebés? Puedes hacerlo, si quieres.

Sin dudarlo y con una sorprendente confianza, levantó a la niña de la cuna. Arabel bostezó y abrió sus enormes ojos oscuros. Nicholas y ella se miraron atentamente.

—¿Eso crees? —le dijo Nicholas a la niña, como si le estuviera respondiendo a algo—. Pero si hubieras retrasado tu llegada un día o dos, habría podido asistir a tu nacimiento. Ten cuidado, jovencita. Si eres tan descarada, te casaré con un duque viejo y ramplón cuando tengas sólo dieciséis años.

Eleanor los observó con un brillo de felicidad que crecía en su interior, tanto que incluso podría iluminar toda la habitación.

Sin embargo, cuando habló lo hizo con voz tranquila.

—La señorita Hurstman tendría algo que decir al respecto. Va a ser la madrina de Arabel y ha prometido criarla con su espíritu de independencia.

—Que Dios nos ayude —comentó él con una sonrisa irónica.

La niña estaba intentando chupar los botones de su chaqueta, así que se la tendió a su madre. Eleanor estaba demasiado preocupada con el hecho de alimentarla correctamente como para ser consciente de la presencia de su marido. Cuando Arabel comenzó a mamar con felicidad y ella pudo pensar en el asunto, se dio cuenta de que no se sentía avergonzada. El que Nicholas estuviera mirando le parecía lo correcto.

—¿Te sientes bien? —le preguntó él—. Tienes muy buen aspecto.

—Muy bien. Fue un parto fácil y anoche la niña sólo me despertó una vez para que le diera el pecho. Me han dicho que eso no va a durar. —Ahora sí se sentía capaz de hablar—. ¿De dónde vienes?

—De Londres. —Vio cómo lo miraba y sonrió con remordimiento—. No te enfades, Eleanor. Te lo contaré todo, pero éste no es el momento. Es bastante complicado.

Ella sacudió la cabeza.

—¿Alguna vez has hecho algo que no lo sea?

Nicholas era demasiado inteligente como para contestar a eso, así que se quedaron en silencio, viendo cómo mamaba la pequeña. Con un estremecimiento de desasosiego, Eleanor se dio cuenta de que su marido no había perdido el poder que ejercía sobre ella. Sólo tenía que pronunciar una palabra y ella le pondría el corazón a los pies, sin ni siquiera escuchar la historia. Agradecía enormemente que él no estuviera haciendo esfuerzos por cautivarla, ni pidiéndole nada.

Tenía que pensar y decidir qué iba a hacer con su vida en común. Cuanto más tiempo pasaban así, más difícil le parecía.

—¿No quieres desayunar? —le preguntó por fin.

—En realidad, no, pero supongo que debería ir a ver a nuestro invitado. —Ante su mirada de incomprensión, le explicó—: He traído a Francis para que me dé apoyo moral.

No hizo ningún ademán de marcharse.

—Tal vez podrías traerlo aquí para que viera a Arabel —le sugirió. Él enarcó las cejas.

—A lo mejor cuando haya terminado de comer.

Eleanor se ruborizó.

Nicholas le puso un dedo sobre la mejilla sonrojada. ¿Cómo un contacto tan ligero podía resultar tan devastador?

—Iré a decirle que, por lo menos, no me has disparado al verme. Subiremos dentro de un rato.

Cuando Nicholas cerró suavemente la puerta a sus espaldas, la niña se revolvió y pareció mirar a su alrededor.

—Sí, se ha ido. ¿Ya te ha cautivado, pequeña? —La acarició y se la puso en el otro pecho. La niña se agarró tan fuerte que Eleanor hizo un gesto de dolor—. Ten cuidado conmigo. Yo también soy nueva en esto. ¿Qué voy a hacer?

La pequeña continuó alimentándose.

Eleanor suspiró.

—¿Por qué estoy fingiendo que tengo otra alternativa? No lo voy a echar, aunque debería irse, ya lo sabes. Sería injusto y un castigo desproporcionado, como cortarle a alguien la nariz por haber dado una bofetada. Y si se va a quedar, mi pequeña flor, no puede ser en un estado de guerra.

La niña terminó de mamar y se separó del pezón, aburrida por la conversación. De hecho, estaba casi dormida.

Eleanor se la puso en el hombro, como la comadrona le había enseñado, y le frotó la espalda.

—Tienes razón —suspiró—. Es una conclusión inevitable. Pero no voy a rendirme ante él tan fácilmente, Arabel —añadió con decisión—. Creo que me merezco que Nicholas tenga que esforzarse un poco.

Arabel eructó y dejó escapar un pequeño gorjeo.

—Sabía que estarías de acuerdo —dijo Eleanor—. Las mujeres debemos mantenernos unidas.

Cuando la pequeña se hubo quedado dormida, Eleanor llamó a Jenny, que la arregló para recibir visitas. Le hizo una pulcra trenza y sacó una bonita chaqueta para que se la pusiera encima del camisón.

La niña siguió durmiendo en sus brazos. Cuando llegaron las visitas, a Eleanor la divirtió oír que la señorita Hurstman no había tardado en quejarse por el comportamiento de Nicholas.

—... ninguna consideración. No tienes ni idea de lo delicado que es el estado de una mujer tras el parto.

—Con todos mis respetos, usted tampoco la tiene, señorita Hurstman —iba diciendo Nicholas cuando entraron en la habitación.

—Oh, llámame tía Arabella —dijo la mujer, sin ofenderse—. Ahora soy de la familia. Y, como tía tuya, me siento con la libertad de decirte que eres un sinvergüenza insolente. ¿Te ha dicho Eleanor que voy a ser la madrina de la niña? —le preguntó en tono desafiante.

—Sí, y creo que es una idea excelente.

—¿De verdad? —le preguntó sorprendida—. Pues no creas que le dejaré mi dinero. Todo va a ir a parar a la Sociedad para la emancipación de las mujeres.

—Muy sensato —intervino Eleanor—. Eso beneficiará a Arabel mucho más que el hecho de que la persigan los cazafortunas.

—Una mujer con buen juicio —se mostró de acuerdo la dama—. Enviádmela de vez en cuando y me aseguraré de que no se convierta en una señorita mimada.

Eleanor se dio cuenta de que la señorita Hurstman también asumía que Nicholas se iba a quedar. Sintió una oleada de rebelión.

Nicholas se echó a reír.

—De eso nada. Probablemente tendremos que enviarla con la tía Christobel para que le inculque algo de decoro. Pero ya basta. Francis, acércate y admira a mi hija.

Lord Middlethorpe miró a la niña y se mostró apropiadamente impresionado, pero mucho menos cómodo que Nicholas. Eleanor sospechó que, si le hubiera ofrecido que la cogiera, habría retrocedido horrorizado. Francis la miró inquisitivamente y después le dedicó lo que Eleanor supuso que era una sonrisa tranquilizadora.

De pronto se dio cuenta de que Arabel estaba mojada. Sonrió al imaginarse a lord Middlethorpe sosteniendo no sólo a un bebé, sino a un bebé empapado. Tocó la campanilla que tenía junto a la cama y llegó la niñera para llevar a cabo su cometido.

Aquello fue una señal para que las visitas se marcharan, pero Eleanor miró a Nicholas, quien entendió lo que quería decir y se quedó rezagado.

—Lo que voy a decir es una tontería —le dijo—. Todo esto es como un sueño. ¿Seguirás aquí si me voy a dormir?

—Por supuesto.

Nicholas echó las cortinas para ocultar el sol invernal, avivó el fuego y se acercó para sentarse en el borde de la cama.

—No me iré a menos que me lo pidas, Eleanor. Te doy mi palabra. Nunca he roto una promesa, ¿no es así?

Eleanor pensó en ello. Nicholas siempre había tenido cuidado de prometerle pocas cosas. Sin embargo, lo que le había prometido, lo había cumplido.

—No —respondió—. Nunca has faltado a tu palabra.

—Entonces, duérmete. Hablaremos cuando estés preparada.

Se quedó mientras ella se adormilaba. Antes de marcharse, le dio un beso ligero como una pluma en la frente.

Encontró a Francis en el comedor, atacando un sustancioso almuerzo.

—Estoy hambriento. Y condenadamente dolorido. Catorce horas sobre la silla de montar sin apenas hacer un descanso, y en pleno invierno. Ojalá no hubiera estado en Londres para no haber tenido que hacer este viaje. ¿Va todo bien?

—Tan bien como podría esperarse —contestó Nicholas, llenándose el plato—. Eleanor es sorprendente. Tengo esperanzas, de todas formas.

Francis sonrió al ver que la mirada torturada que había tenido su amigo desde que regresó, y durante aquel frenético viaje de pesadilla a Somerset, había desaparecido.

Nicholas había acudido directamente a su casa de Lauriston Street. Allí se había enterado de que Eleanor había estado muy enferma tras su desaparición y se había ido a Somerset. Había sido una suerte, pensó lord Middlethorpe, haberse encontrado en Londres, porque su amigo había estado desesperado. Había hecho todo lo posible por tranquilizarlo, pero lo único que satisfizo a Nicholas fue cabalgar a Redoaks a toda velocidad.

Ambos se habían dirigido allí directamente, parando sólo para cambiar los caballos y para hacer una rápida comida. No habían tenido mucho tiempo para conversar y, siguiendo sus instintos, Francis no le había preguntado nada. Sin embargo, estaba seguro de que su amigo no se sentía culpable.

—Tienes una hija preciosa —le dijo, cortando un trozo de jamón—. Creo que tendré que empezar a pensar en el matrimonio. Los padres de Luce también lo están presionando mucho. Son los inconvenientes de ser hijo único.

—¿Los dos la misma temporada? —preguntó Nicholas sonriendo—. Causará un buen revuelo entre las madres que están deseando casar a sus hijas. —Entonces miró a su amigo con seriedad—. Perdóname que te pregunte esto, Francis, pero ¿amas a Eleanor?

Los finos rasgos de lord Middlethorpe enrojecieron.

—No, desafortunadamente. Lo digo porque creo que podría haberme enamorado de ella si las circunstancias hubieran sido las apropiadas. Es una mujer muy especial.

—¿Acaso la lógica puede dominar al amor? —preguntó Nicholas sin convicción.

—Eso creo. Cuando conocí a Eleanor, era tu mujer. Tras tu desaparición y, aunque temíamos que pudieras estar muerto, su embarazo ya estaba muy avanzado. Para mí, nunca fue una mujer disponible. Imagino que, si hubiera sido viuda, después de algún tiempo podría haber sido diferente.

—En todo caso, me alegro de que no tengas el corazón roto. Empecé a pensar que, al pedirte que cuidaras de Eleanor, te había puesto una pesada carga sobre los hombros. —Añadió con repentina amargura—: Por lo menos, he aprendido que intentar hacer lo correcto no es suficiente. Mira cuántos problemas me ha ocasionado.

No dijo nada más, y Francis no quiso husmear. Después de comer, los dos fueron a dormir un poco.

Eleanor se despertó de la siesta con una sonrisa en los labios. Enseguida recordó por qué. No obstante, no todo eran rosas, porque Nicholas no había hablado de sus sentimientos. ¿Estaba allí por deber? ¿Porque era lo que quería? ¿Por amor? Él no le estaba pidiendo nada, pero tampoco le estaba haciendo ninguna promesa, sólo la de su presencia.

Le contó sus dudas a la señorita Hurstman mientras tomaban el té.

—Bueno —dijo la dama—, dudo que comprendieras la situación si regresara e inmediatamente te jurara amor eterno.

—No —admitió Eleanor—. Pero no puede esperar que me postre a sus pies.

—No creo que lo haga.

—Si ninguno de los dos se atreve a dar un paso, estamos en un atolladero.

—Tonterías. Todo a su debido tiempo. No tengas prisa.

—Pero me siento tan confusa... —se quejó Eleanor—. Está bien que él haya decidido dejarlo todo en mis manos, pero no estoy segura de querer tener esa responsabilidad. Habría sido mucho más sencillo —admitió— si hubiera entrado de repente y me hubiera cautivado con sus encantos.

—¡Ja! —explotó la señorita Hurstman—. Si no estuvieras convaleciente, te daría unos azotes, niña. ¡Vaya ridiculez! Te olvidas de que un marido tiene todo el poder si decide usarlo, y tú estás particularmente desprotegida. No tienes padre ni un hermano al que merezca la pena mencionar. Y los amigos que te apoyan antes eran suyos.

—Tampoco quiero oponerme a él —dijo Eleanor, que se sentía una completa estúpida.

—No —contestó la señorita Hurstman sonriendo—. Ya sé lo que quieres, y él también. Pero, como bien has dicho, te ha dado a ti las riendas. Os beneficiareis los dos si las usas, aunque con cuidado. Diviértete un poco. Deja que te corteje. Después de todo, nunca lo ha hecho.

Mientras Eleanor asimilaba todo aquello, la señorita Hurstman añadió:

—He sido testigo de muchos cortejos y matrimonios. A menudo he pensado que es el primero el que marca el tono del segundo. Si caes en sus manos demasiado pronto, no te valorará. No tuviste noviazgo, y mira adónde te ha llevado.

Eleanor pensó en aquella noche en la posada de Newhaven. Supuso que eso había sido el cortejo, aunque breve, y había marcado una pauta. No una mala. De honestidad, comprensión y funcionalidad. No obstante, no estaría mal añadirle un poco de romance.

—Pero —reflexionó en voz alta— es como si yo esperara que él fuera un bufón que me divirtiera o una marioneta cuyos hilos manejo.

La otra mujer resopló.

—Probablemente será la única ocasión en toda tu vida en que le pidas que salte, y lo haga. Bueno, haz lo que quieras. Es lo que siempre hace la gente.

Nicholas la buscó de nuevo por la tarde y charlaron de temas triviales e impersonales, como tantas veces habían hecho en el pasado. Sin embargo, había una tensión nerviosa en el ambiente, y apenas se miraron a los ojos.

Él preguntó ociosamente:

—Por cierto, ¿tienes aquí las perlas? Al mirar en la caja fuerte, vi que no estaban.

Eleanor sintió náuseas. No había vuelto a pensar en ellas desde que salió de Londres.

—Se las di a mi hermano —le confesó, y tragó saliva para deshacer el nudo que se le había formado en la garganta.

La expresión de Nicholas era indescifrable, aunque no parecía enfadado.

—Y ha salido del país, ¿no es así? Habría preferido que le hubieras dado dinero. Me llevará algún tiempo reponerlas.

—No quiero que las repongas —replicó ella bruscamente.

Siempre serían un recordatorio de aquella época tan horrible.

—¿No quieres? Te quedaban muy bien. Puede que a Arabel le gusten algún día.

Vio que no iba a pedirle explicaciones, y eso no podría soportarlo, así que le contó rápidamente lo que había ocurrido.

—Fui una necia al dejarme convencer, pero no quería que te tomaran por un traidor.

Para su asombro, Nicholas se rió.

—¡Qué sinvergüenza tan astuto! Lo siento, Eleanor. No me di cuenta de que estabas enterada de la conspiración. He pasado algún tiempo preguntándome qué cambiaría si volviera a pasar por ello. Supongo que te lo contaría todo, pero era un poco difícil. Conozco a alguien en Londres que podrá sustituirlas —dijo alegremente—. Con suerte, tu hermano habrá vendido todo el collar y podremos volver a comprarlas.

—Es horrible —protestó Eleanor—. Es la última persona a la que querría financiar, y te costará una fortuna.

—No importa —contestó, y parecía decirlo de verdad.

A ella le sorprendía la poca importancia que le daba a las cosas materiales.

Nicholas sacó un estuche plano.

—No quisiera avergonzarte con regalos, querida, pero es costumbre que el marido le dé un detalle a su mujer en estos momentos.

Eleanor cogió el estuche, lo abrió y vio un precioso brazalete de diamantes, delicado y sencillo, aunque tenía más de una docena de hermosas piedras. Para ser alguien a quien no le importaban las posesiones, tenía un gusto exquisito.

Con vacilación, permitió que Nicholas se lo pusiera en la muñeca. Cuando sus dedos se tocaron, sintió que un escalofrío le recorría el brazo.

Deseaba desesperadamente que la abrazara. Encontrarse en sus brazos sería como estar en el cielo.

Sabía que solamente tenía que pedírselo.

Sin embargo, no podía.

Al día siguiente, Eleanor causó un alboroto al insistir en que se encontraba lo suficientemente bien como para salir de la cama. Accedió a caminar sólo hasta un diván que había junto a la ventana, pero por lo menos se vistió y se levantó.

Nicholas sonrió cuando entró a verla, y ella le devolvió la sonrisa. Cada vez que lo veía, estaba mucho más saludable; no eran imaginaciones suyas.

—Un pequeño gesto hacia la libertad —señaló él—. ¿Te gustaría venir al piso de abajo? Yo podría llevarte.

—Oh, no, yo... —Vio, tras la sonrisa de su marido, un destello de dolor ante lo que parecía un rechazo—. Sí, por favor —se corrigió—. Estaba pensando en cómo salir de esta habitación, pero iba a caminar. Supongo que a todo el mundo le daría un ataque.

—Creo que te harás pedazos si haces esa tontería —dijo él, y la cogió en brazos.

No había otra cosa sensata que hacer excepto apoyar la cabeza en su hombro. Se preguntó si Nicholas sabía lo bien que la hacía sentirse aquello, cuánto había añorado su proximidad.

—Has perdido peso, Eleanor —comentó.

Ella soltó una risita.

—Está en el cuarto del bebé.

—Quiero decir, desde que nos conocimos.

—Nunca me habías cogido en brazos.

—Sí. Una vez te llevé a la cama.

Ella lo recordó. Había esperado más o, al menos, una parte de ella lo había deseado.

—Has estado enferma, ¿no es así? —le dijo en voz baja mientras la dejaba con suavidad en el sofá del salón.

No podía ocultarle la verdad.

—Sí. Fue por la incertidumbre, la preocupación... y por la pérdida, creo. No podía soportar pensar que estabas muerto y que habíamos desperdiciado de esa manera el tiempo que pasamos juntos.

Él se sentó en el borde del sofá.

—Más tarde tuve esperanzas de que esa escena en casa de Thérèse te hubiera ayudado a superarlo.

Ella lo miró pensativa durante un momento.

—Entiendo. Pensaste que me haría odiarte. —Se rió entre dientes—. ¿Cómo podría ser así cuando usaste esos trucos tan tontos? Mi mayor problema fue fingir que te odiaba hasta que estuvimos a salvo, y era evidente que ése era tu propósito. Me temo que Amy nunca lo comprendió. Seguramente, te tratará con frialdad.

—Me aseguraré de que estés cerca para defender mi honor. Lo sabremos pronto, porque deberían venir hoy.

—¿Amy y Peter? —preguntó ella, sorprendida.

—Les envié una nota a su nidito de amor. Si pueden, vendrán.

—¿Por qué, Nicholas? —le preguntó con seriedad.

Él la miró a los ojos con franqueza.

—Te estoy rodeando de amigos para que puedas tomar libremente la decisión que quieras.

Nicholas había visto el mismo problema que le había señalado la señorita Hurstman.

—Eso no es necesario, Nicholas. Confío en ti. Supongo que también has avisado a tu hermano —se quejó.

Él sonrió.

—No, eso te lo he ahorrado. Gracias por tu confianza, Eleanor. —Se levantó y se apartó para mirar distraídamente un feo jarrón—. Tal vez lo que ocurre es que yo no confío en mí mismo.

Fue una suerte que la señorita Hurstman entrara en aquel momento, porque Eleanor sentía que se estaba hundiendo en aguas profundas y todavía no quería explorarlas. Y sospechaba que él tampoco.

—Ah, excelente —dijo Arabella cuando la vio—. No quise contradecir a la comadrona y a las otras mujeres que afirmaban que debías permanecer tumbada, pero me parecía una tontería. He visto a mujeres trabajar en el campo a los pocos días del parto. Nicholas, tu mozo de cuadra me ha pedido que te diga que tu caballo tiene tos... Bueno, en fin —dijo mirando a la puerta, por donde acababa de salir Nicholas—, con eso nos hemos deshecho de él. Hombres. Siempre preocupándose por los caballos.

—Pero creo que si un caballo tose, es algo grave.

—¿De verdad? Tal vez debería ofrecerles mi jarabe especial para la tos. Nunca he tenido mucho interés en las bestias, excepto para que me lleven de un lado a otro.

—A mí me gustaba cabalgar cuando era joven —musitó Eleanor—, pero cuando murió mi padre, Lionel vendió los caballos que teníamos en el campo.

Como resultado de aquello, la señorita Hurstman interceptó a Nicholas, que estaba receloso, aquel mismo día.

—¿El caballo está bien?

—Sí, gracias. Una falsa alarma, tía Arabella.

—No te vayas tan rápido, muchacho. Tengo algo que decirte, y no creo en las medias tintas. Está muy bien que le hagas regalos a Eleanor. Pues bien, le gustaría tener un caballo, aunque ha perdido la práctica montando. Ya está. Para que no digas que soy de poca utilidad.

Al contrario, Nicholas la levantó del suelo y la besó, dejándola aturullada y mascullando, pero con los ojos brillantes.

Cuando regresó, encontró a Eleanor leyendo un libro.

—*Waverley* —dijo él—. Confieso que no soy un gran admirador de Sir Walter.

—Es una buena historia.

Eleanor tenía que obligarse a no mirarlo con avidez. Todavía no podía creer que hubiera vuelto... y que tal vez se quedara. Si ella se lo permitiera...

—Arabella se sorprendió mucho —añadió rápidamente— al ver cierto libro en Lauriston Street. Estaba en italiano, así que no pude leerlo.

—Me pregunto cuál podría ser... Ah, sí —contestó, con ojos risueños—. Creo que ya lo sé.

—¿Y bien? ¿No vas a contarme de qué trata?

Él sonrió.

—De ninguna manera. Será un incentivo para que aprendas italiano.

—Eso es muy mezquino —protestó Eleanor, encantada para sus adentros con su buen humor.

—Si te gusta la erótica —dijo él—, podría proporcionarte algunos libros en inglés.

—¿Qué es la erótica? —preguntó, aunque podía adivinarlo por el tono de su marido.

Lord Middlethorpe entró en ese momento. Pareció tan sorprendido que Eleanor se ruborizó y fulminó con la mirada a su marido, que no estaba nada arrepentido.

—Mira, Eleanor, has conmocionado a Francis.

Lamentablemente, ella cedió a un impulso y le arrojó *Waverley* a la cabeza. Nicholas lo agarró al vuelo, alisó las hojas con gesto acusador y lo dejó en una mesa.

—Botín de guerra. Ahora, ¿con qué te vas a entretener?

Eleanor lo ignoró deliberadamente.

—Francis, estamos siendo unos anfitriones muy negligentes. Dime, ¿qué piensas de la propiedad?

Lord Middlethorpe miró con reservas a Nicholas, pero obedeció a Eleanor. Nicholas murmuró:

—¿Pistolas o espadas?

—Pistolas —contestó Francis—. Soy mejor tirador que tú.

—Pero disparar a la gente es tan aburrido... —se quejó Nicholas.

Eleanor y lord Middlethorpe intercambiaron una sonrisa de exasperación. Nicholas no parecía tomarse nada en serio.

Éste agarró *Waverley* y cayó sobre una rodilla junto al sofá.

—Hermosa dama, ¿debo morir porque habéis fruncido el ceño? —le ofreció el libro como si fuera un sacerdote en el altar.

—Estás loco —dijo Eleanor con severidad, y cogió el libro—. Sin embargo, no permitiré que Francis te mate, mientras me digas qué es la erótica.

—Oh, no —contestó Nicholas. Se sacudió la rodilla al levantarse y le dirigió una mirada malvada a su amigo—. Seguramente, el honor es de Francis.

—Yo... —Francis enrojeció—. Nunca deberíais haber mencionado nada tan indecente.

—Fue Eleanor quien sacó el tema —dijo Nicholas lastimeramente—. De hecho, creo que todo es culpa de tu tía, y fuiste tú quien la envió a Eleanor...

En ese momento, entró la viuda en la habitación y miró con recelo al trío, que se reía a carcajadas.

—¿A qué estáis jugando? Vivíamos en una casa tranquila antes de que llagarais vosotros dos.

Nicholas le tomó una mano y se la besó con devoción.

—Acabamos de decidir que deberías contarle a Eleanor lo que es la erótica.

Lo miró con frialdad y liberó la mano.

—Si hay algo de lo que deba ocuparse un marido, es de eso. Y no estoy segura de que tu confianza no sea una ofensa.

Eleanor sonrió.

—¿Lo ves, Francis? Si no luchas por mi honor, lucha al menos por el de Arabella. Después de todo, es tu tía.

—Ya es suficiente, mujer despiadada —le ordenó Nicholas—. Tú —dijo, señalando a Arabella— la hiciste fijarse en *Amori*.

—¡Y tú tienes tal cosa al alcance de la mano para que una inocente soltera lo encuentre de improviso!

—Me pregunto qué haría la «inocente soltera» si yo cogiera mis mejores libros y los guardara bajo llave.

—Buscaría un hacha, rompería la cerradura y después te golpearía en la cabeza —dijo la señorita Hurstman mordazmente—. La cena está lista, y creo que Eleanor debería comer en su habitación. Seguro que toda esta tontería le dará fiebre.

Nicholas se ofreció a volver a llevarla en brazos, pero Eleanor insistió en caminar.

—Me voy a volver loca si no hago algo de ejercicio —se quejó.

Le pidió a Francis deliberadamente que le tendiera el brazo para acompañarla a su dormitorio.

Mientras subían lentamente las escaleras, él le dijo:

—Ya sabes, Eleanor, que soy tu servidor para lo que necesites. Y espero que aprecies el sacrificio cuando Nicholas me asesine.

Le sorprendió la sonrisa atrevida que ella le dirigió.

—No lo hará, porque yo nunca se lo perdonaría.

—Te las das de dura, ¿eh? Ya te avisé una vez sobre Nicholas. Es un gran actor y se sabe controlar muy bien, pero no puedes presionarlo indefinidamente.

Eleanor inclinó la cabeza.

—Hizo una buena representación durante meses. Bien puede fingir una semana más.

Francis se contuvo sabiamente de hacer ningún comentario, aunque se sentía como si estuviera sentado sobre un barril de pólvora.

Mientras tanto, la señorita Hurstman estaba disfrutando de la compañía de Nicholas de camino al comedor.

—Me dais miedo los hombres que tenéis facilidad con las mujeres —comentó.

—Haces bien en asustarte —dijo él a la ligera—. Podría decidirme a coquetear contigo.

Ella resopló.

—¡Presumido! ¿Podrías hacerlo aunque yo no te importara nada?

—Acabo de pasar mucho tiempo haciendo precisamente eso que dices —dijo fríamente.

—Es inmoral.

—Indudablemente. Aunque no es algo que suela hacer. He descubierto que tiene consecuencias desagradables.

Ella pensó que ya no iba a decir nada más, pero entonces Nicholas confesó:

—Todas las expresiones cariñosas se me han vuelto amargas.

Parecía tan desolado que la mujer deseó poder consolarlo. Lo único que pudo hacer fue mantenerse fiel a su manera de ser.

—Eso me causa cierta satisfacción —dijo animadamente.

Él se echó a reír.

Cuando los tres estaban empezando a cenar, llegó un carruaje y todos fueron a la entrada a recibir a Peter y a Amy. Estaban cansados, con frío, felices y parecían los de siempre. Sólo que Amy perdió la sonrisa y levantó la barbilla cuando vio a su anfitrión.

—Bueno —dijo—, hemos venido, Nicholas, pero solamente porque dijiste que era por el bienestar de Eleanor. ¿Se encuentra bien?

—Muy bien —contestó sin alterar la voz—, y dio a luz a una niña hace dos días.

Esa noticia rompió un poco el hielo.

—Entrad y cenad con nosotros —les pidió—, y después podréis subir a verla.

Peter y él se estrecharon la mano. El pobre hombre parecía muy incómodo por la hostilidad de su mujer y no estaba muy seguro de qué actitud tomar.

—¿Os ha gustado Francia? —les preguntó Nicholas amablemente, porque ahí era donde la pareja había pasado la luna de miel.

Ese tema les dio conversación durante el resto de la cena.

Cuando Amy terminó de comer, Nicholas le pidió a la señorita Hurstman que la acompañara al piso superior para ver a Eleanor y al bebé.

—Estoy deseando verlo... verla, quiero decir. Yo también tengo esperanzas... —dijo y se ruborizó violentamente.

—Está mejorando —intervino Peter con satisfacción—, pero todavía no ha dejado atrás su recato de soltera.

Amy se fue corriendo.

Los hombres hablaron un rato y después Peter también expresó su deseo de ver a la niña. Todos subieron las escaleras en dirección a la habitación de Eleanor.

Arabel estaba dormida en la cuna, con el trasero en pompa. Sus mejillas eran tan suaves como los pétalos de una rosa. Amy, la señorita Hurstman y Eleanor estaban chismorreando mientras tomaban té.

Peter frunció el ceño al ver al bebé.

—Es un poco pequeña.

Nicholas se rió entre dientes.

—Otro hombre que no sabe nada de bebés. ¿Y tú, Amy? ¿Tienes idea de lo que hay que hacer?

—No. Sin embargo, me gustaría cogerla —dijo con melancolía.

Con mucha habilidad, Nicholas levantó a la pequeña dormida y se la puso en brazos. La niña apenas se movió.

—Es preciosa —dijo Amy en voz baja—. Pero Peter tiene razón. Es increíblemente diminuta.

Aquel momento tan agradable se vio interrumpido por un estruendo, seguido de un grito y gemidos. Nicholas, que fue el primero en salir, vio que la niñera estaba en el suelo del pasillo. La mujer gimió aún más alto.

Detrás de él, el bebé se despertó y comenzó a llorar. Otra doncella llegó corriendo, con las manos en alto y gritando.

Se hizo el caos.

Nicholas miró a su alrededor con impotencia y tomó el control de la situación.

—Amy, llévate a la niña a su cuarto, por favor. No, no se va a romper, sólo ten cuidado con la cabeza; el resto es de goma. Peter, ¿puedes hacer que alguien vaya a buscar al médico? A menos que esté equivocado, la muchacha se ha roto la pierna. —Se dirigió a la segunda doncella—. Deja de gritar, chica, o te daré una bofetada. Ve a ayudar a la señora Lavering con la niña.

La inexperiencia de Amy era evidente. Arabel estaba llorando a pleno pulmón con la rabia de una recién nacida asustada y ofendida. Eleanor había salido de la cama y estaba buscando desesperadamente su mantón. Terminó rindiéndose e irrumpió en la habitación de la niña sólo con el camisón.

Toda la casa había acudido para ver qué pasaba y a la niñera herida, que se había calmado y se quejaba suavemente, la llevaron a una habitación de invitados. La señorita Hurstman fue con ella, para ayudar en lo que pudiera. Nicholas ordenó al resto del personal que volviera a sus quehaceres y regresó un poco de paz... excepto por el bebé, que seguía berreando.

Nicholas entró en la habitación de Arabel. Amy había acostado a la niña en la cuna y la estaba meciendo a un ritmo frenético. Eleanor y la doncella estaban una a cada lado, suplicándole a la pequeña que dejara de llorar.

—Oh, cállate, bebé —jadeó Amy con lágrimas en los ojos—. ¡Nicholas, se va a ahogar!

—¿Qué le ocurre? —se lamentó Eleanor—. He intentado cogerla, pero no ha servido de nada. No deja de llorar. No sé qué hacer.

—No pasa nada —le dijo Nicholas con firmeza—. Tú no puedes estar histérica también. Se te irá la leche, y probablemente querrá comer enseguida. —La abrazó, aunque parte de su atención estaba puesta en la niña que lloraba. ¿Cómo podría ignorar ese sonido penetrante?—. Vuelve a la cama —le sugirió—, y yo te la llevaré. La niñera se ha roto una pierna.

Eleanor se echó a llorar al oír aquello. Tras un momento de indecisión, Nicholas la puso en brazos en Francis.

—Cuida de ella. —Se volvió hacia la cuna—. Amy, deja de mecerla de ese modo. ¡Debe de estar mareada!

—¡Muy bien, a ver lo que puedes hacer tú! —le espetó Amy.

Nicholas cogió a la pequeña y se la puso contra el hombro, hablándole suavemente al oído mientras paseaba por la habitación. Poco a poco los llantos se acallaron hasta convertirse en hipidos de angustia. Después, con menos intensidad, comenzaron de nuevo.

—Está mojada y tiene hambre —dijo Nicholas, y dejó escapar un suspiro—. No sé qué es más urgente. —Se dirigió a la doncella, que lo miraba boquiabierta—: ¿Puedes cambiarla?

—Sí, señor —le contestó con lágrimas en los ojos, e inclinó la cabeza con nerviosismo—. Lo siento, señor. No quería hacer nada sin permiso, señor.

—Sí, está bien —la tranquilizó—. Haz lo necesario y luego llévasela a mi mujer.

Sacudió la cabeza y le sonrió a Amy, que lo miraba tan asombrada como la doncella.

—Vaya bienvenida que has tenido, Amy. —Se giró cuando Francis entró en el cuarto del bebé—. ¿Por qué no te llevas a Amy abajo y los entretienes, a Peter y a ella?

Cuando se hubieron marchado, se tomó un momento para calmarse y acudió a ver a Eleanor.

—¿Arabela está bien? —preguntó ella de inmediato.

—Sí. Estaba mojada y ahora tiene hambre. La doncella te la traerá enseguida.

—¡Me siento tan estúpida! —exclamó con inquietud—. ¿Por qué no se tranquilizaba conmigo? He dejado que la niñera lo hiciera todo excepto alimentarla y mimarla. —Lo miró con resentimiento—. ¿Cómo sabías lo que había que hacer?

—Es parte de mi historia —contestó, pero no añadió nada más—. Será mejor que baje para atender a nuestros invitados. Volveré más tarde, si puedo.

—¿Eso quiere decir que no podrás? —dijo Eleanor—. ¡Ojalá dejaras de ser tan condenadamente razonable!

Rompió a llorar, avergonzada.

Segundos después Nicholas se acercó y la abrazó para consolarla.

—Eleanor, lo estoy haciendo lo mejor que puedo —afirmó con un suspiro.

A pesar de las lágrimas, ella distinguió una nota de desesperación en la voz de su marido.

—Todo el mundo parece creer que soy omnipotente —añadió con calma—. Cometo los mismos errores estúpidos que los demás y, además, a mayor escala.

Ella supuso que era verdad. Incluso cuando estaba en el colegio todos habían esperado de él que los liderara y que les resolviera los problemas, que aliviara sus miedos y aumentara la confianza en ellos mismos. No, todo había comenzado incluso antes. Desde que había nacido, prácticamente se había hecho cargo de su hermano.

Y ella era tal vez la peor de todos. ¿Eso era ella, otra carga? Si Nicholas hubiera regresado sólo porque se sentía obligado a hacerlo, no podría soportarlo.

—Lo siento —le dijo, y agarró un pañuelo—. No sé qué me ha pasado. Parezco una regadera.

—Es normal que ocurra —contestó de modo tranquilizador—. Por eso no estoy dando explicaciones ni te estoy obligando a que tomes decisiones. Todavía no estás preparada, querida.

La besó suavemente en la frente y dejó de abrazarla.

Eleanor consiguió reprimir una protesta.

—Recuerda, Eleanor —le dijo con una tierna sonrisa—, que hay mucha gente, y en particular yo mismo, que solamente desea tu felicidad.

Cuando se fue, Eleanor pensó que esas últimas palabras parecían una broma pesada. ¿Qué felicidad? Ella quería ser joven, virginal, estar enamorada y que la cortejaran. Y eso ya no tenía remedio.

Más tarde, mientras Jenny la peinaba y la ayudaba a asearse, hablaron sobre el desastre de aquella tarde y cómo Nicholas había manejado la situación.

—Pobre hombre —dijo la doncella ahogando una risita—. Haber tenido que cuidar del bebé en medio de todo ese revuelo. Debió de haberse sentido muy incómodo.

Eleanor pensó en aquello, sorprendida. Aunque había parecido que lo tenía todo bajo control, tal vez se hubiera sentido abrumado. Había dicho que todo el mundo esperaba de él que fuera omnipotente.

—Qué grupo tan extraño somos —comentó—. El único que sabe algo de niños es un hombre, y no es precisamente el hombre más hogareño.

—Con todos los respetos, señora, yo sí sé de bebés. Soy la hermana mayor de diez, de los que viven ocho. ¿Puedo ayudar en algo?

Así que Jenny se convirtió en la niñera mientras contrataban a una nueva.

Capítulo 15

*A*l día siguiente, Eleanor afirmó que ya estaba recuperada e insistió en salir de la cama y caminar sin ayuda. Como eso no conllevó ninguna catástrofe, todos aceptaron esa excentricidad. Incluso salió con Amy a dar un tranquilo paseo por los jardines helados y comprobó que las matas de patatas y zanahorias estuvieran bien cuidadas.

—Te gusta mucho vivir en el campo, ¿no es así, Eleanor? —le preguntó Amy.

—Sí, es cierto. Hay cosas que hacer de verdad y gente que necesita ayuda. La gente también está dispuesta a ofrecer ayuda cuando es necesario. La vida en la ciudad es muy artificial.

—Entonces, ¿vas a vivir aquí? —le preguntó, y se ruborizó al darse cuenta de que ese tema se acercaba peligrosamente a algunos asuntos que aún no se habían aclarado.

—Oh, sí —contestó Eleanor con calma, ignorando la alarma de la otra mujer—. Eso creo. ¿Qué mejor lugar para criar a una niña?

Amy pensó que ni siquiera mencionaba quién iba a vivir con ella, o si pensaba tener más hijos.

Los hombres habían salido con armas de caza y no regresaron hasta bien entrada la tarde. El sol se estaba poniendo cuando Nicholas buscó a Eleanor y la encontró amamantando a Arabel.

—Es una tarea pesada, ¿verdad? —dijo, pasando un dedo por la suave cabeza de la niña—. Eleanor, ¿te sentirías capaz de bajar a cenar esta noche?

Ella se alegró de tener la cabeza gacha. El corazón empezó a golpearle el pecho. ¿Tan pronto?

—Comprendo —dijo, adoptando un aire de fría indiferencia—. Va a ser una gran exoneración, ¿no es así?

Vio que la mano que Nicholas tenía sobre la cabeza de la niña se detenía como si se hubiera quedado congelada y sintió que le faltaba el aire. Después la mano comenzó a acariciar de nuevo y él habló con su voz calmada de siempre.

—Si quieres verlo de esa manera... Cuando llegué, no se me ocurrió que te encontraría convaleciente. Ni siquiera estaba seguro de cuándo iba a nacer la niña. Me gustaría darte más tiempo para que te recuperaras, pero no podemos tener a Amy, Peter y Francis aquí indefinidamente. Preferiría que estuvieran disponibles para ti si los necesitas.

Pero yo no estoy preparada, se dijo. *Mis nervios no podrán soportarlo.* Sin embargo, reunió el valor necesario. Se obligó a que su voz sonara tan tranquila como la de Nicholas, aunque siguió mirando atentamente a la pequeña.

—Bajaré a cenar —dijo.

Sin decir nada más, él se marchó.

Eleanor decidió ponerse algo favorecedor. Eligió un vestido cálido de lana azul oscuro, ribeteado con adornos del mismo color. Liberó a Jenny durante un rato de sus labores de niñera para que la peinara con un estilo urbano, recogiéndole el cabello en lo alto de la cabeza y dejando caer los tirabuzones. Hacía meses que no aparecía en público tan elegante.

Se miró en el espejo. Todavía no había recuperado la figura y tenía los pechos muy grandes, pero en general le pareció que su aspecto era bueno. El largo verano en el campo le había sentado muy bien.

Abrió el joyero de Nicholas y escogió un pesado collar en forma de serpiente de oro cuyos ojos estaban adornados con piedras preciosas. Siempre había pensado que era algo bárbaro y que nunca se lo pondría.

Parecía hecho a propósito para aquella ocasión.

Sin embargo, todo en la mesa de la cena parecía muy civilizado. Todos podían sentir la tensión en el ambiente y su comportamiento ejemplar, por temor a que algo explotara.

Eleanor tenía los nervios de punta y no participó mucho en la conversación, pero disfrutó escuchando el ingenioso intercambio de opiniones entre Nicholas y la señorita Hurstman. Se dio cuenta de que, aunque la dama lo habría negado rotundamente, estaba comiendo de la mano de su marido.

También parecía que a Amy le resultaba imposible guardarle rencor y, a pesar de que ya no estaba extremadamente encariñada con él, tampoco había animosidad.

Eleanor sintió una punzada de resentimiento al ver la facilidad que tenía su marido para conseguir que la gente se pusiera de su lado, por lo desenfadado que parecía cuando a ella, la parte inocente, la atenazaban los nervios. Para él, todo era fácil. Era muy injusto.

No obstante, al observarlo empezó a darse cuenta de que todo era una hábil representación. Bajo esa alegría, él también estaba tenso, y a veces lo dejaba ver. En una ocasión, sus miradas se encontraron y los ojos risueños de Nicholas parecieron apagarse. ¿Qué era eso que ella había visto en su mirada? Parecía nostalgia.

Lo que reflejaban sus ojos no era confianza.

¿De verdad su marido le daba tanta importancia a esa explicación sobre lo que había ocurrido en su ausencia? *Mi amor, mi amor*, pensó ella, *¿acaso no sabes que yo nunca te dejaré marchar? Aunque lo que vayas a decir sea lo peor: que has caído otra vez en las redes de esa mujer, que todavía no te has librado de ella. Aun así, te retendré a mi lado si puedo. Si eso es lo que quieres.*

Porque ése era su gran temor: que lo que Nicholas tenía que confesar fuera que no deseaba quedarse.

Sintió que el pánico la invadía y alejó de su mente esos pensamientos. Se concentró en la conversación sobre el tormentoso progreso del Congreso de Viena, que no dejaba de dar vueltas sobre sí mismo.

Por fin, llegó el momento en el que las mujeres debían retirarse, y no habían recibido ninguna explicación por el comportamiento de Nicholas. Eleanor tenía la cobarde esperanza de que hubiera cambiado de opinión, pero su marido la detuvo cuando empezó a levantarse.

—¿No te gustaría quedarte a tomar un poco de oporto con nosotros, Eleanor? —le preguntó con una sonrisa que le recordó a aquella ocasión, al principio de su matrimonio—. Sé que la señorita Hurstman no se negará. Amy, ¿te atreves a saltarte las reglas?

Amy le dirigió una mirada cautelosa a su marido, que estaba ligeramente escandalizado.

—Bueno, ya que Eleanor me ha introducido en los placeres del té con brandy... —Entonces recordó las circunstancias en las que aquello había ocurrido y se sonrojó—. No me importaría —añadió rápidamente—, pero ¿no podríamos pasar al salón, donde estaremos más cómodos?

Todos estuvieron de acuerdo y enseguida se instalaron allí, junto al fuego. Las largas cortinas de terciopelo rojo estaban echadas y las lámparas de aceite les ofrecían una tenue luz.

Amy solamente tomaba sorbitos de aquella bebida tan inusual, aunque nadie pareció darse cuenta.

Eleanor se rodeó con los brazos, temiendo lo que estaba a punto de suceder.

—Como ya sabéis —dijo Nicholas—, he elegido este momento y este lugar para explicar mi ausencia.

Mientras los demás estaban sentados, él se encontraba de pie, levemente apartado, haciendo que ellos fueran su audiencia... o su jurado.

—Esta explicación —continuó— es sobre todo para Eleanor, a quien más afecta, pero pensé que le convendría estar rodeada de más gente. Algunas personas más escépticas deberían escuchar lo que tengo que decir y hacer todas las preguntas que deseen.

—¿Sabes? —dijo Eleanor sin dirigirse a nadie en particular—. No estoy segura de que eso no sea un insulto a mi inteligencia y a mi integridad moral.

Él se sonrojó un poco y la miró con sorpresa.

—No significa eso, querida. Creo que sientes algo de cariño por mí, y sé que tienes un gran corazón. De esta manera es mejor.

Eleanor no se atrevió a protestar más. Ya había dicho lo que pensaba. Le estaba prestando una atención crítica a cada palabra que él pronunciaba. Nicholas había querido que ella lo escuchara con imparcialidad y eso era precisamente lo que iba a hacer.

Su marido volvió a dirigirse a todos ellos, paseando la mirada por la estancia.

—Confieso que esto puede parecer algo melodramático, pero la mayoría de nosotros nos hemos visto arrastrados últimamente por tantos dramas sórdidos y estúpidos que parece de lo más apropiado. Espero que todos estéis dispuestos a escuchar lo que tengo que decir.

Hizo una pequeña pausa que nadie se atrevió a romper.

—Contaré la historia desde el principio —siguió—. Algunos de vosotros no la conocéis completa. De hecho, creo que ninguno la conocéis. —Se rió—. He hablado de drama. «Farsa» sería una palabra más exacta, excepto por la crueldad en la que se basa todo.

Suspiró y comenzó.

—Como sabéis, en los últimos años he querido pasar gran parte de mi tiempo viajando, y he disfrutado de muchas experiencias. Con unos buenos ingresos y sin responsabilidades, me sentía libre para ser atrevido. Como siempre he tenido una suerte extraordinaria, he pasado por todo ello sin verme demasiado perjudicado. Siempre me ha gustado la compañía de las mujeres. Hace dos años, en Viena, tuve una aventura con Madame Thérèse Bellaire.

Hablaba con voz tranquila, pero no miraba a Eleanor.

—Era, como ya sabéis, una prostituta, aunque muy exigente con los hombres que escogía para su propio placer. Siente inclinación por

los jóvenes, y su mayor deleite es involucrarse con muchachos malea-
bles, enseñarles a satisfacerla y después deshacerse de ellos. Creyó disfrutar de ese juego conmigo, pero yo no se lo permití. La traté como a
una amante y, cuando deseé alejarme de ella, lo hice. Nunca me lo per-
donó. Al parecer, se convenció a sí misma de que le había roto el corazón. Desde luego, alguna potente fuerza la impulsó a buscar venganza.
Creo que era pura furia.

»No volví a pensar en ella. Hace casi un año, me dirigía despacio
hacia estas cosas cuando me encontré involuntariamente involucrado en un asunto de espionaje. En los días que siguieron a la abdicación de Napoleón conocí a un joven inglés en París. No teníamos
una relación muy estrecha. Una noche, fui al lugar donde se alojaba
para cenar con él y lo encontré moribundo por una herida de bala.
Consiguió darme un mensaje, el pobre Richard, y cuando lo trans-
mití a la embajada, descubrí que él había sospechado que Thérèse
estaba involucrada en una conspiración para devolverle el poder a
Napoleón.

»Nunca me habría imaginado que Thérèse formaría parte de algo
semejante, pero la Oficina de Asuntos Exteriores se lo tomó muy en
serio. Y me vi enredado en ello. Ya tenían un informe sobre ella por
anteriores actividades de espionaje. Desafortunadamente, incluía la información de que había sido mi amante y de que se suponía que estaba
desesperadamente enamorada de mí. Fue lord Melcham, en Londres,
quien decidió que yo era la persona perfecta para ser el enlace con ella
y descubrir los detalles de la trama, sobre todo porque parecía estar
llevando a cabo las operaciones en Londres.

Sonrió con pesar.

—Me ordenaron servir a mi país. ¿Qué podía hacer? Thérèse había
desaparecido temporalmente, así que esperé en París a tener noticias
de su paradero y envié a un par de compañeros a Londres para que
controlaran las operaciones que ella hacía allí. Debo admitir que estaba
disfrutando con todo aquello. Era muy emocionante. Le daba a mi
vida, que no tenía rumbo, un propósito, posiblemente uno noble. En-

tonces, por supuesto —dijo con voz monótona—, me casé. Los detalles no nos conciernen, pero...

—¡Tonterías! —lo interrumpió Eleanor enérgicamente—. Si lo estoy comprendiendo bien —continuó algo más calmada—, les estás pidiendo a tus amigos que te juzguen por tu conducta como un hombre casado. Me niego a dejar que esto continúe a menos que les cuentes toda la historia.

Se hizo un largo silencio mientras se miraban a los ojos.

—Entonces, no continuará —dijo él.

—No —contestó Eleanor, bastante pálida—. Ya que ha empezado, debe acabar. Yo se lo contaré.

—No —replicó Nicholas con tono autoritario—. Estoy preparado para desnudar mi alma, pero eso es todo.

—Nicholas, son nuestros amigos —dijo Eleanor, inflexible—. Se preguntan qué nos ocurre. Merecen saberlo. No lo divulgarán.

Vencido, se tapó la cara con dedos tensos mientras ella decía:

—Lord Stainbridge me arrebató la virginidad por la fuerza. Le pidió a Nicholas que limpiara su honor. Nos conocimos el mismo día de la boda.

Los sorprendidos oyentes estaban empezando a comprender que aquélla no iba a ser una tarde relajada. Se hizo el silencio y Amy le cogió la mano a su marido. Francis, mirando a Nicholas, se preguntó si su amigo seguiría hablando con ellos o si lo abandonaría todo, pero un momento después se apartó los dedos de la cara y continuó con voz más baja y cansada.

—La petición de mi hermano fue algo... inoportuna. Sin embargo, yo había desarrollado la costumbre, desde que era pequeño, de sacarlo de situaciones incómodas. Eleanor y yo nos casamos y me encontré con una esposa y una amante que requerían mis atenciones.

Tomó un sorbo de vino del vaso que tenía en la mano y a Eleanor le pareció que ésta temblaba un poco.

—Al principio, tenía esperanzas de terminar rápidamente el asunto de lord Melcham. Había retomado mi relación con Thérèse y ella parecía estar completamente entregada a mí. Afirmaba estar dispuesta a hacer cualquier cosa que yo deseara. Creí que la había convencido para que abandonara sus intrigas y le había prometido una sustanciosa cantidad de dinero del gobierno británico si les entregaba las listas de los cabecillas de la conspiración. Confieso que ella pensaba que íbamos a disfrutar juntos de ese dinero. La había convencido de que mi matrimonio era una mera formalidad... Para hacer aquello, tuve que pasar todo mi tiempo con ella. Me pareció más sencillo salir de la ciudad «por unos días, para terminar los asuntos que tenía con ella».

Le habló directamente a Eleanor:

—No podía soportar la idea de ir de los brazos de mi amante a los tuyos.

Ella bajó la mirada. Sentía un destello en su interior que sólo necesitaba avivarse un poco para convertirse en una llama ardiente de amor. Pero todavía no.

—Aquello no podía durar indefinidamente. No obstante, en lugar de terminarse, Thérèse empezó a poner impedimentos. Tuve que regresar a casa sin que se hubiera decidido nada. Para mí, fue un alivio, Eleanor, ver que parecías contenta de aceptar una relación distante durante algún tiempo. Pensé que estabas satisfecha, pero creo que te hice mucho más daño de lo que creía.

Eleanor levantó la mirada y le dedicó una sonrisa tranquilizadora. Él desvió la vista para posarla en las crepitantes llamas de la chimenea.

—Ahora que pienso en ello, me parece todo una locura —dijo, sacudiendo la cabeza—. Creía que estaba cumpliendo con mi deber hacia mi país. Creía que podría hacer que todos bailaran a mi propio ritmo y que podría recoger los trozos de mi matrimonio cuando más me conviniera. Vaya arrogancia, ¿verdad? —comentó, volviendo a mirar a Eleanor.

Ella no dijo nada, pero lo miró a los ojos. Por lo menos, así podía expresarle que no estaba excesivamente molesta por lo que estaba diciendo.

—Cuando empezaste a ver a tu hermano —continuó—, eso me preocupó. Por entonces ya sabía que él estaba metido de lleno en la trama, simplemente para conseguir dinero, y tenía miedo de que te enredara en ella. Nuestra relación se había complicado tanto que no sabía lo que serías capaz de hacer.

Eleanor dijo con aspereza:

—Eso sí que me ha dolido.

Antes de que él pudiera responder, la señorita Hurstman intervino.

—Creo que lo comprendería todo mejor si supiera de qué va esa conspiración.

—Era para liberar a Napoleón de Elba —dijo Nicholas, que seguía mirando a Eleanor— y devolverle el poder en Francia. Aparentemente, era bastante complicado, pero... Bueno, más tarde os lo contaré. Por cierto, Eleanor, la primera vez que te siguieron, era un esbirro de Thérèse.

—Lo sé —contestó—. Era uno de los hombres que nos capturaron.

—Ah. —Asintió con la cabeza—. A partir de ese momento, era uno de mis hombres. Intenté protegerte. Sin embargo, si me hubiera dado cuenta de que de verdad estabas en peligro, habría hecho algo más. Al final me descuidé.

Retomó su historia.

—Reviví una hermandad de mis tiempos de estudiante para tener algo de ayuda en mis actividades. Quería que te iniciaras para que ellos pudieran cuidar de ti. Me quedé tan sorprendido como ellos —admitió con una sonrisa nostálgica— al ver que ya eras miembro. Sabía lo sola que estabas en el mundo y quería que ellos fueran... tus guardas de honor.

»Ya conocéis el final. Se suponía que Thérèse tenía que entregarme las listas, con lo cual yo le daría el dinero del gobierno y huiría con ella. No tenía intención de hacer tal cosa, por supuesto, pero no tuve otra alternativa. Pensé que era yo quien manejaba los hilos cuando, en realidad, era la marioneta.

—¿Qué quieres decir? —preguntó Peter.

—Espero que todos tengáis sentido del humor —dijo Nicholas irónicamente— porque, si es así, disfrutaréis con esto.

Entonces les explicó el falso complot de Thérèse, hábilmente planeado.

—Dijo, y no tuve razones para dudar de ella, que había reunido por lo menos cien mil libras.

Permitió que se hiciera un silencio respetuoso apropiado para tal cifra.

Francis silbó.

—Dios santo.

—Una mujer con recursos —dijo la señorita Hurstman—. Me gustaría conocerla.

—Y yo disfrutaría con ese encuentro... como observador —dijo Nicholas—. Pero no sabría decir quién ganaría.

—¡Ganar! —resopló la señorita Hurstman—. Sin duda, estaríamos en el mismo bando. Cielos —comentó sonriendo—, le habrá encantado verte humillado.

Nicholas se ruborizó, aunque consiguió sonreír.

—Mucho. Que el cielo nos ayude si alguna vez os conocéis.

Retomó la explicación.

—El hecho de que yo me viera involucrado en la conspiración había sido, en un principio, por casualidad. Richard Anstable era uno de los hombres de Melcham y había escuchado por ahí que se estaba reuniendo dinero para la causa de Napoleón y de Thérèse. Tenía que morir. Para ella fue una suerte que yo estuviera en París y que lo conociera. Entonces a Thérèse se le ocurrió involucrarme. Dio órdenes de que mataran a Richard de manera que yo me viera envuelto en la trama.

»Pero ése no fue el principio de sus tejemanejes. Había anticipado el final de Napoleón y ya se estaba preparando para mudarse a Inglaterra. También había decidido controlarme a través de mi hermano. Ella fue la responsable del asunto que llevó a mi matrimonio.

Eleanor ahogó un grito.

Por primera vez, Nicholas parecía tener dificultad para elegir las palabras, y bajó la mirada a sus manos.

—En el peor de los casos, ella esperaba avergonzar a mi hermano. Y, en el mejor, tendría un arma apuntando a mi cabeza. Lord Deveril lo manejó todo, valiéndose de tu hermano. Deveril te iba a conseguir a ti como recompensa. Thérèse es muy prudente. Debió de enojarse mucho cuando escapaste. Sin duda, supusieron que estabas muerta. Sería una sorpresa para todos verte reaparecer casada conmigo. No sé si lo que motivaba a Thérèse era el rencor, los celos o un retorcido sentido del humor, pero cuando se dio cuenta de la actuación que yo tenía que llevar a cabo con ella, decidió arruinar mi matrimonio.

Se encogió de hombros y miró a Eleanor con remordimiento.

—No era tan buen actor, ya ves. Ella adivinó que... me importabas. Exigía todo mi tiempo, por supuesto, pero su golpe de gracia fue la escena final, con la que esperaba conseguir que te alejaras de mí para siempre. Le salió mal la jugada, porque no conocía tus habilidades ni tu carácter. Cualquier otra mujer habría estado histérica e incapaz de pensar con claridad.

La señorita Hurstman se aclaró la garganta y Nicholas la miró.

—La mayoría de las mujeres. Eso es lo máximo que estoy dispuesto a ceder. —Se dirigió a Eleanor—. Sigo sin saber si el resto fue planeado o hecho por impulso. Probablemente fue culpa mía, por permitirme ser un poco grosero cuando las listas desaparecieron y Amy y tú estabais a salvo. He estado bailando a su son durante tanto tiempo... Cuando me contó lo que ocurría en realidad, perdí los estribos. Probablemente revelé que tenía esperanzas de que nos reconciliáramos, así que me llevaron con ellos.

—¿A Canadá? —preguntó Eleanor.

—Dudo que fuera allí adonde se dirigía —dijo mientras negaba con la cabeza—. Thérèse había anunciado que ése sería su destino, y tendría a mucha gente tras ella en ambos países. En cualquier caso, sólo me llevaron unas cuantas millas por el mar y me metieron en un barco rumbo a África. A la nueva Provincia de El Cabo de Sudáfrica, para ser exactos. Nunca descubrí si fue porque le habían pagado, o amenazado, o por una devoción ciega, pero el capitán, un hombre de mala reputación, estaba decidido a dejarme allí, aunque intenté persuadirlo de diversas maneras.

»Debo confesar que era razonablemente amable conmigo, mientras estuviera callado y recluido cada vez que nos acercábamos a tierra. En Burdeos intenté pasar una carta de contrabando. Al marinero al que soborné lo azotaron hasta casi matarlo...

»Fue un viaje largo, tedioso y desagradable. Los pasajeros eran enviados allí para aumentar el número de británicos en ese país, pero no era un grupo saludable, sino gentuza, muchos de ellos huían de la ley. Había algunas jóvenes en busca de marido, principalmente porque habían perdido su honor. Algunas estaban embarazadas. Una en particular me llamó la atención y nos hicimos amigos en cierto modo. —Se apresuró a mirar a Eleanor—. Platónicamente, te lo aseguro. Al ayudarla después de que hubiera nacido el niño, aprendí algo de bebés. Mary estaba mejor educada que las demás, así que no la trataban bien. Tras el parto, estuvo enferma. Si yo no hubiera cuidado del niño, creo que lo hubieran tirado por la borda.

Eleanor se dio cuenta de que había habido algo de ella en esa mujer. No estaba celosa; simplemente, era consciente de que el destino de Mary bien podría haber sido el suyo.

—Cuando atracamos en Johannesburgo —continuó Nicholas—, estaba sucio, desprestigiado y prácticamente era un indigente. Después de todo, lo único que había tenido habían sido algunas joyas y mis botones de plata, y el capitán me los había exigido para pagar la comida y algo de ropa. Era algo generoso conmigo porque estaba escaso de personal, y yo estaba dispuesto a formar parte de la tripulación cuando era necesario.

»Me acicalé todo lo que pude y conseguí trabajo de oficinista, hasta que un día pude enviarle un mensaje al gobernador, lord Charles

Somerset. Afortunadamente, nos habíamos visto una vez y no tuve que demostrarle quién era, pero, evidentemente, pensó que era un tipo raro. Me dejó algo de dinero y lo arregló todo para que volviera a casa en una fragata. Yo le di la mayor parte del dinero a Mary para su dote, para ayudarla a encontrar un buen marido, y después zarpé. Ésa es mi historia.

—Lo que no comprendo —dijo Eleanor— es por qué Madame Bellaire no pensó que vendrías a casa algún día y me contarías todo esto.

—Es una clase diferente de mujer, Eleanor y, desde luego, no comprende a las de su propio sexo. Esperaba que te negaras a verme. Con suerte, tenía la esperanza de que me dieras por muerto y te volvieras a casar. Tuve suerte de conocer a Somerset y conseguir volver a casa tan fácilmente. Podría haber tardado mucho más tiempo.

—Madame Bellaire también se olvidó de que tienes un gemelo —dijo Eleanor.

Nicholas enarcó una ceja inquisitivamente y ella le explicó que lord Stainbridge nunca había presentido su muerte.

—No se me había ocurrido —dijo él, sonriendo—. Y, probablemente, ella tampoco tuvo en cuenta que soy un tipo atrevido que se presentaría aquí, en tu dormitorio.

—Permitidme que diga, haciendo de abogado del diablo —los interrumpió la señorita Hurstman—, que toda esa historia podría ser una invención. Sabemos que eres un actor nato, Nicholas. Tal vez decidiste retozar un poco más con tu amante, hasta que te cansaste de ella. O quizá ni siquiera eso. Quizás has vuelto para engatusar a tu esposa pretendiendo ceder a tu adicción de viajar otra vez para reencontrarte con Madame Bellaire en algún punto del globo.

Eleanor había empezado a protestar, pero Nicholas permanecía impasible.

—Sé que es casi imposible demostrar lo que he dicho. Sin embargo, tuve la precaución de obtener un documento de manos de Somerset respondiendo de mi presencia allí.

Se dirigió a un escritorio y sacó un papel. Se lo dio a Eleanor. Ésta rompió el sello y desdobló el documento.

La señorita Hurstman estiró el cuello para verlo.

—Parece bastante oficial.

Nicholas sacó otro documento, parecido al anterior.

—Y también éste. —Se lo pasó—. Lo conseguí en Londres, sin enseñarle al falsificador el original.

Era diferente, pero igual de impresionante.

Eleanor se rió con voz temblorosa.

—De verdad, Nicholas, ya hay suficientes criminales, no es necesario que aportes tu granito de arena. ¿Cómo es África?

La mirada de Nicholas se suavizó al darse cuenta de su aceptación.

—Bastante agradable, pero quería estar en casa.

De repente, Eleanor bajó la mirada. Todo iba demasiado rápido. Tal vez estuviera sucumbiendo con demasiada facilidad.

A su alrededor se había iniciado una conversación en la que Nicholas les estaba contando los detalles, aunque ella apenas le prestaba atención. Creía su historia, y a Nicholas no se le podía culpar por el fiasco final. Sin embargo, había dicho la verdad al afirmar que aquellos meses de dolor y confusión en los que había sumido a su matrimonio habían sido consecuencia de su arrogancia.

Ahora se le veía arrepentido… y muy seguro de sí mismo.

Tuvo que prestar atención de nuevo; lord Middlethorpe estaba hablando con ella.

—Bueno, Eleanor, no creo que haya que añadir nada más.

Ella miró a su alrededor. Podía ver en sus rostros, en sus expresiones relajadas y buen humor, que todos creían saber exactamente lo que iba a decir. Una chispa de resentimiento prendió fuego en su interior.

—Sí, Francis, tienes razón —dijo con compostura—. Pero necesito algo de tiempo para pensar. El parto aún está muy reciente, y mis emociones siguen siendo muy sensibles. Creo que Nicholas lo comprenderá. —Tragó saliva y reunió todo su valor—. Me gustaría que se marchara —dijo, sin dirigirse ni mirar a su marido—. Durante... tres semanas.

En realidad, quería haber dicho por un mes, pero los nervios la habían traicionado.

Vio que todos se habían quedado sorprendidos y, al mirar a su marido a la cara, se dio cuenta de que se había puesto tenso.

Aun así, cuando Nicholas habló, lo hizo con voz calmada.

—Por supuesto. De todas formas, debería visitar a Kit. Puedo llevarle noticias de su sobrina.

—Como desees —dijo Eleanor, deseando en parte que hubiera protestado o intentado convencerla.

No podía decirse que esa decisión hubiera sido un éxito. No había agradado a nadie, y menos aún a ella misma. Estaba a punto de echarse a llorar.

—Debería retirarme —dijo, y se levantó.

Quería escapar de allí, pero no lo hizo. Contra sus propios instintos, le tendió una mano a su marido y él la acompañó fuera de la habitación.

—Oh, querido —dijo Amy—. Yo lo creo, ¿tú no, Peter?

—Todos lo creemos, querida —dijo la señorita Hurstman—, incluida Eleanor. Pero está en su derecho. Esperemos que Nicholas mantenga el coraje.

—¿Estás segura? —preguntó lord Middlethorpe con seriedad.

La anciana suspiró.

—Le ruego a Dios que así sea.

Nicholas y Eleanor subieron las escaleras en silencio. A ella no se le ocurría nada que decir. Era como si le hubiera dado a su marido un puñetazo en la cara. Entraron en el cuarto de Arabel, miraron a la pequeña, que dormía tranquilamente, y se dirigieron a la habitación de

Eleanor, el dormitorio principal, donde él no dormía. Entonces ella se dio cuenta de que no sabía dónde dormía su marido. No era el mejor momento para preguntárselo.

—Supongo que debería contratar a otra niñera, de manera temporal —dijo ella al fin, aliviada por habérsele ocurrido un tema impersonal—. No creo que aquí haya otra mujer con experiencia que esté libre. Tal vez deberías buscar a alguien en Londres.

—Creo que nuestra antigua niñera sigue en Grattingley. Aunque ya se ha retirado, seguía conservando el buen juicio la última vez que la vi. Después de todo, sólo necesitarás a alguien durante algún tiempo.

Eleanor se mordió la lengua para no corregirlo. *Necesitaremos...*

—Sí, eso será lo mejor.

Había cierta vibración entre ellos que la perturbaba y que la atraía hacia él. Levantó la mirada hacia Nicholas buscando algo, no sabía muy bien el qué. Y entonces lo vio en sus ojos. Una necesidad, una vulnerabilidad. ¿Qué ocurriría si se lanzaba en sus brazos?

¿Él se mantendría indiferente y controlado? Ese control la ofendía. Recelaba de él. Quería destruirlo.

Él cerró los ojos un momento, pero se acercó y le puso con suavidad un dedo bajo la barbilla.

—Valor, Eleanor, por el bien de los dos.

Leyó en sus ojos la confirmación que buscaba y que no se había atrevido a preguntar. Aquella necesidad era real. Si lo echaba, se marcharía, pero si le pedía que volviera, regresaría.

Tal vez a él también le resultaba difícil aquel momento, porque se apartó y buscó un tema de conversación imparcial.

—Por cierto —dijo—, la familia suele reunirse en Grattingley en Semana Santa. Imagino que no iremos, ya que Arabel es muy pequeña.

Eleanor sintió que toda su furia regresaba. Nicholas estaba fingiendo plegarse a sus deseos pero asumía que, al final, todo resultaría como él quería. Como siempre.

—Debes decidir por ti mismo, Nicholas —contestó con firmeza—. Te haré saber lo que Arabel y yo haremos.

Él palideció y pareció que iba a decir algo más. Después se despidió y cerró la puerta suavemente a su espalda.

Eleanor se tumbó en la cama, sin derramar ni una sola lágrima por su tristeza.

Capítulo 16

*J*enny despertó a Eleanor dos veces aquella noche para que alimentara a la niña, y se levantó tarde. Cuando le sirvieron el chocolate del desayuno, le dieron también una nota de Nicholas.

Querida Eleanor,

Por favor, no pienses que te he dejado por rencor o resentimiento, pero no creo que otra despedida nos hiciera bien. Debes de saber lo que quiero y puede que no necesites confirmación, pero como ya he dicho, no soy infalible. Me he podido equivocar y juzgar erróneamente tu corazón. Mi mayor preocupación es haberte causado más angustia con mis acciones.

Tómate todo el tiempo que quieras, querida, pero asegúrate de que tomas la decisión adecuada para tu propia felicidad. Si me vuelves a aceptar en tu vida, no tendrás otra oportunidad de deshacerte de mí tan fácilmente, te lo prometo.

Nicholas.

Eleanor sabía que, en realidad, no necesitaba más tiempo. Si él hubiera retrasado su partida, posiblemente no lo habría dejado marchar.

Lo amaba con una clase de amor que le perdonaría pecados más graves que ése. Amaba su cabello claro y juvenil, sus ojos risueños con motas doradas que se entornaban con una mirada traviesa. Amaba, de una manera sencilla que no terminaba de comprender, sus rasgos esbeltos y los movimientos fluidos de su hermoso cuerpo.

¡Ah, ese cuerpo...! Parecía haber pasado tanto tiempo desde que Nicholas había estado tumbado desnudo a su lado y ella lo había rechazado... Y el mismo tiempo desde que él le había dado a probar el placer, como si fuera un sueño...

Amaba la mente que siempre se había esforzado por darle a ella libertad, la integridad que, sabiendo que podría plegarla a sus deseos con facilidad, permitía que tropezara al seguir su propio camino. Oh, sí, si Nicholas siguiera en la casa, no dejaría que se marchara, y él lo sabía. Por eso se había escabullido tan temprano. Para protegerla de sí misma.

Peter, Amy y Francis decidieron que era mejor que también se fueran. Tanto Amy como Francis intentaron defender a Nicholas, pero ella los rechazó con firmeza. No dejó que entrevieran sus verdaderos pensamientos, aunque debieron de notar su buen humor, porque todos se marcharon felices.

Eleanor se sentía feliz. Tres semanas no era tanto tiempo.

Solamente Francis conservaba algo de preocupación. Justo antes de salir al carruaje que lo esperaba, dijo:

—Eleanor, cuídate.

Ella le sonrió abiertamente.

—Lo haré, te lo prometo. Cuando el tiempo mejore, visitaremos Grattingley, sin duda. No se encuentra lejos de donde estás tú.

Él comprendió aquel «visitaremos» y se relajó.

—Estoy deseándolo.

La señorita Hurstman, al fin, aprobó su comportamiento.

—Yo también pensaba que era un poco arrogante, querida. La espera no le hará ningún daño. Pero yo no lo retrasaría más.

Eleanor se sonrojó.

—No creo que pudiera.

La señorita Hurstman resopló.

—Me pregunto por qué se ha ido antes de que amaneciera cuando podría haber viajado con los demás. Ese hombre da miedo. Bueno, supongo que pronto podré irme a casa y tal vez llegue a tiempo para plantar mi jardín. Eso me gusta. Por cierto —observó mientras abría un libro—, si estás interesada en saber lo que piensa de verdad tu marido, mírale las manos, no la cara.

—¿Qué quieres decir?

—Quiero decir que no siempre se acuerda de controlar las manos. Anoche casi quebró el pie de su copa, hasta que se dio cuenta y la dejó. En otras ocasiones se agarraba las manos con tanta fuerza que se le ponían blancas. Pero su voz seguía siendo tan suave como el terciopelo.

Durante esas tres semanas, Eleanor estuvo muy ocupada. Tenía muchas cosas que aprender sobre su hija, y una casa que llevar. Daba largos paseos vigorizantes en pleno invierno para recuperar energías y la figura. Pasaba el tiempo libre haciendo punto y leyendo, aprovechando las largas noches de invierno con las lámparas de aceite.

También revivía los recuerdos que atesoraba en su mente, con una sonrisa en los labios.

Recordaba aquella primera noche y su amabilidad. Recordaba la otra ocasión en la que habían hecho el amor. La había seducido. Ella apenas había sabido lo que estaba haciendo. Se ruborizó al pensar en volver a compartir su cama con él. ¿Cómo sería? ¿Perdería ella el valor? ¿Lo satisfaría, a él, que estaba acostumbrado a mujeres más sofisticadas?

Recordó el momento en el que Nicholas los había interrumpido a Francis y a ella en la biblioteca. Él la había deseado. Y esa ocasión, antes de la debacle, cuando le había dado la llave de la caja fuerte, temiendo que no sobreviviera...

Muchos pequeños acontecimientos que se añadían unos a otros como un collar de perlas.

Cuatro días después de que Nicholas se hubiera marchado, llegó un mozo de cuadra de Londres y preguntó por ella. Durante un terrible momento pensó que Nicholas había tenido un accidente, pero el hombre sólo le llevaba unos regalos: un sonajero de plata para la niña y una rosa roja para ella, cuidadosamente empaquetada para protegerla del frío. En la tarjeta únicamente había tres palabras: *Por el valor.*

La señorita Hurstman comentó con mordacidad:

—Había oído la expresión «arrobada», pero no creía que pudiera presenciar el fenómeno.

Cuatro días después llegó un carruaje del que salió una mujer rechoncha entrada en años.

—Buenas tardes, señora Delaney. Soy Nana, o la señora Pitman, si lo prefiere, y tengo entendido que me necesita. No puedo decir que no me guste encargarme de nuevo de un bebé.

—¿Usted era la niñera de Nicholas? —preguntó Eleanor, a quien la mujer le gustó de inmediato—. Me alegro mucho de conocerla y sí, la necesito aquí.

—Y yo me alegro de conocerla, querida —contestó la mujer, quitándose un chal tras otro a medida que se internaba en la calidez de la casa—. Lo primero es lo primero. Lléveme ante mi bebé.

Eleanor la condujo al piso superior y Nana pasó revista a la habitación de la niña con precisión militar, pero estuvo encantada de felicitar a Jenny.

—Bueno, lo has hecho bien para no estar cualificada. Debería tener la cuna de los Delaney, por supuesto —le dijo a Eleanor—, porque parece probable que usted engendre al heredero.

Bajó la vista hacia Arabel, que estaba despierta y chupándose un puñito.

—Una niña sana, y tiene un carácter afable, me atrevería a decir, como su padre.

Cuando estuvieron a solas tomando el té, la mujer miró a Eleanor con sus sagaces ojos azules.

—El amo Nicky no tenía muy buen aspecto. ¿Se encuentra bien?

—¿Es que no lo está? —replicó Eleanor.

—Oh, físicamente, sí —contestó—. Casi nunca ha estado enfermo. Pero parecía agotado y deprimido. He visto a su hermano así muchas veces, pero a él no. Uno de los deberes de la esposa, querida —le dijo con franqueza—, es asegurarse de que su marido no cae en ese estado. No sé en qué estaba pensando usted cuando le permitió viajar en ese estado de ánimo, justo cuando acababa de regresar de un largo viaje. Yo habría tenido bastante con una nota. No apruebo todos esos desplazamientos que él hace.

Eleanor se dio cuenta de que Nana también la trataba a ella como si la tuviera a su cargo e intentó explicárselo, aunque tuviera que recurrir a una mentira.

—Sintió que debía ver a su hermano. Nicholas parecía estar perfectamente bien.

Nana chasqueó la lengua en señal de desaprobación.

—Una buena esposa sabe cómo está, no cómo parece estar. —Entonces se suavizó—. No importa, querida. Sin duda, no era usted misma. El parto le hace cosas extrañas a una mujer. Pero ahora debería estar recuperada. Espero que lo cuide mejor cuando regrese.

Eleanor le prometió sumisamente que lo haría lo mejor que pudiera.

Nana era una persona con la que era fácil llevarse bien. No era posesiva con la niña, posiblemente porque sabía que ese puesto era sólo temporal. Y le encantaba cotillear sobre los gemelos, tanto como a Eleanor le gustaba escuchar.

—Eran unos bebés adorables —le dijo un día, mientras Eleanor amamantaba a Arabel y ella doblaba pañales limpios—. Aunque muy diferentes. El amo Nicky tenía un carácter afable, pero cuando quería algo, lloraba a gritos. El amo Kit era más tranquilo, aunque tendía a gimotear. Su título, por supuesto, era lord Blakeland, como heredero, pero a todos en la casa nos decían que los llamáramos igual. Simplemente, amo Nicky y amo Kit. Creo que a su padre le preocupaba que el amo Nicky se sintiera agraviado cuando fuera lo suficientemente mayor para comprenderlo, aunque yo nunca vi ninguna señal de aquello.

—¿Eran buenos niños? —preguntó Eleanor.

—¿Y qué niños lo son? —respondió Nana, chasqueando la lengua—. A veces eran puros diablillos. Normalmente era Nicky el que los metía a los dos en problemas, pero también conseguía sacarlos a ambos de apuros la mayoría de las veces. Cuando era Kit el que hacía la travesura, aquello causaba verdadero revuelo. —Sacudió la cabeza al recordarlo—. Casi siempre, sin embargo, el amo Kit seguía al amo Nicky con terca determinación, a menos que se rindiera y se marchara a leer un poco o a tocar la flauta. El conde es muy musical. Tenemos una pequeña orquesta en Grattingley, y si no hay invitados, los hace tocar para el personal. Es encantador.

—A Nicholas le encantan los libros —dijo Eleanor, a quien le parecía que estaba siendo injustamente retratado como el filisteo.

—Oh, pasó por la educación como un cuchillo caliente por la mantequilla —dijo Nana de manera informal—. Se bebía los libros. El amo Kit se ocultaba en ellos.

A Eleanor aquello le pareció muy revelador.

—Su padre nunca comprendió al amo Kit —dijo Nana otro día—. Era muy exigente con él por la forma en la que seguía el liderazgo del amo Nicky. Cuando cumplieron diez años, cambió las normas y tuvimos que empezar a llamarlos amo Kit lord Blakeland y «milord». Eso no hizo que cambiaran mucho las cosas. Al final solía sentarme con él, con el viejo conde, y le gustaba hablar conmigo. Sentía dolor y le ayudaba charlar. «Si lo hubiera sabido», me dijo un día, «los habría intercambiado».

—Pobre Kit —dijo Eleanor, pensando que los dos hermanos lo habrían llevado mucho mejor con ese intercambio.

Nicholas no ambicionaba el título, pero lord Stainbridge habría sido más feliz sin las responsabilidades, y su padre no habría sido tan exigente.

—Fue por entonces —continuó Nana— cuando su padre los llamó por separado para decirles sus últimas palabras. Yo estaba allí, porque habían llamado al médico y él se estaba apagando rápidamente. Le dijo al amo Kit que controlara el dinero del amo Nicky y que lo reprendiera severamente si se desmandaba demasiado. Yo no podía imaginarme algo así. Después habló con el amo Nicky y le dijo que, cuando su hermano fuera conde, debería apartarse de su camino. Dejar que se las apañara solo... Y supongo que lo ha hecho.

Qué embrollo más tormentoso parecía ser la relación entre los hermanos, pensó Eleanor. ¿Cuánto de aquello podrían dejar a la puerta de su padre, que se entrometía constantemente para conseguir que Kit se autoafirmara? Se descubrió a sí misma pronunciando una corta plegaria para no quedarse embarazada de gemelos, especialmente de niños, uno de los cuales podría ser el heredero de Grattingley.

Diez días después de que Nicholas se hubiera marchado, llegó un precioso caballo para ella, una yegua gris hecha para correr pero de temperamento dulce. También había un elegante vestido azul de Madame Augustine. Eleanor no podía esperar. Corrió escaleras arriba para cambiarse y paseó a la yegua por los campos. Tendría que recuperar lentamente la habilidad para montar.

No llegó ningún mensaje con el caballo. El mozo de cuadra sólo dijo:

—Del señor Delaney para la señora Delaney.

Eleanor llamó a la yegua *Pearl*.

Tres días después llegó un carruaje. Eleanor se permitió sentir un poco de esperanza, aunque sabía que Nicholas mantendría su acuerdo y estaría fuera las tres semanas completas.

De hecho, fue lord Stainbridge quien salió de él.

—Eleanor, tienes muy buen aspecto —dijo tras observarla minuciosamente—. Me alegro mucho del nacimiento de la niña. No parecía que Nicky quisiera que viniera, pero eso es una tontería. Mi primera sobrina. Estoy deseando verla.

—No hay razón para que no la veas —contestó Eleanor, decidida a dejar atrás cualquier rastro de amargura, aunque no podía decir que agradeciera aquella visita—. Probablemente Nicholas estaba pensando en que tal vez todos fuéramos a Grattingley en Semana Santa.

—¿Lo haréis? —preguntó con deleite—. No parecía estar seguro. Y ahora, ¿puedo verla?

Eleanor pidió que bajaran a la niña.

—Gracias por prestarnos a Nana. Es un tesoro. ¿Nicholas está en Londres?

—Sí, eso creo, pero con Nicky, uno nunca puede estar seguro. Creo que el regente ha querido agradecerle en persona sus servicios, aunque no se puede reconocer públicamente. Imagina el regreso de Napoleón...

Eleanor dedujo de aquello que pocas personas estaban enteradas del doble giro de la conspiración. ¿Lo sabría el gobierno? Sin embargo, todo había salido bien, porque el dinero había sido para beneficio de Madame Bellaire, no de Napoleón.

Lord Stainbridge miró a su alrededor.

—No sabía que Nicholas tenía esta propiedad. Pensé que era de lord Middlethorpe. Parece un lugar bastante agradable —dijo a regañadientes—, aunque pequeño. Todavía estoy sorprendido de que no vinieras a Grattingley, donde podría haber cuidado de ti.

Eleanor se dio cuenta de que lo había borrado por completo de su mente. *Me pregunto si recuerda que Arabel puede ser su hija.* La niña había nacido dos semanas después de lo esperado, pero la señora Stongelly había dicho que era algo frecuente, y que igualmente podría haber nacido antes. Eleanor estaba profundamente agradecida de que Nicholas la hubiera presionado en la noche de bodas, porque ahora podía considerar que Arabel era hija suya.

—Éste es nuestro hogar —dijo Eleanor con sencillez en respuesta a su queja, y decidió que, si él había borrado todos los recuerdos de esa terrible noche, a ella le parecía bien que se olvidaran.

La entrada de Nana con el bebé fue una distracción bienvenida. Lord Stainbridge parecía sinceramente encantado con la niña.

Los tres días de visita pasaron mucho mejor de lo que Eleanor había esperado, porque ya se sentía más tranquila y el conde no estaba tan dispuesto a criticar a su marido. Lord Stainbridge no le contó qué explicación le había dado Nicholas para su ausencia y, para sorpresa suya, tampoco habló de ello.

Cuando se marchó, todavía quedaban cinco días. Era muy poco tiempo, pero se le hizo una espera eterna. Cuando al día siguiente oyó el sonido de las ruedas de un carruaje, salió a la puerta, esperando cualquier cosa, incluso que lord Stainbridge hubiera regresado, para matar el tiempo.

Era Lucien de Vaux. Le besó la mano.

—Nicholas me ha dado permiso para venir a visitarte —le dijo.

—Sólo doscientos cuarenta kilómetros —contestó Eleanor, encantada de verlo.

—Necesitaba una vía de escape, créeme.

Cuando lo tuvo sentado frente a una nutritiva comida caliente, él le explicó:

—Me encontré con Nicholas en Londres justo cuando yo estaba a punto de asesinar a una cabeza hueca llamada Phoebe Swinnamer.

—¿Por qué?

—Parece haber decidido que está destinada a ser la futura duquesa de Belcraven, y mi madre está ayudándola e incitándola. De hecho, es todo culpa tuya. Si no me hubieras dejado plantado en el baile, no la habría separado de su acompañante, dándole esperanzas.

Eleanor recordó aquel momento.

—Yo no podría haber rechazado a mi marido.

—Pues le habría venido bien. En cualquier caso, la muchacha y su madre me han estado acosando desde entonces. Mi madre incluso las ha invitado a Belcraven para Navidad.

—Eres hijo único. Tus padres deben de estar deseando tener un heredero.

Él se encogió de hombros.

—Y yo cumpliré con mi deber. El título lleva más de doscientos años pasando de padre a hijo. Aunque parezca raro, mi padre, que tiene mucho orgullo, no me presiona para que me case. Es mi madre...

—¿Es que la chica es tan insufrible? Es muy hermosa.

Él le dedicó una sonrisa torcida.

—Luciría muy bien la tiara, ¿verdad? —Se sirvió más pastel de carne—. Sin embargo, me estaba empezando a preocupar que tal vez una noche la encontrara en mi cama. Así que salí corriendo.

Eleanor se rió entre dientes.

—No deberías ser tan rico y atractivo.

—¿Y qué puedo hacer al respecto? —preguntó—. De todas formas, es el título lo que las atrae. Hay algo en el heredero de un ducado que vuelve locas a las mujeres. —La miró sonriendo—. Devuélveme la fe en el género femenino. Dime que no me habrías perseguido, aunque nos hubiéramos conocido cuando todavía no te habías casado.

Eleanor se echó a reír.

—Te aseguro que no se me habría pasado por la cabeza. No por valores morales, ni porque no me parecieras apuesto. Habrías estado fuera de mi alcance.

Él se puso serio.

—Entonces, tal vez debería buscarme una novia que pensara que estoy fuera de su alcance. Parece que no tengo suerte con las que son de mi mismo nivel. Y creo que me gustan las... ¿corrientes? No, ésa no es la palabra apropiada. —Se encogió de hombros—. Las mujeres como tú.

Eleanor se ruborizó.

—Mi querido marqués, estoy emocionada.

—Una mujer que dice lo que piensa y que mira a los hombres a los ojos. Blanche es así. —Le guiñó un ojo con picardía—. ¿Me vas a echar?

—Por supuesto que no —dijo, y añadió sombríamente—: Soy una experta en amantes.

Aún le quedaba un resquicio de dolor al pensar en todas las noches que Nicholas había pasado fuera de su cama.

Lucien se inclinó hacia delante y le tomó la mano.

—No sabes nada de eso —afirmó. Cuando ella lo miró inquisitivamente, continuó—: Una verdadera amante es la sustituta de la esposa.

Es alguien con quien hablar además de acostarse con ella, alguien que te hace compañía y te da pasión. Por lo que yo sé, Nicholas sólo le dio su cuerpo a Thérèse Bellaire.

Ella le apretó la mano y se la soltó.

—Gracias.

—Y no le gustó —añadió.

Eleanor lo miró sorprendida.

—Pero ¿no disfruta un hombre siempre...? ¿Cómo lo sabes?

Él apartó la mirada; se había quedado sin palabras.

—Dijiste que una vez habías conocido a Deveril. —Eleanor se estremeció y él asintió—. Thérèse Bellaire es muy parecida a él. Puede que sea hermosa y él, feo, pero por dentro son iguales.

—Y, sin embargo, en una ocasión Nicholas fue su amante —señaló ella.

—Bueno —dijo él sonriendo tristemente—, ella es muy «amable».

Los dos se rieron y a Eleanor le pareció que había que cambiar de tema.

—Entonces, si se supone que te vas a casar, ¿por qué Phoebe Swinnamer te hace huir a Somerset? Tiene la aprobación de tus padres.

—Cierto, y cualquier cosa que pueda hacer con la aprobación de mi padre sería un cambio agradable. —Pensó en ello—. Es muy bonita, y lo sabe muy bien. Nunca tiene un brillante rizo fuera de lugar, ni una manchita en la mejilla. Nunca hace un movimiento sin haberlo pensado antes y se mira en cada condenado espejo que ve.

—Tal vez sólo esté nerviosa —señaló Eleanor.

—Ella no. No tiene ni un solo nervio en el cuerpo. Es una muñeca impresionantemente hermosa. ¿Sabes?, tengo el estúpido impulso de besarla sólo para ver si le haría perder la compostura. ¿Crees que forma parte de su plan? —Se rió—. Ya sabes por qué he tenido que huir.

—Eso me temo. Si hicieras algo tan tonto, no tardarían ni una hora en anunciar tu matrimonio.

—Y yo quiero algo mejor, Eleanor. Quiero lo que tenéis Nicholas y tú.

Eleanor se sonrojó.

—¿Nosotros? No tenemos nada.

—Tonterías. Me enfadé con él porque era como ver a alguien arrojarle tinta a un cuadro de valor incalculable. Entonces no lo comprendí. A él debió de parecérselo. Pero a veces la magia aparece incluso así. Y ahora la veo en tus ojos.

Se levantó. Era rico, apuesto, el heredero de uno de los mayores títulos del país... e infeliz.

—Mis padres tienen vidas separadas —continuó diciendo—. Solamente se ven en comidas formales o con una cita. No comparten nada. Fue un matrimonio concertado al viejo estilo, y aun así... Me sorprende que consiguieran tener cinco hijos. —La miró, enfurecido—. ¿Tengo que renunciar a Blanche, lo mejor que tengo en mi vida, por eso?

Eleanor se encogió de hombros con impotencia.

—¿Todos los hombres dejan a sus amantes cuando se casan?

—No. ¡Cielos, Eleanor, no deberíamos estar hablando de esto!

Ella sonrió.

—Necesitas hablar y yo no soy ninguna florecilla delicada a la que haya que proteger de la realidad.

Él se sentó a su lado.

—Es como ya te he dicho. Blanche es como una esposa. Más que muchas esposas, me atrevería a decir. No podría convertir eso en algo secreto y desagradable, y tampoco podría alardear de ella teniendo mujer. Además, Blanche nunca permitiría que se diera tal situación. Así que, cuando me case, se acabará. Los dos lo sabemos. Y yo perderé algo muy importante en mi vida.

—Tal vez deberías casarte con ella —sugirió Eleanor.

Él se rió con ganas.

—Blanche también se reiría de esa idea. ¿Casarme con una actriz, la hija de un carnicero de Manchester y una reconocida prostituta? Mi padre me encerraría en Bedlam. Pero no hace falta hacer de esto una tragedia. Blanche no es el amor de mi vida y ambos lo sabemos. La amo... te amo a ti, en cierto modo. Nunca he estado enamorado.

Eleanor suspiró.

—A veces es un sufrimiento doloroso.

—Pero ¿acaso ha vivido quien nunca lo ha sentido? —Negó con la cabeza—. Creo que Nicholas me envió aquí porque sabía que yo necesitaba hablar, antes de que yo mismo lo supiera.

—Sí —dijo Eleanor sombríamente—. Tiene un don para leer la mente.

Él la miró con preocupación.

—Vas a hacer que vuelva, ¿verdad?

—Oh, sin duda. —Suspiró—. Pero a veces desearía obligarlo a que fuera completamente sincero.

—Lo harás. Eso es lo que hace que el amor sea tan doloroso.

Lucien se quedó dos noches y después se marchó, camino de Melton, para la temporada de caza, con la esperanza de no encontrarse con sus padres ni con Phoebe Swinnamer. Eleanor sólo tenía por delante un día más de espera y, a pesar de las dudas y la incertidumbre, estaba deseando volver a tener a Nicholas en sus brazos.

El vigésimo primer día se despertó con un nerviosismo febril y, según iba pasando el día, la señorita Hurstman perdió la paciencia al verla tan inquieta.

—¿Cuándo puedo esperarlo, Arabella? ¿Por la mañana?

—Lo dudo. ¿De dónde vendría para poder llegar tan temprano?

—La última vez llegó por la mañana —replicó Eleanor descontenta y frunciendo el ceño.

—Cabalgó toda la noche, lo que fue una locura, aunque hubiera luna llena. Ahora hay luna nueva, así que, aunque quisiera, no podría hacerlo.

Podría haberse quedado cerca y venir pronto, pensó Eleanor airadamente.

—Entonces, por la tarde —dijo en voz alta.

—Tal vez —contestó la señorita Hurstman con brusquedad—. Sin embargo, no olvides que lo echaste por, al menos, tres semanas. Eso no significa que vaya a volver en tres semanas justas.

Eleanor palideció.

—¡No se atrevería!

—Podría hacerlo. ¿Por qué no? —La miró con exasperación—. No sé mucho de hombres, pero si esperas que se humille, lo perderás.

—Dijiste que tenía que hacer que me cortejara —protestó Eleanor.

—Sí, pero ¿cómo se supone que lo va a hacer desde el otro extremo del país? Oh, me lavo las manos en este asunto —dijo, y salió de la habitación.

Después de una cena durante la cual las dos mujeres se criticaron mutuamente, Eleanor se fue a sentarse sola al salón. Llevaba un vestido de terciopelo dorado, tenía el cabello recogido en lo alto de la cabeza y se había perfumado con ámbar, aplicándoselo en las muñecas y en el cuello. Estaba decidida a no llorar. Si a Nicholas realmente le importara, habría ido en cuanto le hubiera sido posible, ya hubiera luna o no, pero ella había cedido ante el pragmatismo. Sin embargo, su marido ya no tenía excusa para no haber aparecido.

¿Qué iba a hacer cuando llegara al día siguiente, o al otro? ¿Aceptarlo sin más y sentirse agradecida?

Empezó a pasear arriba y abajo con ansiedad, furiosa. Oh, no. Si pensaba jugar con ella en esos momentos, ¿qué haría cuando la tuviera con seguridad?

—¿Por qué estás tan enfadada? —preguntó Nicholas desde la puerta.

Ella se dio la vuelta rápidamente.

—¿Dónde has estado?

—Venía de camino —contestó con cautela, pero entonces sonrió abiertamente—. Pareces una tigresa a punto de saltar. Estás preciosa.

Eleanor se sentó con brusquedad, luchando para no devolverle la sonrisa.

—Eres el hombre más abominable que he conocido nunca —le espetó—. ¡Planeaste llegar tarde, sabiendo que eso me perturbaría!

La sonrisa de Nicholas se desvaneció.

—Son sólo las nueve —dijo, totalmente controlado.

Eleanor recordó el consejo de la señorita Hurstman y le miró las manos. Aferraba con fuerza sus guantes de piel.

—Ah, claro —dijo más calmada, pero con frialdad—. Sólo podrías haber llegado veintiuna horas antes. ¿Se suponía que tenía que estar levantada si decidías venir a medianoche?

Observándola con atención, como si en realidad fuera una tigresa furiosa, Nicholas entró en la estancia y cerró la puerta. Eligió una butaca cerca de la de ella.

—Por lo que sé, te seguías acostando temprano.

Eleanor se tensó.

—Entonces, ¡has venido lo más tarde posible!

Él sonrió con remordimientos.

—Yo también tengo mi orgullo. ¿No esperabas algo así?

Ella suspiró.

—No, pero la señorita Hurstman, sí. Tal vez deberías haberte casado con ella.

—Una idea tentadora —respondió con una brillante sonrisa que no solía ser normal en él—. Pero estoy casado contigo.

—Y ése es el problema, ¿verdad? —replicó con amargura—. Estás cansado de mí y lo estás intentando llevar lo mejor posible. ¡Pero no pienso seguir viviendo de tus migajas!

Inmediatamente, él acortó la distancia que los separaba y la agarró, haciendo que se levantara.

—Eleanor, ¿qué estamos haciendo? Dios mío, debo de estar liándolo todo todavía más.

—¡Eso es! —siseó con furia—. En cuanto me opongo a ti, todo tu famoso control desaparece. ¿Voy a sufrir otra violación?

Nicholas dejó caer las manos a los costados. Se hizo un silencio mortal. Eleanor ni siquiera podía respirar.

Lentamente, él volvió a sentarse.

¿Qué he hecho?, no dejaba de preguntarse Eleanor.

Se dejó caer en la butaca y lo miró cautelosamente, tapándose la boca con las manos.

No vio enfado ni repulsión en los ojos de su marido. Sólo una gran concentración.

—Eleanor, comencemos de nuevo. He llegado tarde. Siento haberte molestado. Ni siquiera estoy seguro de si ése era o no mi propósito. Mis sentimientos hacia ti no siempre son lógicos. Me pediste que me fuera tres semanas y eso ha sido exactamente lo que he hecho. He regresado tres semanas después desde el minuto en que me dijiste que me marchara. Supongo que no ha sido buena idea.

—No, no lo ha sido —dijo Eleanor débilmente.

—No creo que sea el momento de jugar. Eleanor, ¿quieres que esté presente o ausente?

Nicholas estaba siendo tan frío, tan crítico... Ella recordó haberle dicho a Lucien que deseaba que su marido fuera completamente sincero. ¿Dónde estaba la verdad en todo aquello? Habló con el corazón roto.

—¿Me amas?

Nicholas se sonrojó y se rió con voz temblorosa.

—¿Que si te amo? Tanto que no tengo palabras para expresarlo. Deja que las tome prestadas: «Porque el vasto universo para mí es poca cosa, pero en él tú eres todo; mi plenitud, mi rosa».*

Las palabras flotaron en el cálido ambiente de la estancia hasta asentarse en el corazón de Eleanor.

—¿Por qué crees —le preguntó— que me he esforzado tanto para recuperarte?

—Pero nunca me has perdido, Nicholas. Creía que estabas intentando salvar nuestro matrimonio.

Él negó con la cabeza.

—Y yo que te tomaba por una mujer inteligente. Eleanor, Eleanor... —Se quedó en silencio unos instantes y frunció el ceño—.

---

* Se trata del Soneto 109 de William Shakespeare. Cf. *Sonetos de William Shakespeare.* Traducción de William Ospina, Bogotá, 2003.

Como le dije una vez a la señorita Hurstman, he corrompido mi arte. Todas las expresiones de cariño me suenan sucias. Eres mi vida, Eleanor, te lo juro. A tu lado, las demás mujeres son como estatuas de yeso... ¿Puedo tocarte?

Ella lo miró, gloriosamente feliz... y desconcertada.

—¿Qué...? ¡Oh!

Se lanzó a sus brazos. Él la recogió a medio camino. Al principio, se besaron torpemente, después, con desesperación y, luego, con satisfacción, hasta que él rompió el beso y la llevó al sofá.

Le mordisqueó suavemente la oreja y murmuró:

—¿Puedo asumir que me has vuelto a aceptar como tu marido, o simplemente vas a tener una aventura conmigo?

Ella dejó escapar una risita. Se sentía cálida, tierna y loca de alegría.

—Hmm... ¿Qué prefiero?

—Ambas cosas —susurró él—. Vamos a tener la aventura más gloriosa que ha tenido nunca un matrimonio.

Eleanor suspiró, contenta.

—Me pregunto por qué me amas. Soy tan corriente...

—¿Estás buscando halagos, mi amor? Eres inteligente, sabia, valiente, generosa y tienes, gracias a Dios, sentido del humor. Para mí, eres la mujer más hermosa del mundo, y eres total y completamente fascinante. —Le desabrochó con destreza el cuello del vestido y le depositó unos besos cálidos y suaves en la garganta—. Las palabras no son suficientes para expresarlo —dijo en voz baja, mirándola a los ojos—. Te necesito para estar completo. Ahora —añadió, besándole la nariz—, debes decirme por qué me amas tú. Si es que lo haces. Nunca lo has dicho.

Eleanor lo miró y vio, asombrada, su inseguridad. Todo artificio había desaparecido. Levantó una mano para acariciarle el rostro.

—¡Llevo tanto tiempo amándote...! Pero eres tan maravilloso que cualquier mujer te amaría y —añadió dedicándole una pícara mirada— tengo entendido que muchas lo han hecho.

En los ojos de Nicholas había prendido un fuego de júbilo y, Eleanor pensó, de pasión. No vio ni un ápice de arrepentimiento cuando él le sonrió, y no le importó.

—¿Vas a ser una esposa celosa y también posesiva? —le preguntó, sonriendo.

—Totalmente.

—Entonces, seré un marido celoso y posesivo. —Le giró la barbilla hacia él y la miró con seriedad—. Tendrás que disolver ese grupito de jóvenes galantes que han estado rondándote durante todo el año.

—Me parece maravilloso. ¿Sabías que Lucien ha estado aquí?

—Esperaba que viniera. Necesitaba una amiga.

—Necesita una esposa.

—Necesita una amiga y una esposa, como yo...

Se volvieron a rendir al deleite de acariciarse.

El vestido de Eleanor estaba considerablemente más desarreglado cuando dijo indolentemente:

—También vino tu hermano.

—¿De verdad? —comentó él, más interesado en el encaje que todavía ocultaba sus pechos—. Intenté desalentarlo. ¿Dónde has enterrado el cadáver?

—Fui muy agradable con él —dijo Eleanor, deteniendo sus dedos. Pronto tendría un aspecto indecente—. He descubierto que no puedo aferrarme a mis quejas para siempre y, como él no te criticó, mantuvimos las buenas maneras.

Nicholas dejó de intentar liberar el encaje y deslizó una mano entre el vestido y la ropa interior de seda.

—De hecho —continuó Eleanor, casi sin aliento—, creo que, si tengo algo contra él, es la conversación que oí que teníais sobre mi hija.

Él detuvo la mano y simplemente la dejó descansando sobre su generoso busto. Durante un momento, pareció desconcertado.

—Oh, entiendo. Aquella discusión. Recuerdo que, después, estabas bastante distante. Pensé que era porque Amy se había ido y ya no te sentías cómoda estando a solas conmigo. Me pregunto qué dijimos para molestarte tanto. Lo siento, sólo estaba intentando fastidiar a Kit. A veces me irrita.

—Fue horrible —recordó Eleanor—. ¡Me habría gustado escupiros a los dos! Hablabais de mí como de una yegua de cría que podíais pasaros a vuestro antojo. ¡Dijo que tuvo que obligarte a casarte conmigo y tú contestaste que —le explicó, apartándole las manos e incorporándose—, si te cansabas de mí, él se podía quedar conmigo!

—No lo hice.

—Sí lo hiciste. Se me quedó grabado en la mente.

—¡Santo Dios!

Para asombro de Eleanor, él se echó a reír.

Ella se levantó de su regazo de un salto.

—A mí no me pareció gracioso.

—Por supuesto que no. —Hundió la cabeza en las manos—. Pero es mejor reír que llorar. —Recobró la compostura y se levantó—. Cada vez estoy más sorprendido de que quieras tener algo que ver conmigo. Sólo por curiosidad —dijo, atrayéndola a sus brazos—, ¿qué habrías hecho si te hubiera envuelto en papel de regalo y te hubiera enviado a Kit?

Ella lo miró con severidad.

—Si hubiera huido después de asesinarte, me las habría arreglado yo sola, te lo aseguro.

—No me cabe la menor duda —respondió con admiración—. Cuéntame cómo.

Ella levantó la cabeza, orgullosa.

—No estoy acostumbrada a llevar una vida de lujos. Puedo cuidar de mí misma.

—¿Con una niña y sin dinero? —preguntó, escéptico.

Ella sonrió.

—Tengo dinero. Cogí una hoja de tu libro. Y nunca he gastado mucho de tu generosa asignación. Después de todo, dijiste que te enviaran las facturas a ti, y eso hice, con tantas cosas como me fue posible. ¿De qué crees que hemos estado viviendo desde que desapareciste?

Nicholas gritó de alegría y la levantó en brazos, haciéndola girar una y otra vez.

—Eleanor, eres una delicia. ¡Te adoro con locura!

Ella cayó jadeando sobre su pecho.

—Y yo te adoro a ti. —Se puso seria y lo miró a los ojos—. Por favor, por favor, no me decepciones, Nicholas. Dudo que pudiera sobrevivir.

Él enterró la cara en su cabello suelto.

—Me aterrorizas, Eleanor. Nunca antes he tenido tal responsabilidad. Solamente puedo prometerte que me dedicaré por entero a conseguir tu felicidad. Lo que me recuera... —dijo, mirándola con seriedad—. ¿Quieres que dé caza a Thérèse y que la castigue? Tengo cierta idea de a dónde ha podido ir.

—¡Dios, no! Espero que nunca más vuelvas a verla.

Él sonrió.

—Puedo asegurarte que me deja indiferente.

—Bien. ¿Y qué hay de mi hermano? ¿Sabes dónde está?

—Se fue a Italia. Espero que alguien le clave un estilete antes de que se gaste todo el dinero de mis perlas.

Eleanor se sintió avergonzada.

—Siento mucho lo de las perlas.

Él negó con la cabeza.

—No tiene importancia. —Pasó las manos por el cabello de Eleanor, deshaciéndole por completo el elaborado peinado. Las horquillas cayeron dispersas al suelo y ambos las ignoraron—. Si Arabel tiene suerte, heredará tu cabello.

—Creo que tiene tus ojos.

—O los de Kit —apuntó él con prudencia.

—He decidido olvidar que tu hermano puede tener algo que ver con ella.

—Si así lo deseas... Supongo que es una cuestión de honestidad y conveniencia.

—Tú fuiste quien dijo que deberíamos vivir una mentira.

—Ah, pero desde entonces, me has reformado.

A Eleanor no se le ocurrió nada ingenioso que decir. Durante toda la conversación, Nicholas le había estado estimulando los sentidos con los dedos. Le sostenía la mirada y sus ojos hablaban de amor y calidez, de necesidad y pasión. Eleanor sentía un zumbido en la sangre, un cosquilleo en las terminaciones nerviosas que hacía que su mente flotara.

Deseaba que la llevara a la cama, aunque todavía se sentía demasiado tímida para pedírselo. Como no fue capaz de hacerlo, no supo qué más hacer, así que sacó un tema al azar.

—Nicholas, ¿por qué tu hermano no se casó conmigo?

Él se tapó los ojos.

—Ya tuvo bastante con un matrimonio. Nunca le han interesado mucho las mujeres.

Había vuelto a deslizar la mano entre la seda y el terciopelo. La sensación de mareo aumentó...

—¿Cómo pudo violarme? No tiene sentido. Él nunca haría eso por un trozo de jade.

La mano de Nicholas se detuvo y la miró a los ojos con impotencia.

—Es mejor olvidarlo, Eleanor. Ya no nos afecta.

Ella quería que Nicholas continuara con aquella magia.

—Pensé que, si comprendía mejor las cosas, podría establecer con él una buena relación.

—Lo dudo —respondió secamente.

Eleanor estaba recuperando el sentido común. Lo miró con desconfianza.

—Esto se parece extraordinariamente a aquella conversación sobre la erótica, que nadie me explicó.

Los ojos de Nicholas se iluminaron y le tomó la cara entre las manos.

—Ése sí es un tema mucho más interesante.

—Bien. Entonces, háblame de ella.

—Lo que tengo en mente —dijo con suavidad, mientras se la llevaba toda desarreglada de la habitación— es más bien una demostración...